Instructor's Manual

to accompany

BOOK TWO

Second Edition

Including:

Methodological Guide for Teaching with Nachalo
Gerard L. Ervin
The Ohio State University, Emeritus

Larry McLellan
University of California, Santa Barbara

Testbank
Ruth Warner
Windsor High School (Colorado) / University of Northern Colorado

Audioscript
Ruth Warner
Windsor High School (Colorado) / University of Northern Colorado

Answer Key to Workbook/Laboratory Manual
Jennifer Bown
The Ohio State University

Transparency Masters

Boston   Burr Ridge, IL   Dubuque, IA   Madison, WI   New York   San Francisco   St. Louis
Bangkok   Bogotá   Caracas   Lisbon   London   Madrid
Mexico City   Milan   New Delhi   Seoul   Singapore   Sydney   Taipei   Toronto

McGraw-Hill Higher Education

A Division of The *McGraw-Hill* Companies

This is an  book.

Instructor's Manual to accompany

BOOK TWO

Published by McGraw-Hill, an imprint of The McGraw-Hill Companies, Inc., 1221
Avenue of the Americas, New York, NY 10020. Copyright 2003, 1997 by
The McGraw-Hill Companies, Inc., All rights reserved. No part of
this publication may be reproduced or distributed in any form or by any means, or
stored in a database or retrieval system, without the prior written permission of
The McGraw-Hill Companies, Inc., including, but not limited to, in any network or
other electronic storage or transmission, or broadcast for distance learning.

1 2 3 4 5 6 7 8 9 0 QSR/QSR 0 9 8 7 6 5 4 3

ISBN 0-07-253885-6

http://www.mhhe.com

CONTENTS

Methodological Guide for Teaching With *Nachalo*

Methodological Guide for Teaching with *НАЧАЛО*

1. Introduction to НАЧАЛО, Second Edition [1]

НАЧАЛО has been designed with flexibility at the forefront. The authors have sought to create materials that foster a high-interest, input-rich language learning environment within which each instructor can emphasize that mix of approaches and activities that best suits his or her teaching style, academic environment, and student group.

1.1. *Methodological underpinnings*

The students, the materials, and the instructor

Each of the three main entities in the teaching/learning collaborative has a specific role. Students—sometimes depicted last in the hierarchy—are in reality the most important element. Without students' willing involvement and active participation in the teaching/learning process, no instructor, method, or materials can succeed. The materials (textbooks, workbooks, audio- and video resources, CD-ROM and so on) are best suited for presentation, certain types of skill-getting practice, and reference; if well authored and produced, the materials can save instructors and students an enormous amount of time and effort by offering students basic language input, guided practice, and concise reference and review resources. Instructors, meanwhile, are pivotal in establishing a good learning environment and are irreplaceable for interpreting the materials, responding to students' individual, unique questions, and providing evaluative judgments on students' original language production via live, communicative interaction in the target language.

Ideally these three entities work together. The printed, audio, and video materials provide the foundation, a basic background of language input to be shared, modified, activated and enlarged upon by the students and the instructor. In addition to input, the materials can provide practice in language patterns. The limitation of materials, however, is that they cannot provide feedback to the students on how successful their attempts at communication are; only instructors can fulfill that role.[2] At some point (better: at many points) throughout the course students will engage in communicative exercises and activities where the students have latitude, that is, where they are responding creatively or personally to questions or situations posed in the textbook's exercises. Only instructors can provide feedback to the students on how successfully those communication goals have been reached. Instructors can thus maximize their impact on the teaching/learning process by concentrating their efforts with students in activities where the instructor can model, monitor, guide, correct, and otherwise provide the kind of feedback that students cannot get from printed or recorded materials. This means that instructors should not spend much class time lecturing about Russian grammar, for that information can be presented in the materials. Nor need extensive class time be devoted to listen-repeat or fill-in-the-blanks activities; such exercises should be prepared by students at home for quick review in class.[3]

---

[1]See also "To the Instructor" in the preface to the textbook.

[2] The CD-ROM can also provide feedback, but like the feedback from answer keys, that feedback is effective only to the extent that student responses (both correct and incorrect) have been anticipated by the designer of the materials. Feedback from an instructor, by contrast, is usually specific to each particular situation.

[3] The number of these kinds of exercises has been increased in *НАЧАЛО* 2/e, with the intent that students should be expected to do them outside of class with their personal tapes or CDs, in the language lab, or, if instructors have distributed answer keys, as self-corrected written homework.

The implications of the foregoing for the students are substantial. Students must understand and actively fulfill their role: they must realize that they are ultimately responsible for their own learning. They must study the materials and be able to articulate their questions for the instructor. They must do the structured, daily homework exercises as assigned. They must review the readings, listen repeatedly to the audio materials that accompany that accompany the textbook and the *Workbook/Laboratory Manual*, and watch applicable video segments as often as necessary so that the language and structures presented therein become as familiar to them as the "top 40" songs they listen to on the radio. And finally, students must come to class prepared for and willing to take part in classroom activities, for it is only in the classroom, interacting with other students and the instructor that the students' developing abilities in the language can be put to the test.

From the known to the unknown

Use of English

Russian can be an intimidating language. The measured use of English in the initial stages of instruction can greatly reduce this intimidation factor (what Krashen has called the "affective filter"). Nevertheless, most students come into a Russian class wanting to learn to speak the language and will be disappointed if they do not hear and begin to speak Russian early. Therefore, we recommend a judicious balance: greetings, repetitive administrative activities and simple classroom directions (see Book 1, p. 34) can be taught early and contextually, used communicatively and bilingually for an initial period of time ("**Том, пожалуйста, закройте дверь** — close the door — **закройте дверь.**") and thereafter used exclusively in Russian. The further use of English is appropriate as new situations are encountered or to give new directions or set the stage for a new type of activity to be done in Russian. Gradually, however, the balance should shift so that by the end of the term most situations, classroom directions, and activities are carried out principally in Russian.

Use of cognates

Russian vocabulary is often cited by Anglophone students as one of the most challenging features of the language. Many students feel overwhelmed by a seemingly unrelenting onslaught of totally unfamiliar vocabulary. *НАЧАЛО* seeks to capitalize on the two languages' rich store of cognates to the students' advantage. Instructors can help students become adept at recognizing Russian/English cognates, which are sometimes obscured by pronunciation or minor spelling differences (e.g., **психология**), or that initially go unrecognized simply due to students' unfamiliarity with the Cyrillic alphabet.

Use of real-world knowledge

Students have a great store of shared knowledge—history, geography, famous people, cultural icons—that can be tapped and utilized in Russian that is supported by cognates, expressed with reduced but acceptable syntax, and supplemented by gestures, visual aids and occasional English. Properly addressed, students' preexisting world knowledge can yield surprising results even in the first few weeks of class. For example, even in Lesson 1, the following scenario is possible:

Instructor: "**Как вы думаете** — What do you think — **Как вы думаете, профессор университета— это престижная профессия? Профессия: это доктор, актриса, профессор.... Профессия. Профессия** [repeat a few times until a student guesses the cognate, then write it on the board]. **Престижная профессия. Престиж. Престиж** [repeat a few times until a student guesses the cognate, then write it on the board]. **Престижная профессия** [repeat a few times until a student puts it together, then write it on the board]. **Как вы думаете, профессор — это престижная профессия? А доктор — это тоже престижная профессия? А музыкант — скажем, гитарист** [mime playing the guitar] **в рок-группе** [repeat a few times so students get used to the phonology] — **это престижная профессия?"**

Then the instructor might send two or three students to the board to try writing out cognate professions as the instructor says them aloud, while other students write them at their seats.

Teaching for communication

Most people take a foreign language with the intent to put the language to work for them. Those who may eschew formal grammar will be more tolerant of it if they can readily see how it helps them accomplish something in the language. Hence, we place considerable emphasis on placing Russian grammar and vocabulary in a living, functional context.

A highly interactive classroom that keeps students alert by constantly involving and challenging them to communicate accurately in Russian fosters the best environment for learning. Students should constantly be using the language in referential contexts: they should always understand what they are hearing (saying, reading, writing) and should be expected to respond in ways that demonstrate their comprehension. They should rarely, if ever, be put in the position of using language that is meaningless to them or that is pragmatically or situationally incorrect or inauthentic. For example:

- Students should be told to use their own names (or their adopted Russian names; see lists on p. 9 and p. 69 of Book 1) and make appropriate gender and number changes when performing memorized dialogues. Student-modified dialogues that utilize the same features as a model dialogue but have been adapted to the students' own realities are even better.
- Students should converse **«на ты»** with other students of approximately their own age and **«на вы»** with older students and the instructor.
- Students and instructors should function within observable situational (physical, cultural, referential) realities. For example, to teach pronoun substitution using **здесь** and **там** (e.g., **— Книга здесь? — Нет, она там.**), a remote corner of the classroom should be set up as the **там** location and the necessary props should be placed in it for clear reference.
- In practicing possessive adjectives, instructors and students should use **«мой»** (**это моя ручка** and **это мой брат**) only when referring to their own pen or a picture of their own brother.
- When working with motion verbs, emphasis should be on events and destinations to which the students might actually go.

Even a very simple activity can be extended in a communicative way. For example, an instructor might follow up on the **«престижная профессия»** sound-symbol activity presented earlier in this fashion:

"**Хорошо. Теперь, какая самая** [emphasize; hold up one finger; point to a space at the top of the list] — **самая престижная** — the most prestigious — **самая престижная профессия? Том, как вы думаете — какая самая престижная профессия?** [Have Tom go to the board to start a new list, writing his choice at the top.] **Мэри, вы думаете, что гитарист в рок-группе — это более** [emphasize; point upward] **престижная или менее** [emphasize; point downward] **престижная профессия, чем доктор?** [Send Mary to the board to place the rock guitarist where she thinks it ought to be; and so on.] **А Линда, вы согласны** — do you

agree — **вы согласны** [instructor nods head] **или вы не согласны** [instructor shakes head], **что гитарист в рок-группе более** [gesture again, pointing up] **престижная профессия, чем доктор?"**
In this way students are making judgments and expressing their own opinions to the instructor and one another using only very simple one- or two-word sentences. Students are demonstrating comprehension of novel utterances and reacting to them. In other words, true communication is taking place even as basic sound-symbol correspondence is being practiced. Note also that this kind of presentation begins a spiraling effect by touching upon lexical elements and grammatical features (e.g., use of the phrases **Как вы думаете?, Вы согласны?,** and of comparative and superlative constructions) that will not be taught for active mastery until much later. A moment or two of reflection in planning lessons can lead to many other ways of introducing and maintaining similar referential and communicative realities.

Especially in orienting one's classroom towards teaching for communication, explicit attention to grammar is important. In a communication-centered class, however, grammar becomes a *means* rather than being the *goal* of instruction. Thus, in addition to having students read the grammatical presentations in the textbook and do the grammar exercises in the *Workbook/Laboratory Manual,* we recommend that instructors periodically invite students to summarize in English their understanding of the grammatical constructions they have been encountering and using. Such an approach requires that the students demonstrate the extent of their developing formal knowledge of grammar and that they recognize the importance of being able to articulate this knowledge. This approach provides the instructor valuable feedback about what students have and have not learned, as well as about what they may be learning incorrectly. It is especially useful in orienting the instructor toward specific aspects of a grammatical topic that need review in class.

From receptive to productive

Beginning-level students can easily engage in meaningful communication if they are undertaken in a context-rich environment. Students' receptive skills develop naturally at a level well in advance of their productive skills, and this differential can be capitalized on if instructors are mindful of using different levels of questioning.

A question can be posed and answered at several different levels of complexity. The key is how much help is embedded in the question vs. how much student-generated language is required to produce an answer. From least to most complex—from the student's point of view (that is, based on how much original language the student has to produce to give an answer)—are questions of the following types:

- *Yes/no, true/false, either/or, agree/disagree, multiple choice:* Questions of this type contain all the information needed to answer them. Though the questions themselves can be quite complex, the student needs only to recognize the correct answer. These are very useful kinds of questions for the instructor to pose when students are still at an elementary level or when, at a more advanced level, students are encountering complicated new structures or large amounts of new vocabulary.
- *Question-word (WH-):* These are questions of fact that begin with a simple interrogative (who, what, when, where). Many instructors rely very heavily—often too heavily—on this type of questioning for classroom activities (e.g., to follow up on an assigned outside reading). To respond, the student must know a point of fact and be able to express it. The answer could be a single word (the name of a person, place, or event) or could involve a whole sentence. The

"Reading Introduction" questions in the Instructor's Edition of the textbook are typically of this type.

- *Explanation, description, and narration (why, how):* These types of questions require the students to form whole sentences (or at least complete thoughts) and perhaps even to string together two or more sentences. Since they are based on concrete, referential facts, however, the element of "what to say" (the factual answer) is less of a problem than is the element of "how to say it."
- *Opinion, supported opinion, and hypothesis ("Why do you think . . .", "What would have happened if . . ."):* These types of questions require not only very sophisticated linguistic constructions, but also originality in the substance of the response. For that reason, these are usually the most difficult types of questions for students to answer. Instructors can help students get used to answering these types of questions by modeling acceptable short answers.

In doing question-answer work it is good practice to maintain natural conversational style. That is, students should be allowed to give short answers (rather than answers that artificially restate the entire question) when that is how a native speaker would answer a similar question in a conversational setting.

Using visuals and physical activities

A key way to help students stay in touch with the context of what they are hearing (saying, reading, writing) is to support the language with visual materials and physical activity. The video that accompanies *НАЧАЛО* can play an important role in lifting the events and characters of the readings off the printed page and showing them as real-life (though often intentionally exaggerated) interactions. The *Video Guide* that accompanies the video is rich with material for in-class activities.

Instructors should also make liberal use of the overhead projector, using the transparency masters included in this *Instructor's Manual* to make transparencies that will give the students a visual image of the persons, events, and locations presented in the readings and in the visuals that open each Part. After focusing the students' attention in a general way on these persons, events and locations and discussing them in Russian, instructors can leave the scenes on the overhead and utilize them as points of departure to have students engage in linguistic activity related to their own lives.

Since learners vary in how they learn best, instructors should seize opportunities to make redundant use of multiple input modes during a class or over a period of days: Some learners at certain times will remember best from what they see, some will remember best from what they hear, some will remember best by speaking aloud, some will remember best by writing, and still others will remember best by doing. Almost all learners will remember best by encountering and interacting with new material in a variety of ways over a period of days.

Decentralizing: Pair, small group, and walkabout activities

The instructor in front of the class ("the sage on the stage," as it has been characterized) is the basic teaching style for many instructors. All instructors, however, should feel free to experiment with other formats (some have characterized this as the "guide by your side" style) in order to engage the students more actively in classroom activities.

Students who are actively involved in the class will get more out of it than they would if they were allowed to be essentially passive observers. Students working with one another at defined tasks, with set goals to be accomplished in a stated amount of time and done under an instructor's helpful, active, and participatory supervision, can experience a considerable degree of high-quality language acquisition. Any of these activities (pair, small group, walkabout) should have a time limit, a definite purpose, and an accountability component (e.g., reporting information back to the instructor or to the class as a whole).

The easiest way to involve students is to use them as an extension of the instructor. For example, when using cue cards of any sort (alphabet letters, numbers, vocabulary words, adjective or noun endings, visuals), the instructor can have a student hold them up for the class. The instructor is thus free to move around the room while the student in the front of the classroom holds up the appropriate cue card. Further, if the instructor communicates in Russian to give directions to the student holding up the cards, this in itself becomes a communicative activity not just for that student, but also for all the other students in the class.

An additional pedagogical benefit of the instructor's adopting a "guide by your side" instructional posture is that the instructor's presence in the middle or back of the room can be very good for the kind of students who sometimes purposely take refuge there. Finally, occasionally being in the middle, the back or on the periphery of the classroom affords the instructor a student's perspective of the cue cards (Are they large enough? Clear enough? Interesting enough?). If multiple cue cards are to be used and referred to at various times throughout a presentation or exercise, the cards can be passed out among several students rather than being left in the hands of just one student.

Many instructors have come to appreciate the power of pair and small-group activities. These activities are relatively easy to set up; indeed, many of the exercises in the basic *НАЧАЛО* textbook are explicitly presented in this mode. Brainstorming activities ("In three minutes, come up with as many questions as you can that you want to ask the landlord of an apartment you are thinking of renting") are a good example. It is important to shuffle the composition of the student pairs or groups, however: If students work in the same pairs or groups consistently, they begin to approach the activities in a routine and less-than-serious manner. (To avoid having to set up pairs for each activity, some instructors allow pairs to work together for two or three class periods, then shuffle them.)

In so-called "walkabout activities," students leave their seats to interact with others in the room. For example, each student can be given a specific question to ask of ten other students in a period of four minutes and then report a summary of the results back to the class. One student's question might be **Ты смотрел (смотрела) телевизор вчера вечером?** [If the answer is yes:] **Что ты смотрел (смотрела)?** [If the answer is no:] **А что ты делал (делала)?** Depending on the size of the class, during the allotted four minutes *each* student will have been asked and will have been answered a number of *different* questions. In a class of fifteen students there will easily have been 100-200 meaningful communicative exchanges during a time frame when the instructor asking all the questions would likely have elicited only a dozen such exchanges. Moreover, if the questions are well chosen, the accountability activity will be of considerable interest to the class and, since it will be done in Russian, will further extend the communicative use of Russian.

Instructors differ in their tolerance for the hubbub and occasional confusion that accompany pair, small group and walkabout activities. Also, such activities usually take longer and create more seeming confusion than would a carefully managed, instructor-centered activity. The benefits of these kinds of activities, however, make them worthwhile additions to a classroom language program, especially if the instructor makes it a point to be an active participant in them rather than merely a detached observer. (If advanced-level students, language aides or guest native speakers can visit the class occasionally, they can be extremely helpful in animating these kinds of activities. Moreover, the linguistic benefits to advanced-level students who serve as resource personnel in beginning-level classes are substantial.)

The centrality of culture

If students are learning Russian to communicate, it follows that they envision themselves communicating *with* someone, most likely with native speakers of Russian (and/or by reading material written by Russians for other Russians). In learning to communicate with those of another culture, students should come to understand that all cultures—including their own—have cultural norms that are so much a part of the culture-bearers' subconscious that most of us are unaware of them. People who seek to become proficient in interactions within a new culture must become aware of the target culture's norms and learn to respect and observe them. That is to say, students must learn that effective communication in a foreign language is impossible without some degree of appreciation of the culture implicit in that foreign language. [4]

Two levels of "culture" are recognized by most language educators: the culture of daily life (so-called "small-c" culture) and the culture of history, arts and letters (so-called "large-C" culture). *НАЧАЛО* treats culture at both levels, both explicitly in the **О России** sections and implicitly via the daily life events presented in the readings, the visuals, and the video. The culture of daily life comes into play in Lesson 1 of Book 1, for example, as students learn to use «ты» and «вы» forms, become familiar with Russian names, and acquire expressions they can use with one another (**Привет!, Как дела?, Пока!**) while at the same time learning that these expressions are not appropriate for use with instructors. Explicit attention is also paid to "large-C" culture from the first few lessons: early **О России** notes, readings and visual displays deal with the Russian alphabet, Russian music, Russian writers, performing arts venues, institutions of higher learning, and other topics.

Instructors should freely expand upon cultural inclusions with their own experiences and in keeping with their own interests, and should encourage students to attend consciously not only to the differences between Russian and American culture, but also to the similarities. For example, as the characters in the storyline move into the new apartment and get to know one another and their neighborhood, their interactions reveal much that is typical of Russian life and values. Instructors should exploit these illustrations by asking students to compare themselves and their own world to the situations they are reading about (many of the questions in the **Вопросы и ответы** exercises that are found in the **Культура речи** sections at the end of each Part in Lessons 2 ff. do precisely this).

Teaching language-learning techniques

Explicit presentation of study tips under the **Учись учиться** rubric (particularly in the early lessons of Book 1) is an important feature of *НАЧАЛО*. Additionally, instructors can help their students by repeatedly offering them opportunities to exercise and discuss other good language acquisition skills. For example, students should understand that no matter how proficient one becomes in a foreign or second language, new words, phrases and constructions will continue to be encountered. Thus, as students build their basic core vocabulary, they should learn to focus on what they recognize (or can guess at) in a reading,

---

[4]One excellent source of cultural information about Russia is Genevra Gerhart, *The Russian's World: Life and Language*, 3rd, corrected edition, Bloomington, IN: Slavica, 2001. This extremely useful compendium should be in the hands of every teacher of Russian.

video, dramatization, or exercise as a way to help them guess at unknown elements. Instructors can help by emphasizing guessing from context and from recognition of prefixes, roots, and suffixes. Students should also be encouraged to develop mnemonic devices for learning vocabulary and to share them with classmates.

One often-overlooked language-learning skill is how to use a dictionary. The end-of-book glossaries in *НАЧАЛО* are intentionally very dictionary-like rather than simply being word lists. Using them, students can develop a sense, for example, of some of the following:

- What kind of information is (and is not) provided in a listing. Dictionaries vary in this regard. *НАЧАЛО* glossary listings include not only lexical counterparts, but also considerable morphological information (conjugation patterns for verbs; case forms for nouns); usage information (specifications about the range of meanings for a given word; stylistic annotations; case requirements after prepositions and certain verbs); and usage in certain idioms (see, for example, the listing for "how" or "in").

- An awareness of homophones and homonyms, which is necessary to ensure that one chooses the right Russian word or expression for an English word with more than one meaning (see, for example, the listing for "little" or "rent").

- An ability to recognize phrases and determine the key lexical element(s) in a phrase. This ability enables one to look under an appropriate headword for the phrasal counterpart in the other language. (For example, to find the Russian equivalent of "I don't want to bother you" in this book, one would look under "bother.")

- A sense of synonyms, so that if a student does not find a listing for the sought-after word or phrase in the first place she looks, she can look under a different headword. (For example, if a student wanted to say "I'm sorry for disturbing you" and didn't find the phrase under "disturb," she would do well to look under "bother.")

1.2.   *Other methodological suggestions*

Pronunciation and intonation

Russian is not a difficult language for Anglophones to learn to pronounce. Most of its sounds and sound combinations are found somewhere in English. For example:

- An acceptable approximation of «ы» can be produced via the vowel sound in *hill, sit*. Another way to help students approximate this sound involves pronouncing the Russian vowel «и» while pushing their tongue backward with a pen or pencil placed horizontally in the mouth.

- The flapped /r/ (р) of Russian appears in the North American conversational pronunciation of many English words containing a medial -dd-, -tt-, or even -d-, -t- (*ladder, hitter, widow, water*) as well as between some words (*Wait a [minute]! What a [mess]! Get a [life]!*)

- Many of Russian's word-initial consonant clusters—into which Anglophones are wont to thrust a vowel—exist in English at the ends of words and between words or syllables: The зд- of здравствуйте is encountered in English *buzzed, closed, has done*. The дн- of днём is close to the final consonant cluster in the North American pronunciation of *hidden, sudden* (most North Americans "swallow" the vowel in such syllables) and occurs medially in phrases like *Todd knows* and *good news*. The мн- of много is present in *hymnal*, "I see *him now*" and *warm nest*. The кн- of книга is present medially in *dark night, jacknife, acne*. The initial **кв-** of words like **квартира** is present in English combinations such as *black van, dark vest*. (Some instructors find it effective to tell students that when two consonants occur together, the second should receive more emphasis than the first.)

- The contrast between unpalatalized and palatalized consonants—not phonemic in English—can be heard in some speakers' pronunciation of words like *noose* vs. *news* (for palatalized /n/; also compare *gree<u>n</u>er* vs. *se<u>n</u>ior*), *poor* vs. *pure* (for palatalized /p/), and *moist* vs. *moisture* (for palatalized /t/; also compare *wan<u>t to</u>* vs. *wan<u>t you</u>*). The troublesome -**ль**- (**только, большой, сколько**) is approximated quite closely in *ha<u>ly</u>ard, Wi<u>lli</u>am*.

- Initial stop consonants (such as /p/, /t/, /k/) are pronounced in Russian without aspiration, that is, without releasing a puff of air, in contrast to their English counterparts which are pronounced with aspiration. Students can achieve a close approximation of the correct Russian sound by comparing pairs of English words such as *pot* and *spot, top* and *stop, kin* and *skin*, where the initial /p/, /t/ or /k/ is pronounced with a puff of air while the non-initial variant has none. Students can easily feel the difference in these two English sounds by holding a hand in front of their mouth and feeling the puff of air, for example, in *pot* and the absence thereof in *spot*.

Work on pronunciation involves extensive modeling and repeating. During the first week, the class is very dependent on good modeling in order to hear good pronunciation and intonation; no amount of written or spoken description of the production of sounds of Russian (that is, articulatory phonetics) can replace good modeling. The recordings that accompany *НАЧАЛО* provide excellent native-speaker models of the spoken language every step of the way, but only the instructor can provide feedback, actively correcting intonation and egregious pronunciation errors. We find that constant, gentle emphasis on pronunciation and intonation of words and phrases in natural context over time produces far better results and is far less tiresome for all concerned than is concentrated drilling of individual sounds at the very beginning of instruction. (Indeed, early overemphasis on "perfect" pronunciation can have the effect of making students so concerned about their pronunciation that they will be reluctant to speak at all.)

Sound-symbol interference

Many of the most vexing pronunciation problems for students of Russian derive not from the students' failure to hear, nor from an inability to reproduce what they hear, but rather from their attempts to pronounce what they see. For example, **она** is not usually problematic until students see it written; then they often try to say "oh-NAH," even if they had been saying "ah-NAH" correctly up to that time. Similarly, most students have no difficulty pronouncing **в банке** vs. **в парке** until they see the detached preposition **«в»**. Then they try to voice the **«в»** in both cases, simultaneously breaking up the strange initial consonant clusters by inserting an epenthetic schwa, which in effect creates an extra syllable as well. These and other phonetic difficulties (see below) will be minimized if words and phrases are first presented aurally, before students are asked to read or otherwise produce them orally. Some typical pronunciation pitfalls—the cause of many of which is interference from the written language—include the following:

- *Vowel reductions*: Anglophones may tend to pronounce unstressed **«о, а, е»** at full value wherever they occur.
- *Final devoicing*: Anglophones may fail to devoice final consonants (as in **муж, год, хлеб**).

- *Voicing assimilation*: Anglophones may fail to make the voiced/voiceless distinction in «в» and other single-consonant prepositions before voiceless vs. voiced consonants (в парке vs. в банке).
- *Epenthesis*: Anglophones have a tendency to insert a vowel sound—usually a schwa (the "uh" sound)—to break up consonant clusters (в/ə/ понедельник).
- *Labializing «ы»*: Because «ы» is frequently encountered in combination with labials (мы, вы), some Anglophones tend to labialize the vowel itself (that is, precede it by a /w/ sound) wherever it occurs (for example, pronouncing ты as if it were "twuee").

Instructors should concentrate on helping students develop a comfortable and comprehensible pronunciation in Russian through work on some of the more troublesome sources of a foreign accent. Given regular examples of good pronunciation and intonation from the instructor and the recorded materials, and provided with judicious feedback on what is likely to be acceptable (that is, comprehensible) to Russians and what is not, most students will, over time, naturally develop quite satisfactory pronunciation and intonation in Russian.

To this end it is important to establish during the first few class meetings that students must take an active part in oral activities. Instructors should not be satisfied with mumbled responses that would be barely comprehensible in one's native language. Rather, students should be reminded that they, like beginning singers or instrumentalists, will make many strange sounds and must receive feedback on those sounds before they will achieve the desired result. Language learning is a process of successive approximations, and instructors cannot provide feedback on what they cannot hear. (If a student consistently speaks softly and timidly, the instructor should resist the temptation to approach him or her in order to hear better, but rather should walk *away* from that student and indicate by cupping the hand behind the ear that the student must speak up.)

All of the foregoing notwithstanding, instructors and students should accept that to a certain extent a foreign accent is for most adult second-language learners both inevitable and acceptable. Moreover, students should realize that in most cases an accent involving segmental phonemes (that is, individual letter-sounds) will not impede comprehension. By contrast, failure to attend to suprasegmental phonemic patterns (that is, intonation) can be quite serious and can seriously impede communication, whether the student is attempting to produce or comprehend a message. Hence we recommend that attention to intonation take precedence over work on pronunciation of individual sounds.

Reading and writing

In becoming literate in Russian the students' first job is to learn basic sound-symbol correspondence on the one hand (that is, so that they can comprehend and pronounce what they see printed before them), and to learn to form the cursive characters on the other. The former task is a matter of listening and repeating while watching; the recorded materials can help here. The latter requires *doing* while seeing.

Graphemic interference

For many letters the differences between the Latin and Cyrillic alphabets are minimal. But for others, such as «ж, ю, ь, ъ, б» and so on, the instructor will want to demonstrate the formation at the board in class, then assign copying exercises from the *Workbook/Laboratory Manual* as homework.

Point out to students that just as one can speak with an accent, one can write with an accent. In fact, it is almost unavoidable that students will do so. Experienced instructors know, however, that there are particular instances of interference from English cursive writing that students should specifically avoid. Among them are the following:

- *Half-height vs. full-height letters.* Anglophone students tend to render as full-height those Cyrillic letters for which the corresponding letter in English is full-height, for example the small letters «л, к».
- *Descenders.* Anglophone students tend to put descenders below the line on letters such as the capital «У», based on a false analogy to the English cursive *Y*.
- *Connectors.* Anglophone students often connect letters such as «ш, о, в» to a following letter from the end of the last upstroke (when in most cases they should add another downstroke, then connect to the following letter at the line).
- *Hooks.* Anglophone students must be shown to put an initial small hook on «л, м, я» (both capital and small). It should be emphasized that only this hook distinguishes «м» from «и» and «л» from «г». Practice writing the Russian word земля is especially useful for mastering these letters.
- *Closures.* Many Anglophone students will not perceive that the Russian «р» is not closed at the line. This must be highlighted, lest students substitute for this letter an English cursive *p*.
- *Tails.* Anglophone students tend to exaggerate the length of the tail on «ц» and «щ», making it as large as the tail on the «у». Also, the direction of the tail on the capital letter «У» vs. that on «Ч» must be shown.
- *Capitalization.* Anglophones will want to capitalize nouns and adjectives of nationality (американец, американский), days of the week, months of the year, most words in book titles, and so on.
- *Punctuation.* Though the details of Russian punctuation are beyond the scope of a first course, some basic punctuation rules (e.g., using commas to set off all relative clauses; using dashes rather than quotation marks to indicate direct speech; placement of end-of-sentence punctuation relative to кавычки [« »], and so on) can be highlighted as encountered.

Further development of reading

The readings in **НАЧАЛО** should be regarded as a vehicle for providing comprehensible input. Thus, after students have been introduced to a reading the day it is assigned and have listened to it (and/or, if on videotape, have watched it) and prepared it at home, a reading has served its purpose. Far more important than learning the particulars about the plot development in the reading is that the students take the language they have been exposed to and apply it functionally and communicatively to situations that are relevant to them.

Nevertheless, instructors may want to do something at a substantive level with a reading as a way of furthering the extent to which students practice or relate to the context, vocabulary and structures therein. What follows are some suggestions, roughly ordered from less to more complex, that might be considered for this purpose. In addition, specific suggestions for working with prose texts are given in marginal notes of the *Instructor's Edition* for Lesson 6, Part 4 (p. 265) and Lesson 7, Part 4 (p. 322). Note that even the easiest activities can be used to good effect in advanced chapters, and that some readings will lend themselves more to one type of activity than to another:

1. *Star Search:* Form groups of a size corresponding to the number of parts in the reading and let groups rehearse the reading once or twice. Then have a competition among the (preferably no more than three) groups for which group presents the most convincing radio play.

2. *The Better Half.* Prepare halves of sentences dealing with the reading and put each half on an index card (example: 1st half - **Наталья Ивановна думает,...**; 2nd half - **...что Саша играет очень громко**). Distribute the cards for a walkabout activity in which students find the person holding the other half of their sentence.
   - *Additional suggestion:* Have students themselves prepare halves of a sentence (making up original sentences or taking sentences from a reading or dialogue in the textbook) on two index cards; then the instructor collects and re-distributes them. (This has the double advantage of high student involvement from the very beginning—they are creating their own activity—and of relieving the instructor of preparation time.)
3. *Word Nests:* The instructor names a new word from the reading and gives students working in pairs or small groups one minute to come up with as many words as they can logically link to it. Example: instructor's word is **квартира**; student words might include **жить, дом, большая, маленькая, новая, адрес, спальня, туалет, район....**
   - *Additional suggestion:* A group may challenge another group to use a linked word in a sentence with the starting word.
   - *Additional suggestion:* Put all the groups' linked words on the board and see which group can come up with a sentence (or a dialogue) using the starting word and the most linked words.
4. *Inquiring Minds Want to Know:* Have students work in pairs or small groups to make up five questions they can ask the class as a whole about the reading. Indicate the type of question or task that should be used each time (e.g. true-false, WH-, multiple choice, sequence of activities). Give the groups three or four minutes to work, then elicit one question from each group until some group runs out of questions. If need be (e.g., with **почему** questions), tell students they may draw not only upon the reading currently assigned, but also upon other readings encountered earlier.
   - *Additional suggestion:* Tell students in advance that you will collect the questions at the end of the activity and that three of these will appear on a review quiz the next day. This has an amazing effect on how seriously students take the activity and how closely they listen for correct answers to others' questions.
5. *Thespian Thursday:* Assign a small group a week in advance to come into class on a particular day prepared to present a dramatization of a particular scene. Costumes are not expected, but simple props will help. Encouraging students to make their own changes to the scene can result in very humorous presentations and will create considerable interest among both the presenters as well as students watching the presentation.
   - *Additional suggestion:* Videotape the presentations and save them for viewing all together one day at the end of the term. Students will enjoy watching themselves and will be amazed at their own linguistic progress.
6. *Soap Opera Digest:* Have students create a summary of a reading for someone who had not "seen" that "episode." First have the class as a whole brainstorm key words, phrases, lines, and/or events that they remember, offering them in any order as one or two students at the board write them down. Then divide students into groups of two or three to create from the elements on the board a short, coherent prose paragraph. (Note: if an individual scene doesn't present

enough action or advancement of the plot to make this work, consider linking two or more scenes.)

7. *A Dog's Life:* Have students write lines for the dog **Белка**, whose pithy observations (*à la* Snoopy or Garfield) could be inserted into a scene (whether **Белка** is actually in the scene or not).
   - *Additional suggestion:* Have students summarize a whole scene from the point of view of **Белка**; the more fanciful the dog's interpretations, the better.

8. *The Screenwriter:* Before introducing a new episode, have students (working individually or brainstorming in groups) develop an idea or two regarding where the plot might lead.
   - *Additional suggestion:* Once the students know the characters and some of the tensions that exist among them, have them develop their own mini-scenes and present them to the rest of the class. As an end-of-term class project, instructors might arrange to videotape scenes written and performed by students.

Teaching aspect

The teaching and learning of aspect is most effective when it is meaning-based. Such a presentation teaches that one's choice of aspect is usually more than grammatical or structural, that is, that there are many instances in the past and future tenses where both the imperfective and the perfective verb are structurally correct, but only one of them will convey the speaker's intended meaning. Use of the wrong aspect may convey a structurally correct sentence and a comprehensible message, but this message may not be what the speaker intended. (By contrast, noun / pronoun / adjective morphology is structurally conditioned: there is usually little latitude in choosing the right form, and one's use of an incorrect form is immediately clear to any proficient speaker of Russian. Hence, mistakes of this nature rarely lead to miscommunication.) In other words, the learning of aspect requires greater attention to meaning than is required by the mastery of noun / pronoun / adjective morphology.

Accordingly, the point of departure for teaching aspect in *НАЧАЛО* is meaning. Imperfective verbs dominate in Lessons 1-6 of Book 1, for the situations in these lessons (moving into a new apartment, meeting new neighbors) take place mostly in the present tense. The few perfective forms (e.g., some infinitives and imperatives) that are encountered are not explained for they are easily understood in context. In Lesson 4 past actions are introduced in a limited way, and with the exception of a few perfective past forms encountered in Lessons 5 and 6 (**сказал, купил**; also easily understood in context), the past tense is learned via imperfective verbs. Similarly, in Lesson 6 future actions are introduced via imperfective verbs: students try to find a time to study together by discussing where they will be at various times in the next few days, and they discuss what they will be doing during an upcoming summer of study in Russia.

The first overtly pedagogical treatment of aspect takes place in Lesson 7, Part 1, where a basic contrasting meaning of the two aspects (*process* vs. *result*) in the already-familiar morphology of the past tense is presented. English is used to help students understand the concept of aspect as it is expressed in English, and Russian examples of aspect that have occurred in preceding lessons are grouped, presented, and briefly discussed. The fundamental meaning of perfective ("one-time completion") vs. imperfective ("ongoing, repeated, or habitual/characteristic actions or states") is illustrated with three verbs (**писать /**

написать, читать / прочитать, учить / выучить) in the past tense and several context-recognition activities are presented using these verbs.

Aspect is treated further in Lesson 7, Part 2, where the already-familiar imperfective future is reviewed by having the students consider ongoing activities they will engage in for the rest of the day and the week (e.g., заниматься в библиотеке, играть в волейбол, писать курсовую) and over the coming summer (e.g., загорать на пляже, читать интересные книги, смотреть телевизор). This is then contrasted with the perfective future, which is highlighted via completion-oriented tasks that the students are likely to do in the evening or over the next weekend (e.g., купить подарок, написать курсовую, позвонить другу). A further element of completion (hence, perfectiveness) can be introduced by having students state when (at what time) they will complete this or that task.

Gradually, students should begin to regard the imperfective aspect as the default mode, that is, the aspect to be used in the absence of a specification that implies the perfective. Throughout the rest of the textbook instructors should exploit opportunities to contrast the *meaning* of an aspectual choice as well as its form. Students will thus come to appreciate why, in learning a new verb, they must remain sensitive to contrasts in meaning and usage as they learn both the imperfective and the perfective infinitive and how each is conjugated (referred to in this textbook as the "key forms").

Warm-ups, wind-ups and fillers

Students typically walk into a foreign language class with anything *but* the target language on their minds. A good language warm-up activity can help bring the class together and set the stage for the rest of the hour. These same kinds of activities can be used when a few minutes remain at the end of the class, or as a transition during the class to provide a change of pace between one activity and the next.

1. *Show and Tell (О себе).* Assign students to provide one- or two-minute oral presentations in Russian on a favorite object, a hobby, their family, a recent trip, or other interest. Give each student a day or two for preparation, and spread the presentations out so that only two or three are given each week. State that most vocabulary and grammar in the presentations used should be familiar to all students, but that presenters could introduce and define one or two new terms essential to the topic. Remind students that visual aids are extremely helpful. At the conclusion of each presentation, encourage the students in the audience to ask questions of the presenter. This follow-up activity develops question-formation skills and results in very natural mini-conversations involving "information gaps," that is, real communication. At the conclusion of each show-and-tell activity, highlight the presenter's (and questioners') correct use of grammar and appropriate use of new vocabulary. You can also highlight one or two things that gave the presenter or the audience trouble.

2. *Generating lists.* Give students a time limit (say, three minutes) to generate a list on a given topic. The list can focus on a lexical or logical family (e.g., things one must do outdoors; things one keeps in a refrigerator; things to take on a trip to Russia) or can elicit a grammatical construction (e.g., the topic "things I should have done last week" would require the должен был construction; "how I'll be spending my summer vacation" would elicit imperfective futures; "things I need in my new apartment" would require нужен constructions, and so on).
   - *Variations:* 1) Make a contest by having pairs or small groups of students work together and see which group comes up with the longest list in the

time allowed. 2) Let each group of students generate a list on a topic of its own choosing, then let them read their list aloud and have other groups try to guess what the topic or category is.

3. *Generating questions.* Have the students name two or three famous (or infamous) current or historical personalities, then let them work in groups to generate ten questions they would like to ask one of those people.

4. *Student-created listening comprehension activities.* Have students create true/false or multiple choice questions about the events in the readings. Collect them and use them on subsequent days as listening comprehension activities.

5. *Review dictation.* Dictate three or four short sentences from the current or earlier readings or from the **Диалоги** that are included at the end of each Part. Send two students (or perhaps two pairs of two students working together) to the board while others work at their seats.

6. *Circle drills.* Students form circles of 5-8 to practice things in series. For example, the instructor or leader gives the first three days of the week or months of the year. The student to his or her right adds the fourth day or month, the next student adds the fifth day or month, and so on; go around the circle three or four times to practice the series. This is also a good format for number practice and review, that is, counting up or down by ones, threes, and so on. "Chaining" activities also work in the circle format: Larry says "**Вчера я купил компакт-диск,**" Mary says "**Вчера я купила красную блузку, а Ларри купил компакт-диск,**" Sharon says "**Вчера я купила новую лампу, Мэри купила красную блузку, а Ларри купил компакт-диск,**" and so on until someone cannot remember the list. (This particular chain practices Accusative case forms.)

7. *Reviewing/repurposing prior activities and exercises.* Redoing an activity from a past lesson can help refresh vocabulary or structures that may be on the verge of being forgotten, and/or can tie the current lesson's grammar or vocabulary to what has already been learned. Students will find a recycled activity much easier (and they will make fewer errors) the second time around, and they will likely be able to complete it using much more sophisticated language than they were capable of using the first time.

8. *Index card activities.* Basic sets of index cards can be made and kept from year to year. Multiple sets of alphabet index cards will be useful, as will multiple sets of 0-99 number cards, multiple sets of clock faces or digital clock times, and so on. Uses for these kinds of card sets are suggested at intervals in the Instructor's Edition. General types of index card activities include the following:

   • *Matching things.* These are excellent walkabout activities. Students are given a card with a word or phrase written upon it. They are to find another student holding a card that in some way matches theirs. *Example*: Word and definition; question and answer; word and antonym; noun and related verb; noun and logical adjective; noun (or verb, or adjective) and cloze phrase (a phrase with a blank wherein the other student's noun, verb or adjective would fit logically); halves of a sentence; and so on. *Variation*: Students themselves can create these pairs of cards in class on one day, turn them in, and then do the activity when the cards are distributed on a later day.

- *Grouping things.* Students working in small groups create logical families from the words or phrases they have been given. This activity is in a sense the inverse of list-generating activities described above.
- *Arranging things.* Students are given cards that fit together in a particular order (the lines of a dialogue; the events in a reading; events in history; sequences of pictures that tell a story; and so on). They must work together to arrange them in the correct order.
- *Discovering things.* These are activities that students create on their own. For example, one day students can write 1-sentence statements about themselves on cards (e.g., **У меня японский мотоцикл; Мой папа родился на Аляске; Этим летом я поеду в Россию**). Cards are collected and on a later day redistributed randomly. The recipient of a card must find the person who wrote that card by asking only **да/нет** questions. *Variation*: Students work in small groups to develop class profile or opinion-poll types of questions (e.g., **Какая самая хорошая рок-группа в Америке [в Канаде]? Какая летняя работа самая интересная? Сколько студентов уже видели фильм** [*name of film*]?) Each group must develop as many questions as it has members in the group. Then each student takes one question and gathers the class responses on that question.

9. *Games.* Many of the above activities seem like games, and, depending on your temperament and that of your students you may want to use some wind-up activities that you frankly call games. While skill-getting games should not be confused with nor supplant skill-using communicative activities, they can be a valuable resource to help instructors add variety to their teaching and to efficiently focus students' attention on grammar and vocabulary.
- *Bingo.* Students make up their own 5 x 5 bingo sheets on the spot, entering numbers or—to practice English-to-Russian vocabulary—Russian vocabulary words and phrases from a particular end-of-lesson vocabulary list. Similarly, students can practice numbers or vocabulary via variations of such card games as "Go Fish," "I Doubt It," or "UNO." (Custom decks for such activities can be easily made from 3 x 5 cards.)
- *Pictionary.* The instructor has a student volunteer choose one of several index cards, on each of which is written a sentence using new vocabulary. The instructor should make sure that the sentence involves words that can be drawn relatively easily (such as **Бабушка читает газету**). The student draws a number of write-on lines of equal length on the board to indicate the number of words in the sentence and then (without speaking!) draws a representation of each word, one at a time, on the board. The other students must guess each word being illustrated. The artist may silently indicate that someone has correctly identified a given word and then--but only after the correct ending has been given--the artist writes it in the appropriate blank. Guessing the endings becomes easier as each word in the sentence is drawn, identified, and written in a blank. This activity encourages students to focus their attention very closely on new vocabulary and draws their attention to matching singular subjects with singular verbs, Accusative adjectives with Accusative nouns, etc. The student who guesses the final word then chooses another card and goes to the board. This activity can be done in small groups if board space permits.
- *Verb ladders.* Students are divided into teams and a vertical line intersected by five horizontal lines is drawn on the blackboard for each team. Team

members each fill out one pronoun and the corresponding nonpast verb form on each horizontal line. The first team to conjugate all six forms of the verb wins. (Declensions can be practiced similarly.)

- *Translation basketball.* Divide students into teams and write or say a word or sentence in Russian or English. One member of each team writes a translation on a quarter-sheet of paper and shows it to a referee (the instructor). If the referee judges the translation to be correct, the contestant wads up the paper with the translation and tries to throw it into a waste basket placed about 10 feet away. Correct translations all get one point, and the first team to score a "basket" with each wadded-up translation can add yet a second point.

10. *Cloze passages.* Retype a reading or dialogue that the students have already studied and delete every 10th word. Students must restore the missing words. (Suggestion: Have the students themselves prepare these cloze activities a few days ahead of time. Collect them and duplicate the best of them for whole-class work.) If the students find this activity difficult at first, consider providing a list of the deleted words in dictionary form at the top of the cloze paragraph or dialogue. Another way to simplify cloze passages is to delete every 12th or 15th word rather than every 10th word, thus providing more context to help the students determine which words are missing and restore them.

11. *Gisting.* Read aloud a news story from the Russian press (edited if necessary), preferably one that is heavy with cognates and/or that treats events that have been reported locally as well. Have students listen for the essentials of the story (who, what, when, where) and see if they can reconstruct it, first in English, then in Russian.

Error correction

Errors are a natural part of learning. Correction of errors is also a part of learning, and in the second-language class real-time correction or feedback is an important function of the instructor. The key to positive error correction is to provide it in such a way that it enhances, rather than impedes, learning. For example, all would agree that it is unrealistic to expect students to learn a form one day and use it faultlessly thereafter; this applies to all aspects of language—pronunciation, intonation, handwriting, vocabulary, grammar, **речевой этикет**, and so on. Moreover, when everything is new, it is hard for students to prioritize their learning, that is, to separate the "tolerable" lapses from those that are truly significant and lead to communication breakdowns. The instructor, therefore, must help students make these distinctions. Underlying the instructor's decision about which errors to correct, how to correct them, and when to correct them must be an appreciation for several factors:

- The *pedagogical focus* and setting in which the error occurred.
- The *communicative and sociolinguistic effect* of the error.
- *Student factors,* such as what a particular error made by a given student reflects about that student's progress in learning the language.

Pedagogical focus
In the first instance, the instructor must decide whether correcting the error on the spot contributes to or detracts from the purpose of the moment. At times the instructor will want to ensure that student production (written or oral) is highly accurate. At other times overt correction will be less advisable, since it may have the effect of inhibiting students'

attempts at using the language communicatively and thereby testing hypotheses about what they are learning.

Suppose, for example, that in a communicative setting (perhaps in response to the instructor's —**Катя, что вы делали вчера вечером?**) a student says — **Я читала книга.** The instructor's response might be — **Вы читали книгу? Как интересно. Какую книгу вы читали?** This is how a Russian chatting socially with Katya might react, and it has the advantage of restating within the normal flow of the conversation what Katya has said, but in the correct form. By so doing, the instructor provides the correct model not only for Katya, but also for the other students in the class, at least some of whom will likely have picked up on the incorrect ending and will be wondering about it. However, the correction does not interrupt the flow of the conversation. In another setting, such as when control of Accusative case forms is the goal of a manipulative, skill-getting (as opposed to communicative, skill-using) activity, the instructor's correction might appropriately be quite focused and overt (— **Катя, подумайте — вы читали «книга» или «книгу»?**).

When adjective endings are being practiced, **какой** questions are especially useful, since the stressed ending in the question usually models the ending needed in the response; for example, in response to a student statement such as — **Я читала новая книгу**, the response might be — **Какую книгу?** with exaggerated stress on the adjective ending, which would help the student produce a revised answer with the correct ending —**Новую книгу.**

Communicative and sociolinguistic effect of the error

Many instructors of Russian focus very heavily on correcting errors of noun (adjective, pronoun) and verb morphology. To a certain extent this focus is appropriate and necessary, for Russian morphology is very complex and has many forms for the students to learn.

It is also true, however, that morphology errors rarely interfere with communication: native speakers of Russian can frequently understand from context precisely what a foreigner is trying to say even if the individual speaks in accented and largely undeclined, unconjugated dictionary forms (what has been called "Me Tarzan, you Jane" Russian. For example, no Russian would misunderstand Katya if she said **Я читал книга.**)

Thus, while we do not advocate the acceptance of morphologically incorrect Russian, we do believe that morphology should be the focus of correction to the extent that the instructor ignores communicative and sociolinguistic errors. Indeed, it is the communicative and sociolinguistic errors—such as incorrect use of aspect, intonation or register—that should receive the greatest emphasis for overt correction. For example, if a student has made a statement but thinks she has asked a question (for YES/NO questions the distinction is embodied in intonation), a native speaker will not know how to react and the result will be a communication breakdown. If a student greets an instructor, principal, or dean with a breezy **Привет!**, she or he should be made to understand that this level of familiarity is highly inappropriate and may, if said to a Russian of that status, create a seriously negative impression of the student seeking to establish rapport. If a student uses an incorrect aspect, the Russian-speaking listener might understand something quite different from what the student wanted to say. These, then, are errors with much more serious communicative and sociolinguistic impact than that presented by simple morphological errors.

Student factors

Current language learning theory holds that learners (be they children or adults) progress through a series of identifiable steps in learning a language. These hypothesized successive and idiosyncratic stages are referred to as "interlanguages." At a given time one's interlanguage may contain, for example, relatively complete control of the Accusative case with the exception of animate masculines, weak control of WH-question intonation, a certain inventory of active vocabulary words (and a larger recognition vocabulary), and so on. If the instructor determines that a particular student is having trouble integrating into his or her interlanguage a particular feature of the target language (say, control over a specific case ending or phonetic element), the instructor might choose to focus for a time on correcting for that student all errors made on that feature, whereas with another student some other recurring type of error might receive higher priority for correction.

2.   Using *НАЧАЛО* with different academic calendars

НАЧАЛО is very rich in material and exercises. Instructors should convey the expectation that students will spend at least an hour of outside preparation for each hour spent in class. This outside work might include preparing the readings that begin each Part, including repeated listening to the recordings of these readings; doing assigned workbook exercises and checking their answers; going over returned homework and tests; and listening to laboratory recordings, which contain functional dialogues as well as listening comprehension activities.

If students regularly do this kind of outside preparation, a lesson of *НАЧАЛО* can be covered in about 10 class meetings. Such a schedule allows two class meetings for each of the four Parts in a lesson plus some "soft" time for adjustment based on student needs and teacher emphases. An additional hour per lesson can be devoted to review, consolidation, and testing. If more time is available it can be used for enrichment activities (e.g., readings such as short newspaper items, listening practice using recorded material or live radio or television broadcasts, or cultural enrichment such as recorded music by Russian composers, Russian films, introduction to Russian history, art or literature, and so on).

Ultimately, in-class time is a critical factor in determining student mastery of the material and proficiency with the language. If fewer than ten class meetings per lesson are available, instructors might decide to forego attention to one functional dialogue per Part and/or to do only a portion of each of the exercises intended for in-class use, leaving students to do the remaining items outside of class. Another possibility is to leave students to read the Epilogue lesson of Book 2—containing the conclusion to the drama—on their own rather than trying to cover it in class. (The Epilogue, which is all on videotape, has no new grammar and limited new vocabulary.) A final way to save class time is to give one test per two lessons rather than a test after each lesson and/or to give take-home (rather than in-class) tests. Below we present some ways to divide up the teaching of *НАЧАЛО* in some typical academic calendars.

2.1 Semester system

The suggestions below assume a fifteen-week semester, with final exams given during an additional week.

2 semesters at 5 meetings per week (75 class meetings/semester, 150 total class meetings):
  First semester: Book 1, Lessons 1-7
  (Seven lessons, ten class meetings per Lesson, plus 5 "soft" class meetings for mid-term testing, adjustments and/or enrichment material.)

Second semester: Book 2, Lessons 8-14 + Epilogue
(Seven lessons, ten class meetings per lesson, plus 5 "soft" class meetings for mid-term testing, adjustments and/or enrichment material. If all the "soft" class meetings are needed for testing or other schedule adjustments, the Epilogue could be left for students to do independently.)

2 semesters at 4 meetings per week (60 class meetings/semester, 120 total class meetings): This is a very tight schedule. To allow completion of *НАЧАЛО* in this time frame instructors can cut back on the number of exercises done in class and/or can do only part of each exercise in class, leaving students to finish them outside of class. Also, students can be left to read and view the Epilogue on their own. Finally, tests can be given after every two lessons (rather than after every lesson) and/or instructors can elect to give take-home (rather than in-class) tests.
   First semester: Book 1, Lessons 1-7
   (Seven lessons, eight class meetings per lesson plus four "soft" class meetings for mid-term testing, adjustments and/or enrichment material.)

   Second semester: Book 2, Lesson 8-14 + Epilogue
   (Seven lessons, eight class meetings per lesson plus four "soft" class meetings for mid-term testing, adjustments and/or enrichment material; students do Epilogue on their own.)

3 semesters at 4 meetings per week (60 class meetings/semester, 180 total class meetings): This is a comfortable schedule at a pace that will likely lead to better active mastery of the material than is possible under the 2-semester schedules.
   First semester: Book 1, Lessons 1-5
   (Five lessons, eleven class meetings per lesson plus five "soft" class meetings for mid-term testing, adjustments and/or enrichment material.)

   Second semester: Book 1, Lessons 6-7 and Book 2, Lessons 8-10
   (Five lessons, eleven class meetings per lesson plus five "soft" class meetings for mid-term testing, adjustments and/or enrichment material.)

   Third semester: Book 2, Lessons 11-14 and Epilogue
   (Four lessons + Epilogue, eleven class meetings per lesson/Epilogue plus five "soft" class meetings for mid-term testing, adjustments and/or enrichment material.)

3 semesters at 3 meetings per week (45 class meetings/semester, 135 total class meetings): With substantially fewer in-class hours than in the preceding 3-semester schedule, obviously some in-class coverage of material may have to be abbreviated and considerably more out-of-class student preparation will be required:
   First semester: Book 1, Lessons 1-5
   (Five lessons, eight class meetings per lesson plus five "soft" class meetings for mid-term testing, adjustments and/or enrichment material.)

   Second semester: Book 1, Lessons 6-7 and Book 2, Lessons 8-10
   (Five lessons, eight class meetings per lesson plus five "soft" class meetings for mid-term testing, adjustments and/or enrichment material.)

Third semester: Book 2, Lessons 11-14 and Epilogue
(Four lessons + Epilogue, eight class meetings per lesson/Epilogue plus five "soft"
     class meetings for mid-term testing, adjustments and/or enrichment material.)

4 semesters at 3 meetings per week (45 class meetings/semester, 180 total class meetings): This is a very attractive pace that allows for considerable flexibility in scheduling, for maximum time for students to prepare outside of class, for assimilating new material solidly over the four semesters, and for consolidating new material during and at the end of the second and fourth semesters. It also allows for the first two semesters to be devoted to Book 1 and the second two semesters to be devoted to Book 2. Excellent active mastery of the material can be expected at this pace, provided students use the "between-class" days wisely.

First semester: Book 1, Lessons 1-4
(Four lessons, ten class meetings per lesson plus five "soft" class meetings for mid-
     term adjustments and/or enrichment material)

Second semester: Book 1, Lessons 5-7
(Three lessons, twelve class meetings per lesson plus nine "soft" class meetings for
     mid-term adjustments and/or enrichment material. Some instructors may
     choose to pre-teach some elements of Book 2, Lesson 8 at the end of this
     semester and to review this same material at the beginning of the third
     semester—presumably following a summer break—as a way of making the
     continuation into Book 2 easier for the students.)

Third semester: Book 2, Lessons 8-11
(Four lessons, ten class meetings per lesson plus five "soft" class meetings for mid-
     term adjustments and/or enrichment material)

Fourth semester: Book 2, Lessons 12-14 and Epilogue
(Three lessons + Epilogue, ten class meetings per lesson/Epilogue plus five "soft"
     class meetings for mid-term adjustments and/or enrichment material)

2.2 Quarter system

The suggestions below assume a ten-week quarter, with final exams given during an additional week.

4 quarters at 5 meetings per week (50 class meetings/quarter, 200 total class meetings): *НАЧАЛО* may be very comfortably taught, with extended time at the end of the fourth quarter for enrichment material, according to the following schedule:

First quarter: Book 1, Lessons 1-4
(Four lessons, eleven class meetings per lesson plus six "soft" class meetings for
     mid-term testing, adjustments and/or enrichment material)

Second quarter: Book 1, Lessons 5-7
(Three lessons, thirteen class meetings per lesson plus eleven "soft" class meetings
     for mid-term testing, adjustments and/or enrichment material.)

Third quarter: Book 2, Lessons 8-11
(Four lessons, eleven class meetings per lesson plus six "soft" class meetings for
     mid-term testing, adjustments and/or enrichment material.)

Fourth quarter: Book 2, Lessons 12-14 + Epilogue
(Three lessons + Epilogue, twelve class meetings per lesson, six meetings for
     Epilogue, plus eleven "soft" class meetings for mid-term testing, adjustments
     and/or extended enrichment material.)

4 quarters at 4 meetings per week (40 class meetings/quarter, 160 total class
meetings). This schedule allows for considerable "consolidation" time in the second and
fourth quarters.

First quarter: Book 1, Lessons 1-4
(Four lessons, nine class meetings per lesson plus four "soft" class meetings for
     mid-term testing, adjustments and/or enrichment material.)

Second quarter: Book 1, Lessons 5-7
(Three lessons, ten class meetings per lesson plus ten "soft" class meetings for mid-
     term testing, adjustments and/or enrichment material.)

Third quarter: Book 2, Lessons 8-11
(Four lessons, nine class meetings per lesson plus four "soft" class meetings for
     mid-term testing, adjustments and/or enrichment material.)

Fourth quarter: Book 2, Lessons 12-14 + Epilogue
(Three lessons + Epilogue, nine class meetings per lesson/Epilogue plus four "soft"
     class meetings for mid-term testing, adjustments and/or enrichment material.
     Alternatively instructors could plan to have students do the Epilogue on their
     own, which could mean three lessons, ten class meetings per lesson plus ten
     "soft" class meetings for mid-term testing, adjustments and/or enrichment
     material.)

3 quarters at 5 meetings per week (50 class meetings/quarter, 150 total class
meetings):

First quarter: Book 1, Lessons 1-5
(Five lessons, nine class meetings per lesson plus five "soft" class meetings for mid-
     term testing, adjustments and/or enrichment material.)

Second quarter: Book 1, Lessons 6-7 and Book 2, Lessons 8-10
(Five lessons, nine class meetings per lesson plus five "soft" class meetings for mid-
     term testing, adjustments and/or enrichment material.)

Third quarter: Book 2, Lessons 11-14 + Epilogue
(Four lessons + Epilogue, nine class meetings per lesson/Epilogue plus five "soft"
     class meetings for mid-term testing, adjustments and/or enrichment material.)

3 quarters at 4 meetings per week (40 class meetings/quarter, 120 total class
meetings): This schedule provides a very limited amount of time in which to try to cover the
material in this book. It requires extensive and consistent out-of-class preparation on the part
of the students. To allow completion of *НАЧАЛО* in this time frame instructors can cut

back on the number of exercises done in class and/or can do only part of each exercise in class, leaving students to finish them outside of class. Also, students can be left to read and view the Epilogue on their own. Finally, tests can be given after every two lessons (rather than after every lesson) and/or to give take-home (rather than in-class) tests.

First quarter: Book 1, Lessons 1-5
(Five lessons, seven class meetings per lesson plus five "soft" class meetings for mid-term testing, adjustments or enrichment material.)

Second quarter: Book 1, Lessons 6-7 and Book 2, Lessons 8-10
(Five lessons, seven class meetings per lesson plus five "soft" class meetings for mid-term testing, adjustments or enrichment material.)

Third quarter: Book 2, Lessons 11-14 + Epilogue
(Four lessons, eight class meetings per lesson plus eight "soft" class meetings for mid-term testing, adjustments or enrichment material. This schedule assumes that the Epilogue is assigned for out-of-class coverage by students working on their own.)

3.   Using *НАЧАЛО* in the classroom

Each lesson of *НАЧАЛО* is divided into four Parts of approximately equal length. These Parts are then followed by the **ИТАК...** section (on tinted pages) that gives the vocabulary lists for the lesson, a grammar checklist of what has been presented in the lesson, a summary of a given topic as presented to date (case endings, uses of given preposition, etc.), and a variety of supplemental texts. Lesson 1 introduces students to the Russian alphabet and sound system via basic greetings and vocabulary. From Lesson 2 onward the students' knowledge of Russian is developed via a "soap opera" that runs throughout the book. In these lessons each of the four Parts has a standard structure, which is fully described and illustrated in the "Guided Tour through *НАЧАЛО*" presentation of Book 1, pp. xxi-xxiv.

3.1.   Teaching Book 1, Lesson 1

Most experienced instructors of Russian have developed their own approaches to teaching basic pronunciation, intonation, handwriting and vocabulary during the first week or two of instruction. For new instructors, however, or for instructors who would like to try other approaches, we offer the following suggestions for the first lesson. Pacing and timing are, of course, dependent upon such factors as class size, minutes per class, classes per week, and the like. The separation of activities in the suggestions that follow is a matter of convenience for presentation; instructors should feel free to experiment with other combinations and adaptations.

Lesson 1, Part 1

Start with Russian in the first class meeting. For example, check the class roster with phrases like, "Где Tom Smith? Susan Jones—кто это? Mark Wilson здесь?" Students will recognize their own names and infer from context that you are asking them to identify themselves. Then teach them to introduce themselves to one another and to ask about third parties, as presented on p. 2 of Lesson 1: select two students at random and coach them to say «Привет! Меня зовут Linda. А тебя?" and so on. Teach these elements lexically; grammatical knowledge is not the goal at this point. Gestures are important to ensure students are associating meaning with sound: with «Меня зовут...», have students point to themselves; when asking «А тебя?» or «Как тебя зовут?», have them gesture to the person they are addressing. Likewise they should point in the direction of the person they're asking about in «Как его (её) зовут?»

Bring several pairs of students to the front of the room to be coached through the introductions, then have all the students repeat the key phrases after you. Maintain referential language use either by having a pair of students in front of the room as you pronounce their "lines" or by using an overhead transparency of the illustrations on p. 2 (see the transparency masters in this volume). Emphasize good intonation at all times, since as noted elsewhere, accurate intonation typically is of much more consequence than individual letter-sounds. Finally, do a walkabout activity: give the students two minutes to introduce themselves to and learn the names of at least five other students (*cf.* Exercise 1, p. 2).

Call the class back to order and bring two students to the front of the room. Indicating the two students in turn, ask seated students, «Кто это? Как его (её) зовут?». If a seated student knows the standing students' names, fine; if not, she or he should at least be able to respond «Не знаю» and you can have him or her come to the front of the room with the others, where all three students can meet each other in Russian. Do this with several more students.

Via simple listen-repeat work, teach the 21 Group A printed characters (pp. 3-4 of Lesson 1), which are the letters used in the words the students have just learned. Demonstrate at the board how the letters are written. (Note: many teaching-supply stores sell inexpensive wood-and-wire chalk-holders that hold five pieces of chalk. Intended for music teachers, these chalk-holders can be used to draw parallel lines on the board, which is extremely useful when doing cursive alphabet work at the board during the first few weeks of class.) Pronounce the letters and letter combinations as you demonstrate them, but do not spend too much time on listen-repeat work since this same material is all on the student audio recordings.

Do not belabor phonetic detail—such as unaspirated initial stops and dental, rather than alveolar, /d/ and /t/. This information is presented in the printed text, but it takes time and repeated exposure for most students to perceive even the more prominent distinctive features of Russian phonemes, let alone to produce them. Good modeling and feedback from the instructor and student practice with the tapes are more effective than lectures on articulatory phonetics. (Moreover, few of these features are phonemic, that is, they are not critical for conveying meaning.) With repeated contact in the context of daily activities done in Russian over a period of months, most students will develop acceptable pronunciation (and a few will develop phonetically excellent pronunciation).

As you introduce the first 21 letters, pass out large index cards, each with a printed letter on one side and its cursive variant on the other. After every four or five new letters, integrate them with those that have already been passed out («Где буква К? У кого буква М?» The students will quickly understand what you are looking for.) Have students come to the board to practice the individual strokes used in making the Cyrillic cursive characters. (While the order of these strokes is also shown in the *Workbook/Laboratory Manual*, most students seem to be helped by live demonstration of how they are written.) When all the cards for the Group A letters have been distributed, do another walkabout activity: Have students quiz one another on the name(s) of the letter(s) they have received. (Teach them to ask «Какая это буква?» as they hold up each letter, and be sure they are using the Russian names of the letters.) Have students exchange letter cards with one another and continue to ask other students about the new letters.

It is now time to move from single-letter recognition to word recognition. Prepare individual index cards with a word from the dialogues on p. 2 printed on each and written in cursive on the opposite side of the card. After modeling these words as you hold up the printed side of each card, show at the board how the words are written. As you say an individual word, have students with the applicable letter cards place those cards on the chalk ledge and spell the word aloud. Distribute the word cards and have students do another walkabout quiz, asking each other to pronounce and/or write the words they are holding. Call the class back to order and have one student say or read aloud a sentence from p. 2; the students holding the words with those cards line up in front of the room to display the phrase. Do Exercise 2 as a class activity, and if there is additional time, distribute index cards with the words from Exercise 2 and have students test one another.

For homework assign student recordings of Lesson 1, Part 1, and applicable activities from the *Workbook/Laboratory Manual* Lesson 1, Part 1 (depending on how many letters have been learned and how much homework time is expected of students). Students should also be instructed to reread all the material presented in Part 1. Lesson 1 is particularly richly supported in the recorded supplements and in the *Workbook/Laboratory Manual*. Try to impress upon students how important it is for them to listen to the recordings frequently—two or three times per day—from the very beginning of the course. Acknowledge that the recordings will likely seem too fast to the students the first time they listen to them, but stress that by the third or fourth time they listen, the words and phrases on the recordings will be much more comprehensible. Impress upon the students that doing their audio homework on a regular basis from the very start of the term is just as important as doing their written homework.

Lesson 1, Part 2

Begin with a brief review of the material covered in Part 1: have students introduce or reintroduce themselves to other students whose names they may not have learned or may have forgotten. Select a few students at random and ask them about other students' names. Redistribute the letter and word index cards used in Part 1 and have students quiz one another, exchanging cards as they move around the room. Collect written homework from the *Workbook/Laboratory Manual* so that you can check developing penmanship and make corrections early. Send students to the board to write individual letters, words and phrases from Part 1 as you dictate them. (If board space is limited, send successive groups to the board and have the other students write at their seats as you move around the room to offer corrections.)

Begin Part 2 by teaching the geographical names shown on the map on p. 7. Have students point to locations on a map at the front of the room as you ask **Где Москва? Где Канада?** Do not allow students to pronounce these names in English; insist on Russian pronunciation. Using these geographical names, demonstrate the eight letters in Group B (p. 8). Then extend the teaching of the new letters as you integrate them with the Group A letters via the learning of common Russian names and the naming pattern (pp. 8-10).

When you are ready to teach formal greetings and introductions (p. 10), teach longer words and phrases (for example, **Здравствуйте, Надежда Михайловна!**) via backward buildup:

(Repeat each line several times and have students repeat after you.)

- -на.
- -овна.
- -хайловна.
- Михайловна.

- -да
- -дежда.
- Надежда.
- Надежда Михайловна
- -те.
- -вуйте.
- Здравствуйте.
- Михайловна.
- Надежда.
- Здравствуйте.
- Надежда Михайловна
- Здравствуйте, Надежда Михайловна!

In this way students will see that even a huge mouthful of new sounds represented by strange new characters can be broken down and learned in a very short time.

Have students introduce themselves to you and to one or two other students whom you temporarily "promote" to senior status (Exercise 6; give the promoted students some visible indication of rank or authority, such as a cutout bow tie or a briefcase). Mix the index cards of Group B letters and words with those of Group A, then do another card-based walkabout activity. Do more dictation practice at the board, coaching students on correct formation of the cursive Cyrillic letters as you have individual students call out words used to introduce Group A and Group B letters as well as any of the other words and short phrases encountered to date. Cover the remaining Part 2 material and exercises in a similar fashion.

As homework, assign any remaining Part 1 exercises from the *Workbook/Laboratory Manual* and a few pages of the *Workbook/Laboratory Manual* Part 2 exercises, depending on what has been introduced in class. Also have students read all of the Part 2 material in the textbook and have them listen to the student and lab recordings for Parts 1 and 2.

Lesson 1, Part 3

Gradually increase the amount of Russian you use to handle classroom administrative activities (taking attendance, collecting and returning homework) and to give directions (calling students to the front of the room to do a role-play, sending students to the board, having students open or close their books, a door or a window). Properly supported by referential context, gestures, and a key English translation here and there, students will soon be able to follow directions even though they don't fully recognize the actual words and constructions. Whenever you sense an English translation is needed, invite students to guess from context at what you might be saying, rather than immediately offering the English yourself. Teaching students to make good contextual guesses is an important feature of this textbook.

Using role-plays, index cards, and students at the chalkboard, review all the material from Parts 1 and 2 covered to date: names of letters; reading and writing of letters, words and phrases; use of meeting/greeting/leave-taking words and phrases, and so on. Review both informal and formal greeting scenarios and stress how important it is to use phrases suited to the situation one finds oneself in. With students' books closed, use overhead transparencies to have students reconstruct appropriate dialogue exchanges. Use the same techniques from Parts 1 and 2 to present the Group C letters and words, which incorporate letters from the clothing list (p. 17, Ex. 1) and the countries and currencies exercise (p. 18, Ex. 2). Stress the distinction between WH- question intonation (p. 19) and that of yes/no questions (p. 20), noting that it is only intonation that contrasts yes/no questions with simple statements.

Assign written homework from the *Workbook/Laboratory Manual* appropriate to what has been covered in the textbook, and again remind students that they should be listening to corresponding sections on the student and/or the lab recordings several times every day. Since students have now learned all the letters of the Cyrillic alphabet, they can profit from the "Learning Vocabulary" study tip on p. 34.

<u>Lesson 1, Part 4</u>

Plural Forms of Nouns. Make large index cards of the words in the table on p. 26, showing a singular form on one side, a plural form on the other. Present the singular/plural forms using these cards, distributing them among students as you do so. Periodically have a student stand up, show the card she or he is holding (either the singular or the plural side) and have the other students provide the other (plural or singular) form. Make several large «-ы» cards and several large «-и» cards and distribute them. Distribute to other students cards with singular words from Exercise 1 (these avoid neuters and other non «-ы/-и» plurals), and see if the students holding «-ы» and «-и» cards can determine what the plural forms should be. Use words with «-ы/-и» plurals from earlier exercises to extend this activity. Then have students exchange cards and do a walkabout activity of this same type.

Expressing Ownership. Using your own and students' possessions (and perhaps pictures of family, pets or friends), teach the pattern — Кто (Что) это? — Это мой (моя, моё, мои) _____. Then introduce the pattern — Это ваш (ваша, ваше, ваши) _____? — Да, это мой (моя, моё, мои) _____ or — Нет, это не мой (моя, моё, мои) _____. Teaching possessives offers an excellent opportunity to make students aware that even in the classroom they are saying things that actually have meaning, not simply manipulating forms and sounds. For example, if a student mistakenly repeats ваш from your question in reference to something that is actually the student's (Instructor, indicating a pen on the student's desk: Это ваша ручка? Student: Да, это ваша ручка), simply "claim" it dramatically (Моя, да? Спасибо!) and return it only when the student corrects him- or herself.

3.2.   *Teaching Lessons 2 ff.*

From Lesson 2 onward each Part of each lesson of *НАЧАЛО* begins with a visual opener followed by a reading passage. Most of these passages take the form of installments in a continuing soap opera. All of the passages have been recorded (with sound effects) and are distributed with each textbook, and these installments can be listened to as one would listen to a dramatic reading of a play. Strongly encourage students to listen to each new installment repeatedly (comprehension increases dramatically after the third listening) and periodically to re-listen to past lessons cumulatively as a way of reviewing past vocabulary and structures and to assist in integrating old material with new material.

When starting a new Part, the visual "Part opener" (С чего начать?) helps establish a lexical and/or grammatical context for the reading. For example, there is a family tree on p. 40, which helps students learn the accompanying "relatives" vocabulary. This vocabulary, in turn, is used in the readings of Lesson 2, Part 1 and following lessons. The visual "Part openers" are accompanied by an exercise (especially in the early lessons) and/or suggested activities in a marginal note in the Instructor's Edition.

Чтения

When actually assigning a reading, a further short prereading preparation may be helpful. Students can be shown the title and the visual(s) accompanying the new selection (see blackline masters from which transparencies can be made, included elsewhere in this manual) and can be asked what they see, what they think the reading selection will be about, what they might expect to hear the characters say or do. Thus prepared, students will be in a position to guess at much of what they read and hear without having to turn immediately to the vocabulary list at the end of the lesson.

For example, Part Two of Lesson 3 (Book 1, p. 94) presents a picture of Lena and a friend, Masha, sitting in a living room talking to Lena's mother. Having shown students just that much, the instructor might then turn off the overhead and ask students to name in English the kinds of furniture they'd expect to see in a living room. The instructor might then say the phrase «импортная мебель and then enlarge upon it with cognate furniture words (импортный телевизор, импортный диван, импортная лампа) and see if anyone can guess the meanings. Finally, the instructor might again show the title and title drawing on the overhead and play the corresponding section of the recording aloud. Though students will surely miss the details of the scene the first time through, they might well pick out some distinct words and might even be able to guess at the significance of the piano playing in the background—all without ever having looked up a word.

Another way to prepare the students for the reading is to use the "Reading Introduction" activities given in instructor notes at the beginning of each reading. These are often questions that can be dictated aloud and that the students can then seek answers to.

For reading selections that are depicted in the video, a further prereading preparation is to have students watch the video with the sound off. They can then be asked what they think the scene is about, and then can watch it with the sound on. (This technique works best with video selections that have significant physical action in them, such as Lesson 2, Part 2, Scene B on pp. 49-50. Those few video segments that are mostly "talking heads" do not lend themselves to this technique.) In all likelihood students will not understand all the language in the scene the first time they hear it, but they will probably understand enough to determine whether their predictions about the reading were accurate. (See the *Video Guide* for other, more detailed pre-viewing suggestions.)

It is important that the students do the reading before undertaking the material in the Грамматика и практика section, since that material generally derives directly from the reading. Thus, after being introduced to a reading students should be assigned to read the selection outside class and listen to the appropriate section of the student recording several times (and/or to view the video segment, if applicable). A good "reading check" activity in the textbook is the Под микроскопом exercise that immediately follows the reading and focuses directly on the vocabulary and/or grammar therein. Another excellent (and somewhat more traditional) "reading check" activity is the Понимание текста that is usually encountered as the first exercise of the corresponding Part in the *Workbook/Laboratory Manual*. Instructors might consider assigning this activity as written homework to ensure that students begin to familiarize themselves with the new reading when it is first assigned.

While an occasional "reader's theater" is a useful classroom activity, it can be easily overused. The recordings will, if regularly employed, give the students plenty of practice hearing what the readings should sound like. Students should be encouraged to read aloud along with their recordings to develop a sense of native speaker pronunciation, intonation and pacing. Periodically groups of students can be assigned to record their own renditions of the readings.

Having students translate a reading into English during class is another traditional activity that may not, however, be among the best uses of limited class time. Given the context provided by the ongoing storyline, the line drawings that depict the main thrust of each scene, the audio with its sound effects, the video (where applicable), and the context-sensitive marginal glosses in the textbook, students should have little difficulty understanding what is going on in a given reading. The instructor should, of course, always welcome and answer specific questions about a troublesome word or phrase; something that is problematic for one person may also be problematic for others. But answers should be brief and to the point; instructors should avoid detailed explanations that go well beyond the scope of the book. Extensive explanations can be provided on an individual basis before or after class.

The marginal glosses accompanying the readings are context-sensitive. That is, if a Russian present-tense verb appears in a context where its English rendition requires a present perfect progressive (for example, "have been waiting"), that is what is given. A new adjective or noun is glossed with the meaning appropriate to that context. If a new word is used in one way at the beginning of a reading (example: Lesson 3, Part 4, visuals: **почта** = *post office*) and in a different sense later (Lesson 6, Part 3: **почта** = *mail*), the contextually-appropriate gloss is given in each instance. Collocations and idioms that cannot be translated word for word are translated phrasally (example: Lesson 6, Part 1: **у тебя неплохо получается** = *that's pretty good!*), thus helping students get accustomed to thinking in terms of phrases rather than only individual words.

In the end-of-lesson vocabulary lists, all the meanings encountered in the lesson are given for each word, and in the end-of-book glossaries all the meanings encountered in the textbook are given for each word, with annotations showing where each meaning was encountered. See, for example, the listing for **потом** in the Russian-English glossary where the first meaning "then; after that" is introduced in 3/4v (Lesson 3, Part 4 visual opener) and the second meaning "later (on)" is introduced in 4/3 (Lesson 4, Part 3). The location references of vocabulary introduced for active knowledge are given in parentheses, while those of passive vocabulary are given in square brackets.

Грамматика и практика

The content of each **Грамматика и практика** section stems directly from what has been encountered in the preceding reading. Students who are prepared will recognize that most of the introductory examples of the structures treated in the **Грамматика и практика** sections come directly from the reading, hence the students should be familiar with the extensive surrounding context for these examples and will readily understand their meaning, if not their mechanics. The grammar topics are generally written in intuitive, non-technical language (e.g., we refer to "**-ешь/-ишь** conjugations" and "the **я**-form, the **вы**-form" rather than to "first/second conjugations" and "the first person singular form, the second person plural form") so that students can read and understand the explanations on their own.

In most cases a grammar topic is followed immediately in the textbook by one or more exercises. The textbook exercises are, for the most part, intended for in-class use, often in a pair or small-group format in which the instructor circulates to provide assistance and clarification as needed. Some exercises may not appear at first to require much student language production (e.g., matching, true-false, multiple-choice, and ranking/ordering exercises), but examination will show that even these types of exercises require students to read, comprehend, and otherwise work with the language.

The *Workbook/Laboratory Manual* also offers at least one corresponding exercise for each grammar topic in the textbook. The workbook exercises are intended to be assigned as written homework. An answer key to these exercises, found in this *Instructor's Manual*, is available for duplication and distribution so that students can check their own work, should the instructor want to follow that approach. See the end of the *Instructor's Manual* for a more detailed discussion of the *Workbook/Laboratory* program.

Instructors should encourage students to develop variations on the exercises in the **Грамматика и практика** sections. For example, where a list of possible completions to a sentence is provided, students should be invited to add other completions of their own choosing; this is an excellent way for students to learn a great deal of language through personally relevant vocabulary items and application of grammatical structures to personally relevant scenarios. Many textbook exercises include "???" at the end of a list specifically to elicit personal responses. Where an exercise is presented in an oral format, instructors might have students do the first half orally and the second half in written form.

Scattered throughout the **Грамматика и практика** sections are a number of "rubrics of opportunity," including the following:

О России
These sections present cultural information about Russia, Russian life, culture, and history. In most cases their content derives from topics raised in the reading that precedes them.

Слова, слова, слова...
These "word study" sections focus on peculiarities of word families, particular prefixes, roots, or suffixes, idioms, and usage of particular words encountered in the preceding reading.

reVERBerations
This rubric, which appears at the end of each Part in the Book 2 lessons, consists of "word study" sections that focus specifically on verbs: conjugation patterns, case requirements, specifics of aspectual use and the like.

Учись учиться)
Found particularly in the early lessons of Book 1, these study tips may help students—particularly those for whom Russian is a first encounter with a foreign language—develop useful and productive study habits.

Культура речи

After the reading has been done and the **Грамматика и практика** topics and activities have been completed, the students can engage in activities intended to summarize each Part through a series of repeating rubrics grouped under the heading **Культура речи**. These rubrics include the following:

Так говорят
These sections—also derived from material contained in the readings—offer useful conversational phrases, idioms or grammatical topics that, though perhaps not yet ready for full grammatical treatment, can nonetheless be learned lexically and used as appropriate in the current and subsequent lessons. For example, «у нас, у вас» in the sense of "where we/you live," "at our/your place," and "in our/your country" is treated in Lesson 4, Part 2, so that students can ask for each other's opinions on certain topics.

Самопроверка

These self-tests are composed of key sentences from the Part that offer the students a quick way to see how well they have comprehended some of the major grammatical topics and vocabulary treated in the Part. Students can test themselves by covering the English side of these facing translations and producing the English while looking at the Russian, then doing the reverse. Students can also do these exercises in pairs (one reads aloud the Russian, the other provides the English; then switch roles). Note that in these exercises idiomatic English is used (for example, "Has the mail come already?" is the counterpart for — **Почта уже была?**), so that students will not grow to depend on word-for-word correspondences between English and Russian structures. This will encourage students to focus on variation in glosses, a skill which they can apply when looking up words in the end-of-book glossaries and other dictionaries.

Вопросы и ответы

These are personalized questions derive directly from the themes, grammar and vocabulary introduced in each Part. They can be used in a number of ways. In perhaps the most efficient use of class time, students can work in pairs or small groups to ask each other the questions as the instructor circulates around the room. Then the instructor can do a sampling of responses when the room is called back to order. Alternatively (or as an introduction to pair work) the questions can be asked of the class as a whole in an instructor-led format. For variety, the instructor can assign one half of the class to write out answers to the questions while the instructor does the activity orally with the other half of the class; then the instructor can work with the second half of the class orally while the first half of the class writes out answers. In yet another variation, questions can be assigned individually to students who then, during a walkabout activity, ask their question of other students in the room and make a report to the rest of the class on the answers received. (In student-student activities, instructors should remind students working in pairs where there is a substantial age difference to change the «на ты» questions to «на вы» forms and to make other appropriate changes as may be required.)

Диалоги

These short dialogues present selected vocabulary and grammatical structures from the reading selection in similar, but new, contexts. Specifically, these dialogues show how a given grammatical or lexical feature can be employed to complete a task or function (asking for information, expressing sympathy, making an appointment, and so on) that students might want to accomplish. The dialogues can be used in various ways: Students can be asked to memorize them. They can be asked to work together to develop their own variations on them and can then present these variations in class, record them, and/or write them up to be handed in. The dialogues can be used verbatim as dictation or as cloze passages for warm-ups or quizzes. Not only current dialogues but also dialogues from past lessons can be so used, thus providing reentry of vocabulary and structures. All the dialogues are presented and practiced on the laboratory recordings.

Ваш диалог

These exercises—intended to be done as in-class pair work—challenge students to demonstrate what they have learned in the Part. In most cases, the suggested scenarios are quite similar to one of the aforementioned dialogues and/or to the context of the reading. We suggest that all pairs of students write out their original dialogues to be turned in for checking, and that one or two pairs of students be asked to perform their dialogue, essentially from memory and perhaps with props. Students should be encouraged to use their imagination, but to stay within the bounds of their linguistic competence. If the presenters can be coached on pronunciation and intonation by the instructor or a language aide (perhaps an exchange student or a student from a more advanced class) before their presentation, so much the better. It might further heighten student interest in doing a good job with these presentations to videotape them. Following a dialogue performance the other students in the class should be asked to describe what took place: who the speakers were, where they were, what the issue was, how it was resolved, and so on.

А теперь...

This rubric is designed to integrate the grammar and vocabulary of a given Part within the framework of a realistic communicative situation: students are prompted to ask questions (using new grammar and vocabulary) which elicit responses that involve integrating new material with material previously learned. While traditional English-to-Russian translation sentences are presented as exercises in the *Workbook/Lab Manual*, the textbook tries to avoid focusing on translation per se. Rather, these **А теперь...** sections pose problems in English and ask the students how they would accomplish them in Russian. In this manner we maintain our focus on language as a medium of actual communication, that is, language with a purpose rather than language as a sterile academic subject. It is quite likely that students may come up with a variety of acceptable possibilities to accomplish these tasks; when doing these exercises in class these variations should be solicited (**Есть другие варианты?**) and encouraged.

Tinted pages

Each lesson ends with easy-to-find tinted pages that contain the following material:

Новые слова

The total active vocabulary for both books (including large numbers of cognates such as **такси, телевизор, радио**) is about 1,700 words and phrases. The overwhelming majority of active vocabulary is encountered in the visuals or the readings; occasionally words (usually word groups such as colors or irregular comparatives forms) are introduced in a word study section (**Слова, слова, слова...**); only rarely is an active vocabulary item introduced in a grammar explanation. Nouns have been sorted into semantic groups, which gives teachers the option of omitting certain groups of words if they want to limit the amount of active vocabulary they want their students to learn.

Phrases, collocations, and units that are structurally different in the two languages (and therefore are often in danger of being translated non-idiomatically) are presented as units and provided with idiomatic equivalents. For example, the phrase **«лучше не надо»** in — **Спасибо, Александра Николаевна, но лучше не надо**, is translated as *better you didn't*, with the comment that it is used in response to a suggestion. In other examples, **не хватает** is glossed as *there aren't enough* and **с удовольствием** is glossed as *I'd be glad to*. The goal in providing phrasal glosses is, again, to help free students from thinking in terms of words and advance them to thinking and expressing themselves in phrases and sentences.

Equally as important as the textbook's active vocabulary are other words and phrases that students themselves want to learn to enable them to talk about their own interests, lives and surroundings, or that instructors want the students to learn to facilitate contextualized classroom communication in Russian. Instructors should feel free to complement the suggested active vocabulary lists with elements that reflect their particular institutional setting, teaching style and/or students' interests. For example, an instructor might decide to teach **закройте дверь** and **встаньте** in a very early lesson, well before these imperatives have been explained or have appeared in the textbook.

Что я знаю, что я умею

This is a grammar checklist which students can use to keep track of the material they are responsible for learning in a given lesson. The list is arranged by logical groupings of related topics rather than in the order presented, and the Part number where each topic is covered appears in parentheses next to that item. Students should be encouraged to use this checklist as they review for tests.

Это надо знать

This rubric is designed to help students consolidate the material that has been learned in a given lesson and to integrate it with material they learned previously. These summaries (such as verb conjugation patterns) or consolidations (such as case forms learned to date) are meant to help students see the big picture and not be overwhelmed by unrelated details. Students should be encouraged to review these sections periodically, especially when preparing for tests.

Дополнительные тексты

These additional texts (in the broad sense of the term) are intended to allow students to stretch their ability to read authentic Russian materials. They include announcements, advertisements, verse, prose, cartoons, charts, tongue twisters, riddles, and a range of other selections. If necessary (for example, in institutions where class hours are limited) these sections may be omitted from coverage without fear that any essential elements of grammar and vocabulary presented in this course will be lost. On the other hand, students who are anxious to experience the real language may find working with these materials to be especially rewarding.

Appendices

The appendices provide case and spelling rule summaries, declension and conjugation tables, lists of numerals and of North American states, provinces and cities, the "part two" portions of the information gap activities in the lessons, and a timeline of significant events in Russian history compared to significant events taking place elsewhere in the western world at approximately those same times.

4.   Ancillary materials

4.1.   *Student and Audio recordings*

Each book of **НАЧАЛО** comes bundled with a Listening Comprehension program available in cassette or CD that presents the basic material (that is, the readings) of the lessons in that book. The recordings were made with a variety of speakers—young, old, male, female—all speaking standard Russian as they perform the scenes of the soap opera that comprises the core input medium for the text. Sound effects have been added not simply to enliven the readings, but more importantly to set the context of what is being said. Students should be encouraged and expected to listen to their recordings repeatedly during the time the class is working on a given portion of a lesson, and the better students will also soon realize that cumulative relistening to past lessons helps them refresh their knowledge of these lessons' vocabulary and structures.

In addition to the Listening Comprehension program there is an *Audio* program for each lesson that consists of the following parts:

- Presentation and practice of the functional dialogues at the end of the Part.
- Listening exercises, most of which require that students indicate a written response on corresponding pages in the *Workbook/Lab Manual*.
- Speaking exercises that require a spoken response to an aural stimulus.

Students should be held responsible for listening to these recordings as often as is needed for them to feel comfortable with the material (for some students this will mean more hours of listening than for others). In this way instructors can avoid using valuable class time doing mechanical work (except as an occasional check to ensure that students are in fact working with the recordings) and can concentrate class time on communicative and open-ended activities.

4.2.   *Workbook/Laboratory Manual*

The *Workbook/Laboratory Manual* mirrors the structure of the main text, providing at least one structured exercise for each grammar topic in each lesson. These exercises are intended for assignment as homework.

4.3.   *Answer key*

Instructors have the option of duplicating and distributing the answer key to the *Workbook/Laboratory Manual* exercises as found in this *Instructor's Manual*. While most instructors will want to collect homework periodically to ensure that students are keeping up with the assigned work, giving the answer key to the students ensures that they will have a language "authority" to consult when doing that homework in the absence of the instructor. Alternatively, students may be given an abridged answer key containing answers to only the first couple items in each exercise so they can make sure they understand the topic (and review the explanations in the textbook, if necessary) before completing the entire exercise. Especially when dealing with answer keys to the translation exercises, students should be encouraged to use the keys as formative, pedagogical tools: the keys provide one possible way to render the translations, but students should understand that other ways are also possible and should be encouraged to bring them to class for discussion.

4.4.   *Overhead transparencies*

Many of the visuals that appear in the lessons have been collected and reproduced in this volume to facilitate the making of overhead transparencies. These can be useful in many ways, for example, to help establish context when introducing a reading before assigning it as homework, or for focusing students' attention to certain vocabulary and structures when doing oral work (with books closed) based on themes encountered in the readings.

4.5.   *Testing program*

This volume contains two sample tests for each lesson. These tests may be photocopied and used as is, or may be modified or adapted by instructors to more closely reflect their emphases and teaching style. See the testing program for a more detailed discussion of related issues.

4.6. Videocassette and Video Guide

The *Videocassette* presents short scenes selected from each of the fourteen lessons and the Epilogue. With the exception of Lesson 1, the scenes are verbatim dramatizations of the material in the textbook. Students can profitably (and enjoyably!) view each scene several times, even after reading it.

The *Video Guide* provides instructors with suggestions on using the video and provides students with exercises to prepare them before viewing the video, easy activities for their first viewing, more challenging assignments for their second viewing, and related speaking exercises for use after students become familiar with the scenes. This viewing can be done in a language laboratory or over a campus cable network, or instructors can profitably use 10-15 minutes of class time to show the scene relating to a given lesson.

4.7. CD-ROM and Web page activities

A multi-media *CD-ROM* offers a variety of innovative exercises focusing on the storyline as well as functional activities with the linguistic and cultural information contained in each lesson. Also, a text-specific *Website* provides links to other culturally authentic sites and expands upon the themes of each lesson.

Testbank

to accompany

Nachalo

THE *NACHALO* TESTING PACKAGE

The *Nachalo* Testing Packages, included in the *Nachalo* Instructor Manual/Tapescript volumes for Book 1 and Book 2, contain achievement tests for each Lesson. Two forms of each test are presented. The two forms may be used in different ways. An instructor may choose to alternate tests in consecutive years. If an instructor teaches more than one section of beginning Russian, different forms of the test may be given to the different sections. The tests can be duplicated and used as they are, or modified in any way the instructor chooses. Each individual test is designed to assess the student in speaking, listening, reading, grammar, writing and culture. The tests have been designed to encourage the student's individuality and creativity, while at the same time promoting accurate form.

CONTENTS. Each Lesson's testing package contains the following:

(a) The Student Copy of the first and second forms of that Lesson's test, Test A and Test B.

(b) A Student Preview Sheet for each Lesson's test. This sheet informs students of the material to be covered on the Speaking portion of the test and gives students the topic for the written composition. Two options are given for a speaking situation. The instructor may choose one of these for the test, or the instructor may ask the student to prepare both but require the student to role-play only one at the time of testing. Only one composition topic is given for both forms of the test. The student will probably spend a lot more time preparing for the composition, make a greater attempt to be creative, and in the long run learn more if the topic is given in advance. The Preview Sheet can be duplicated and distributed to students a day or two before the test to help them prepare. The instructor may of course customize this preview sheet and pre-test activities: If he or she does not wish, for example, to tell the students the writing topic, the instructor may block out that portion. Also, some instructors allow 10-15 minutes of class time the day before the test to give the students time to practice the Speaking portion in pairs, asking the instructor for help as they need it.

(c) An Instructor Copy for each test. This copy provides the stimulus elements for the Listening Comprehension portions of the test. There are two versions, one for Test A and one for Test B.

(d) At the end of the Testbank is the Answer Key for the tests of all seven lessons. Only answers for the controlled items have been given; responses for open-ended questions are not included. Instructors should note that some responses may have variations in word order but only one of the variations has been given in the Answer Key. When grading, allowances should be made for these variations.

ADMINISTERING THE SPEAKING PORTION. The Speaking sections are intended to be administered to students individually—the only way to truly evaluate speaking ability. Depending on the number of students in a class, some instructors will be able to administer the speaking portions outside the classroom during the time that the other students are in the classroom taking the written portion of the test. This may be done on the day preceding the written test while the remaining students are given a written worksheet, paired work or other task. If conditions at the institution do not permit this, an instructor may choose to have each student come in to the instructor's office a day before or the day of the written test for a 5-minute administration of the Speaking portion. Another possibility is for instructors to team up: while Instructor A is administering the group portions of test in the classroom, Instructor B administers the Speaking section to Instructor A's students in the hall; then Instructor A can reciprocate with Instructor B's class.

Scoring of the Speaking section should be global, using as a general criterion "How well would a native speaker of Russian, not used to dealing with foreigners, understand this response?" Avoid focusing on individual grammatical or lexical features. For example, using a 5-point scale for each item:

- 5 points would be awarded for a near-perfect performance;
- 4 points would be awarded for performance that is reasonably fluent and communicative, judged to be fully comprehensible though perhaps somewhat tentative;
- 3 points would mark a response that is communicative of the main points, but very halting and marred by some miscommunications;
- 2 points would be given for a performance that a native speaker of Russian would have considerable difficulty understanding but might be able to work through;
- 1 or zero points would be awarded if the response would be mostly or totally incomprehensible to a native speaker of Russian.

ADMINISTERING THE LISTENING COMPREHENSION PORTION. This and the remaining portions of the test can be administered in a group setting. If the test is given at the beginning of a class (i.e., with no warm-up time), it is suggested that at the start of class students be advised to begin working on the Reading, Grammar, and/or Writing portions of the test. After about 10 minutes, the instructor can gently interrupt them to administer the Listening Comprehension portion of the test. This procedure allows students to "settle in" to Russian before the Listening Comprehension portion begins; it also allows time for stragglers to arrive to class so that the Listening Comprehension portion need be administered only once.

It is recommended that the Listening portions be read three times each to the students. The first time they should be read at a fairly normal rate of speed. The second time they should be read more slowly, particularly in the case of dictation, so that the student has time to write. The third time they should again be read at a fairly normal rate of speed.

SCORING THE TEST. Point values have not been assigned to individual sections since ideas of what is "important" may differ widely from instructor to instructor. Blanks have been provided, however, for each section to aid in the mechanics of scoring. After totaling the students' scores, some instructors will want to record raw scores; others will want to convert the raw scores into percentages (e.g., 115 points divided by 125 possible points = 92%) or letter grades (according to whatever standard the instructor chooses to use) before recording grades.

POST-TEST ACTIVITIES. Students should be encouraged to examine their tests carefully when they are returned in order to learn from their mistakes; many instructors will allow at least some class time for this. Whether students are allowed to keep their tests or take them out of class temporarily is up to the instructor. Allowing students to keep and/or copy their tests may encourage students to study from them; it may also, however, lead to a compromise of the tests so that in future years they will be less useful. Some instructors allow students to review their tests in class, possibly going over them in pairs or small groups; then the instructors collect and retain the tests. This procedure gives the students feedback on their performance but also preserves the integrity of the tests. It also provides the instructor with a record of student errors that can be used for group or individual diagnostic purposes. Students may be encouraged to come into the instructor's office to review their past tests in preparation for a final exam. As a further learning tool, instructors may choose to mark the type of error rather than writing in the correct answers, particularly in sections with discrete controlled grammatical items. Students would be expected to correct their errors and hand the test back in the following day. The instructor could use a basic set of abbreviations such as SP for spelling error, TEN for tense error, etc., with which students have been familiarized. While student grades should be recorded before handing the tests back, some instructors may prefer to write them on the test itself only after the student has handed it back in with errors corrected.

However the return of the graded tests is handled, it is important that both students and instructors view the tests not merely as summative (grading) instruments but more importantly as formative (learning) instruments. Some instructors require that students who score below a certain level on a test (say, 80%) go over that test with the instructor or an aide (e.g., a native speaker or a student in a more advanced class, where such arrangements can be made) to help the students understand and learn from their errors.

JUST FOR FUN. As a fun change of pace, the instructor might give one form of the test as a "group review." Each student is given a copy of the test but students actually work in small groups of about four to complete it. They are allowed to discuss all answers but they are not allowed to write on one another's tests. At the end of the class period, the instructor collects one representative test from each group (thus ensuring that all students in the group have in fact completed the test) and gives the group a collective grade. The instructor may also choose to give a prize to the group with the best completed test. This is a wonderful learning tool and an excellent way for students to review material.

Suggestions from *Nachalo* users on how this testing package can be improved are welcome.

НАЧАЛО (2)   и́мя и фами́лия _____

Уро́к 8 - Контро́льная рабо́та А

PART I. SPEAKING

_____ **pts.** **Situation.**

PART II. LISTENING COMPREHENSION

_____ **pts.** **Eavesdropping.** You overhear two people speaking and try to catch as much of what they are saying as possible. Listen to the dialogue carefully and answer the questions *in English*.

1. Do the speakers see each other often or only occasionally? Why do you think

    so? _____

    _____

2. What is the interesting news about Marina?

    _____

3. When did this (the answer to #2) happen?

    _____

4. Where will Marina and her husband live?

    _____

5. Based on what you heard, what are two good reasons for them to live there?

    a. _____

    б. _____

PART III. READING

_____ **pts.** **Who is speaking?** Which picture is the most appropriate setting for each of the following dialogues? Place the letter of the appropriate picture next to the dialogue.

1. _____   — Приве́т, На́стя! Ты ухо́дишь?
              — Да, ухожу́.
              — А куда́ ты идёшь?
              — В библиоте́ку.

2. _____   — Прости́те, вы не ска́жете, где метро́?
              — Метро́? Метро́ недалеко́. Ви́дите большо́й кни́жный магази́н?
                Ря́дом метро́.
              — Спаси́бо.
              — Пожа́луйста.

3. _____   — Где живу́т ваш сын и ва́ша дочь?
              — Сын живёт в Новосиби́рске, а дочь живёт в Аме́рике. В ма́е
                дочь вы́шла за́муж за америка́нского врача́.

4. _____ — Скажи́те, пожа́луйста, ско́лько сто́ят э́ти цветы́?
— Три́дцать пять рубле́й.
— А э́ти?
— Два́дцать рубле́й.

5. _____ — Что вы рекоменду́ете посмотре́ть в ва́шем го́роде?
— А что вас интересу́ет?
— Меня́ интересу́ет исто́рия.
— Тогда́ вам на́до пойти́ в истори́ческий музе́й. Я покажу́ вам на
ка́рте, где э́тот музе́й.

а.

б.

в.

г.

д.

е.

PART IV. GRAMMAR

A. _____ **pts.** __Verbs.__ Choose between the verbs of 'inquiring' and the verb of 'requesting' in each of the following sentences. Circle the correct verb.

1. Ви́ктор (зада́л, попроси́л, спроси́л) меня́ помо́чь ему́.

2. Мои́ роди́тели лю́бят (задава́ть, проси́ть, спра́шивать) вопро́сы мне и мое́й сестре́.

3. Моя́ сосе́дка (задала́, попроси́ла, спроси́ла) меня́, где наш сын бу́дет рабо́тать.

4. Преподава́тель нас о́чень (задаёт, про́сит, спра́шивает) не опа́здывать на уро́к.

5. Макси́м (за́дал, попроси́л, спроси́л) дру́га, нра́вится ли ему́ но́вый компью́тер.

Circle the correct motion verb to complete each conversation.

6. — Бáбушка дóма?
   — Нет, онá (пошлá, пришлá, уйдёт) в пáрк.

7. — Скажи́те, пожáлуйста, О́льга Антóновна дóма?
   — Нет, онá ужé (пошлá, пришлá, ушлá).
   — А когдá онá (пойдёт, придёт, уйдёт)?
   — Не знáю. Вчерá онá (пошлá, пришлá, ушлá) в 6 часóв.

8. — Ты знáешь, почемý Васи́лия Ивáновича сегóдня нет?
   — Я дýмаю, что он (пошёл, поéхал, пришёл) в Я́лту по дéлу.

Complete the following sentences with the correct verb of marriage.

вы́йти зáмуж	жени́ться	пожени́ться

9. Недáвно, в мáе, мой брат _____ на Ири́не.

10. Мои́ роди́тели _____ в 1975 годý.

11. Два гóда назáд Йра _____ за Макси́ма.

Б. _____ **pts.** <u>Case endings.</u> Restore the proper endings to the nouns and adjectives below. If no ending is necessary, write an X in the blank.

1. Где былá Ви́ка? У сво_____ подрýг_____?

2. Я роди́лáсь в вóсемьдесят втор_____ год_____.

3. Ты сейчáс идёшь в университéт_____ и́ли к бáбушк_____?

4. Знáешь, Йра выхóдит зáмуж за францýзск_____ инженéр_____!

5. Э́та маши́на стóит двáдцать пять ты́сяч_____ дóллар_____.

6. В э́том годý в нáшей шкóле пять нóв_____ учи́тел_____.

7. Зи́на купи́ла семь рýсск_____ книг_____, дéсять немéцк_____ журнáл_____ и шесть карандаш_____ и рýч_____ (*pens*).

PART V. WRITING

A. _____ **pts.** <u>Fill in the blanks.</u> Complete the following passage with the appropriate words from the list below. All words are given in the correct form. One word will be left over.

готóва - к - мéдленно - мнóго - на - по - свидáние

Менá зовýт Кóля. МоЮ сестрý зовýт Нáстя. Мне 10 лет, а Нáсте 19. Сегóдня у Нáсти _____[1] с Ивáном, и Ивáн придёт _____[2] нам в гóсти. Нáстя э́тому óчень рáда. Сейчáс онá говори́т _____[3] телефóну с подрýгой. Я увéрен, что Нáстя не бýдет _____,[4] когдá Ивáн придёт, потомý что онá óчень _____[5] говори́т и всё дéлает óчень _____.[6]

Б. _____ **pts. Translation.** Translate the following sentences into Russian.

1. "Let's go to the zoo today. I want to see the tigers (_sing._ **тигр**)."
   "No, it's raining."

   _____

   _____

2. "How many brothers and sisters do you have?"
   "I have two brothers and two sisters."

   _____

   _____

3. Will you be going (_by vehicle_) to (your) grandmother's in December?

   _____

4. What's showing (playing) at the movies?

   _____

В. _____ **pts. Composition.** You are in Russia (choose your city!) for a four-month study-abroad program. You have just completed two months and decide to write a letter to your Russian professor in the States. Tell your professor about the city. Are there many theaters, museums, parks, good restaurants, electronics stores, etc? Tell some of what you have seen, what you bought, how you like everything, where you plan on going next, and anything else that might be of interest. (7-8 sentences)

_____

_____

_____

_____

_____

_____

PART VI. CULTURE

_____ **pts.** Give short answers for each of the following questions.

1. How is shopping different in Russia from America? Describe the 3-step purchasing system still used in many Russian stores today.

   a. _____

   б. _____

   в. _____

2. What are some typical academic practices that a foreign student can expect to see in a Russian college-level class? (Name at least three.)

   a. _____

   б. _____

   в. _____

Total pts. _____

НАЧАЛО (2)

и́мя и фами́лия _____

Уро́к 8 - Контро́льная рабо́та Б

PART I. SPEAKING

_____ pts. **Situation.**

PART II. LISTENING COMPREHENSION

_____ pts. **Eavesdropping.** You overhear two people speaking and try to catch as much of what they are saying as possible. Listen to the dialogue carefully and answer the questions *in English*.

1. Do the speakers see each other often or only occasionally? Why do you think so? _____

   _____

2. What is the interesting news about Igor?

   _____

3. When did this (the answer to #2) happen?

   _____

4. Where will Igor and his wife live?

   _____

5. Based on what you heard, what are two good reasons for them to live there?

   a. _____

   б. _____

PART III. READING

_____ pts. **Who is speaking?** Which picture is the most appropriate setting for each of the following dialogues? Place the letter of the appropriate picture next to the dialogue.

1. _____
   — Скажи́те, пожа́луйста, ско́лько стоя́т э́ти цветы́?
   — Три́дцать рубле́й.
   — А э́ти?
   — Два́дцать пять рубле́й.

2. _____
   — Приве́т, О́ля! Ты ухо́дишь?
   — Да, ухожу́.
   — А куда́ ты идёшь?
   — В апте́ку.

3. _____
   — Где живу́т ва́ша дочь и ваш сын?
   — Дочь живёт в Петербу́рге. Сын живёт в Нью-Йо́рке. В ию́не сын жени́лся на америка́нской учи́тельнице.

4. _____ — Что вы рекоменду́ете посмотре́ть в ва́шем го́роде?
— А что вас интересу́ет?
— Меня́ интересу́ют ру́сские ико́ны.
— Тогда́ вам на́до пойти́ в Третьяко́вскую галере́ю. Я покажу́
вам на ка́рте, где э́та галере́я.

5. _____ — Прости́те, вы не ска́жете, где по́чта?
— По́чта? По́чта недалеко́. Ви́дите большо́й кни́жный магази́н?
Ря́дом по́чта.
— Спаси́бо.
— Пожа́луйста.

а. б. в.

г. д. е.

PART IV. GRAMMAR

A. _____ pts. <u>Verbs</u>. Choose between the verbs of 'inquiring' and the verb of 'requesting' in each of the following sentences. Circle the correct verb.

1. Мой сосе́д (за́дал, попроси́л, спроси́л) меня́, где авто́бусная остано́вка.

2. Мои́ друзья́ о́чень лю́бят (задава́ть, проси́ть, спра́шивать) вопро́сы преподава́телю исто́рии.

3. Андре́й (за́дал, попроси́л, спроси́л) подру́гу, нра́вится ли ей но́вая маши́на.

4. Ната́ша (задала́, попроси́ла, спроси́ла) меня́ помо́чь ей.

5. Я вас о́чень (задаю́, прошу́, спра́шиваю) не опа́здывать на уро́к.

Circle the correct motion verb to complete each conversation.

6. — Ты зна́ешь, почему́ Ната́льи Серге́евны сего́дня нет?
   — Она́ (пошла́, пое́хала, пришла́) в Рим на конфере́нцию.
7. — Ми́ша до́ма?
   — Нет, он (пошёл, пришёл, уйдёт) на заня́тия.
8. — Скажи́те, пожа́луйста, Ма́ша и Да́ша до́ма?
   — Нет, они́ уже́ (пошли́, пришли́, ушли́).
   — А когда́ они́ (пойду́т, приду́т, уйду́т)?
   — Не зна́ю. Вчера́ они́ (пошли́, пришли́, ушли́) в 8 часо́в.

Complete the following sentences with the correct verb of marriage.

вы́йти за́муж	жени́ться	пожени́ться

9. Неда́вно, в ма́рте, Ка́тя _____ за А́лика.

10. Два ме́сяца наза́д мой брат _____ на Ю́ле.

11. Ба́бушка и де́душка _____ в 1955 году́.

Б. _____ pts. <u>Case endings.</u> Restore the proper endings to the nouns and adjectives below. If no ending is necessary, write a X in the blank.

1. Зна́ешь, Зи́на выхо́дит за́муж за америка́нск_____ журнали́ст_____!

2. Ты сейча́с идёшь к ба́бушк_____ и́ли на стадио́н_____?

3. На на́шем факульте́те пять но́в_____ преподава́тел_____.

4. Э́тот дом сто́ит сто се́мьдесят пять ты́сяч_____ до́ллар_____.

5. Же́ня купи́л пять неме́цк_____ газе́т_____, семь италья́нск_____ журна́л_____ и де́сять ру́ч_____ (*pens*) и карандаш_____.

6. Марк роди́лся в во́семьдесят четвёрт_____ год_____.

7. Где был Андре́й? У сво_____ подру́г_____?

PART V. WRITING

A. _____ pts. <u>Fill in the blanks.</u> Complete the following passage with the appropriate words from the list below. All words are given in the correct form. One word will be left over.

гото́ва - к - ме́дленно - мно́го - на - по - свида́ние

Меня́ зову́т Ми́тя. Моего́ бра́та зову́т То́ля. Мне 11 лет, а То́ле 20.
Сего́дня у То́ли _____[1] с Да́шей. То́ля э́тому о́чень рад. Они́
хотя́т пойти́ в кино́. Да́ша сказа́ла, что в 7 часо́в она́ бу́дет
_____[2] Интере́сно, что бу́дет, когда́ То́ля придёт
_____[3] Да́ше? Она́ о́чень _____[4] говори́т
_____[5] телефо́ну, и она́ всё де́лает о́чень _____[6]

Б. _____ pts. **Translation.** Translate the following sentences into Russian.

1. What's showing (playing) at the movies?

   _____

2. Will you be going (*by vehicle*) to (your) Aunt Rita's in January?

   _____

3. "How many brothers and sisters do you have?"
   "I have three brothers and four sisters."

   _____

   _____

4. "Let's go to the zoo today. I want to see the leopards (*sing.* леопа́рд)."
   "No, it's raining."

   _____

   _____

В. _____ pts. **Composition.** You are in Russia (choose your city!) for a four-month study-abroad program. You have just completed two months and decide to write a letter to your Russian professor in the States. Tell your professor about the city. Are there many theaters, museums, parks, good restaurants, electronics stores, etc? Tell some of what you have seen, what you bought, how you like everything, where you plan on going next, and anything else that might be of interest. (7-8 sentences)

_____

_____

_____

_____

_____

_____

PART VI. CULTURE

_____ pts. Give short answers for each of the following questions.

1. How is shopping different in Russia from America? Describe the 3-step purchasing system still used in many Russian stores today.

   а. _____

   б. _____

   в. _____

2. What are some typical academic practices that a foreign student can expect to see in a Russian college-level class? (Name at least three.)

   а. _____

   б. _____

   в. _____

Total pts. _____

НАЧА́ЛО (2)

Уро́к 8 - Контро́льная рабо́та А / Б
Student Preview Sheet

I. SPEAKING <u>Situation.</u> Be prepared to role-play one of the following situations, according to the directions of your instructor.

1. Your new Russian friend is very interested in your family. Tell her how many brothers, sisters, cats and dogs you have, how old they are, and something about them. Tell whether or not your siblings are married, and if they are married, which month they got married in and how many years ago. Tell whom they married (not the name of the spouse but the profession) and how many sons/daughters they have. And don't forget to tell about yourself! If you are not married, do you want to get married? Why or why not? What kind of person do you want to marry?

2. You just spent five days in Moscow attending the wedding of a friend, sightseeing, and shopping. Tell your Russian friend in St. Petersburg about your trip. Who is your friend and when and to whom did he/she get married? What are you interested in and what did you visit? (Ex: You are interested in history and therefore went to museums, or you are interested in Russian literature and therefore went to bookstores and plays.) What did you buy and how much did it cost?

V. WRITING <u>Composition.</u> You are in Russia (choose your city!) for a four-month study abroad program. You have just completed two months and decide to write a letter to your Russian professor in the States. Tell your professor about the city. Are there many theaters, museums, parks, good restaurants, electronics stores, etc.? Tell some of what you have seen, what you bought, how you like everything, where you plan on going next, and anything else that might be of interest. (7–8 sentences)

НАЧАЛО (2)

Уро́к 8 - Контро́льная рабо́та А / Б
Instructor Copy

(A) II. LISTENING COMPREHENSION

<u>Eavesdropping.</u> You overhear two people speaking and try to catch as much of what they are saying as possible. Listen to the dialogue carefully and answer the questions in English.

НИ́НА: Ве́ра! Э́то ты!

ВЕ́РА: Ни́на, приве́т! Я не зна́ла, что ты живёшь в Москве́. Как дела́?

НИ́НА: Ничего́. А у тебя́?

ВЕ́РА: Непло́хо.

НИ́НА: Ты по́мнишь Мари́ну? В октябре́ она́ вы́шла за́муж за америка́нского преподава́теля.

ВЕ́РА: Да что ты? А где они́ бу́дут жить?

НИ́НА: В ма́рте они́ пое́дут в Аме́рику, в Аризо́ну. Её муж там бу́дет рабо́тать в университе́те. И у него́ там уже́ есть свой дом.

ВЕ́РА: Ты не зна́ешь, ско́лько там сто́ит дом?

НИ́НА: Не зна́ю. Наве́рно, о́чень до́рого!

(Б) II. LISTENING COMPREHENSION

<u>Eavesdropping.</u> You overhear two people speaking and try to catch as much of what they are saying as possible. Listen to the dialogue carefully and answer the questions in English.

ДИ́МА: Ва́ня! Э́то ты!

ВА́НЯ: Ди́ма, приве́т! Я не знал, что ты живёшь в Петербу́рге. Как дела́?

ДИ́МА: Ничего́. А у тебя́?

ВА́НЯ: Непло́хо.

ДИ́МА: Ты по́мнишь И́горя? В апре́ле он жени́лся на америка́нской журнали́стке.

ВА́НЯ: Да что ты? А где они́ бу́дут жить?

ДИ́МА: В ноябре́ они́ пое́дут в Аме́рику, в Нью-Йо́рк. Его́ жена́ там бу́дет рабо́тать. У неё в Манхэ́ттене есть хоро́шая, больша́я кварти́ра.

ВА́НЯ: Ты не зна́ешь, ско́лько там сто́ит кварти́ра?

ДИ́МА: Не зна́ю. Наве́рно, о́чень до́рого!

Уро́к 9 - Контро́льная рабо́та А

PART I. SPEAKING

_____ pts. <u>Situation.</u>

PART II. LISTENING COMPREHENSION

A. _____ **pts.** <u>**Learner or teacher?**</u> A series of five sentences will be read to you. Listen carefully and decide for each sentence whether ***the speaker*** is talking about learning something or teaching somebody something. Circle the correct choice.

      1. a. Learning   б. Teaching

      2. a. Learning   б. Teaching

      3. a. Learning   б. Teaching

      4. a. Learning   б. Teaching

      5. a. Learning   б. Teaching

Б. _____ **pts.** <u>**Answering machine.**</u> A Russian friend called and left a message on your answering machine for one of your roommates. Fill out a message slip ***in English*** for your roommate. Be sure that the actual message portion is as complete as possible.

```
┌─────────────────────────────────────────────────────────┐
│  Call for: _____       │
│                                                           │
│  Caller: _____       │
│                                                           │
│  Day of call: _____       │
│                                                           │
│  Time of call: _____       │
│                                                           │
│  Message: _____       │
│                                                           │
│  _____      │
│                                                           │
│  _____      │
│                                                           │
│  _____      │
│                                                           │
│  _____      │
│                                                           │
│  Caller's phone number: _____       │
└─────────────────────────────────────────────────────────┘
```

PART III. READING

_____ **pts**. Read each of the following sentences on the left and decide which would be the most appropriate response from the column on the right. Write the letter in the blank on the left.

1.____ Скажи́те, пожа́луйста, когда́ бу́дет ста́нция Театра́льная?

2.____ Я хочу́ научи́ться води́ть маши́ну.

3.____ Ты хо́чешь пойти́ в Третьяко́вскую галере́ю?

4.____ Моско́вское метро́ — са́мое краси́вое в ми́ре.

5.____ Кака́я сле́дующая ста́нция?

а. Ты прав. Мне осо́бенно нра́вится ста́нция Новослобо́дская.

б. Че́рез две остано́вки.

в. Я зна́ю о́чень хоро́шую автошко́лу.

г. Пу́шкинская.

д. Да, я хочу́ посмотре́ть ру́сские ико́ны.

*   *   *   *   *   *

6.____ Ты ве́ришь в чёрных ко́шек?

7.____ Почему́ Серге́й в нау́шниках?

8.____ Отку́да вы, молодо́й челове́к?

9.____ Мо́жет быть, ты зна́ешь, с кем у Ри́ты свида́ние?

10. ____ Где ты была́ вчера́ ве́чером? В библиоте́ке?

а. Да, я там занима́лась.

б. Зна́ю. С А́ликом.

в. Из шта́та Колора́до.

г. Да, я о́чень суеве́рный.

д. Он всегда́ слу́шает францу́зскую му́зыку.

PART IV. GRAMMAR

A. _____ **pts. Verbs.** Circle the motion verb that correctly completes each of the following sentences.

1. Ско́ро зима́, пого́да плоха́я, ка́ждый день (идёт, е́дет, уйдёт) дождь.

2. На како́й ста́нции вы (идёте, выхо́дите, ухо́дите)?

3. Э́то биле́ты на по́езд? Куда́ вы (е́дете, выезжа́ете, приезжа́ете), е́сли э́то не секре́т?

4. Ми́ша, твои́ роди́тели уже́ (пошли́, пое́хали, выезжа́ли) в Петербу́рг?

5. Студе́нты из Ки́ева (пришли́, приезжа́ли, прие́дут) в про́шлом году́, а в э́том году́ они́ рабо́тают в фи́рме «Ле́то».

6. Влади́мира Серге́евича нет. Он (уходи́л, уйдёт, ушёл) час наза́д. Он, наве́рное, уже́ на рабо́те.

Circle the teaching or learning verb that correctly completes each of the following sentences.

7. Мы обязáтельно (нау́чим, нау́чимся) тебя́ готóвить борщ.

8. Ты (у́чишь, у́чишься) игрáть в шáхматы?

9. Мои́ роди́тели óчень бы́стро (научи́ли, научи́лись) говори́ть по-немéцки.

10. Кто тебя́ (научи́л, научи́лся) готóвить пи́ццу?

11. Вéра Николáевна (бу́дет учи́ть, бу́дет учи́ться) сы́на игрáть на скри́пке.

Б. _____ pts. Case endings. Restore the proper endings to the nouns and adjectives below. If no ending is necessary, write an X in the blank.

1. Нáстя занимáется гимнáстик_____.

2. Инострáнц_____ чáсто нрáвится Нью-Йóрк бóльше, чем Чикáго.

3. Чéрез мéсяц_____ я поéду в Áфрику.

4. Мой брат óчень лю́бит говори́ть с италья́нск_____ тури́ст_____ (*plural*).

5. Я звоню́ мáме два рáз_____ в недéл_____.

6. Сегóдня Áнна в чёрн_____ джи́нс_____.

7. Когдá Пéтя был мáленьк_____ мáльчик_____, он хотéл стать преподавáтел_____.

8. Кáжд_____ у́тр_____ он зáвтракает в семь часóв.

В. _____ pts. Time Expressions. Complete the following sentences with an appropriate time expression from those listed below. One will be left over.

дéсять мину́т назáд	кáждый день	раз в год
чéрез два гóда	чéрез пять мину́т	два рáза в день

1. Бáбушка живёт далекó и приезжáет в Москву́ тóлько

   _____.

2. _____ Кóля ушёл в магази́н.

3. _____ мы уйдём.

4. Я люблю́ читáть газéту "Нью-Йóрк Таймс". Я покупáю её

   _____.

5. _____ Тáня вы́йдет зáмуж.

PART V. WRITING

A. _____ **pts. Translation.** Translate the following sentences into Russian.

1. German (**неме́цкий**) cars are the most expensive cars in the world.

_____

2. Anya and I are going to the movies. Do you want to go with us?

_____

3. You speak Russian much better than your sister.

_____

4. In three days Father will leave for London.

_____

5. Tanya, have you ever gone to Irkutsk by train?

_____

6. We wish you luck!

_____

Б. _____ **pts. Composition.** A Russian friend has asked if you would like to live in the city where you live now or in Moscow. How would you respond? Use comparatives and superlatives to talk about the tourist sights, transportation system, universities, etc. of the two cities. (7–8 sentences.)

_____

_____

_____

_____

_____

_____

_____

PART VI. CULTURE

_____ **pts. Superstitions.** Describe three Russian superstitions or omens that you learned about in this lesson. What do they foretell?

а. _____

_____

б. _____

_____

в. _____

_____

Total pts. _____

НАЧАЛО (2)

и́мя и фами́лия _____

Уро́к 9 - Контро́льная рабо́та Б

PART II. LISTENING COMPREHENSION

A. _____ pts. <u>**Learner or teacher?**</u> A series of five sentences will be read to you. Listen carefully and decide for each sentence whether *the speaker* is talking about learning something or teaching somebody something. Circle the correct choice.

     1. a. Learning   б. Teaching

     2. a. Learning   б. Teaching

     3. a. Learning   б. Teaching

     4. a. Learning   б. Teaching

     5. a. Learning   б. Teaching

Б. _____ pts. <u>**Answering machine.**</u> A Russian friend called and left a message on your answering machine for one of your roommates. Fill out a message slip *in English* for your roommate. Be sure that the actual message portion is as complete as possible.

Call for: _____
Caller: _____
Day of call: _____
Time of call: _____
Message: _____
_____
_____
_____
_____
Caller's phone number: _____

PART III. READING

_____ **pts.** Read each of the following sentences on the left and decide which would be the most appropriate response from the column on the right. Write the letter in the blank on the left.

1. _____ Откýда вы, молодóй человéк?

2. _____ Скажúте, пожáлуйста, когдá бýдет стáнция Театрáльная?

3. _____ Ты хóчешь пойтú в Третьякóвскую галерéю?

4. _____ Какáя слéдующая стáнция?

5. _____ Почемý Сергéй в наýшниках?

а. Чéрез четы́ре останóвки.

б. Китáй-гóрод.

в. Он всегдá слýшает америкáнскую мýзыку.

г. Из штáта Кентýкки.

д. Да, я хочý посмотрéть рýсские икóны.

* * * * * *

6. _____ Ты вéришь в чёрных кóшек?

7. _____ Мóжет быть, ты знáешь, с кем у Дúмы свидáние?

8. _____ Я хочý научúться водúть машúну.

9. _____ Где ты былá вчерá вéчером? В библиотéке?

10. _____ Москóвское метрó — сáмое красúвое в мирé.

а. Знáю. С Нáдей.

б. Ты прав. Мне осóбенно нрáвится стáнция Пýшкинская.

в. Да, я там занимáлась.

г. Я знáю óчень хорóшую автошкóлу.

д. Да, я óчень суевéрный.

PART IV. GRAMMAR

A. _____ **pts.** **Verbs.** Circle the motion verb that correctly completes each of the following sentences.

1. На какóй стáнции ты (идёшь, выхóдишь, ухóдишь)?

2. Сóня, я не вúжу машúны твоúх родúтелей. Кудá онú (поéхали, поéдут, выезжáли)?

3. Марúны Владúмировны нет дóма. Онá (уходúла, уйдёт, ушлá) час назáд.

4. По-мóему, погóда хорóшая, кáждый день (éдет, идёт, уйдёт) снег.

5. Ты ждёшь автóбуса? Кудá ты (éдешь, выезжáешь, приезжáешь)?

6. Оксáна (пришлá, приéдет, приезжáла) из Кúева в прóшлом годý, чтóбы (*in order to*) учúться здесь, в Москвé, а в э́том годý онá опя́ть ýчится в своём институ́те в Кúеве.

Circle the teaching or learning verb that correctly completes each of the following sentences.

7. Кто тебя (научи́л, научи́лся) гото́вить пирожки́?

8. Макси́м обяза́тельно (нау́чит, нау́чится) тебя́ води́ть маши́ну.

9. Са́ндра о́чень бы́стро (научи́ла, научи́лась) говори́ть по-ру́сски.

10. Ве́ра и Алексе́й (бу́дут учи́ть, бу́дут учи́ться) дочь игра́ть в футбо́л.

11. Вы (у́чите, у́читесь) петь по-италья́нски?

Б. _____ **pts. Case endings.** Restore the proper endings to the nouns and adjectives below. If no ending is necessary, write an X in the blank.

1. Я звоню́ подру́ге четы́ре ра́з____ в ме́сяц____.

2. Ва́ся занима́ется америка́нск____ футбо́л____.

3. Ка́жд____ у́тр____ де́ти за́втракают в во́семь часо́в.

4. Иностра́нц____ ча́сто нра́вится Пари́ж бо́льше, чем Ло́ндон.

5. Ма́ма о́чень лю́бит говори́ть с англи́йск____ тури́ст____ (*plural*).

6. Сего́дня Ната́ша в кра́сн____ брю́к____.

7. Когда́ Ле́на была́ ма́леньк____ де́вочк____, она́ хоте́ла стать медсестр____.

8. Че́рез неде́л____ мы пое́дем в Австра́лию.

В. _____ **pts. Time Expressions.** Complete the following sentences with an appropriate time expression from those listed below. One will be left over.

пять мину́т наза́д	ка́ждый день	два ра́за в год
че́рез год	че́рез пять мину́т	три ра́за в день

1. _____ Ва́ля ушла́ в апте́ку.

2. _____ я уйду́.

3. Мы лю́бим чита́ть газе́ту "Нью-Йо́рк Таймс". Мы покупа́ем её

_____.

4. Дя́дя Ва́ня и тётя Ви́ка живу́т далеко́ и приезжа́ют в Петербу́рг то́лько

_____.

5. _____ моя́ сестра́ вы́йдет за́муж.

PART V. WRITING

A. _____ **pts. <u>Translation.</u>** Translate the following sentences into Russian.

1. We wish you luck!

   _____

2. In four days Mom will leave for Rome.

   _____

3. Lara, have you ever gone to Novgorod by train?

   _____

4. You speak French much better than your brother.

   _____

5. Tolya and I are going to the zoo. Do you want to go with us?

   _____

6. German (**неме́цкий**) cars are the most expensive cars in the world.

   _____

Б. _____ **pts. <u>Composition</u>**. A Russian friend has asked if you would like to live in the city where you live now or in Moscow. How would you respond? Use comparatives and superlatives to talk about the tourist sights, transportation system, universities, etc. of the two cities. (7–8 sentences.)

_____
_____
_____
_____
_____
_____
_____
_____

PART VI. CULTURE

_____ **pts. <u>Superstitions.</u>** Describe three Russian superstitions or omens that you learned about in this lesson. What do they foretell?

а. _____

_____

б. _____

_____

в. _____

_____

Total pts. _____

НАЧАЛО (2)

Уро́к 9 - Контро́льная рабо́та А / Б
Student Preview Sheet

I. SPEAKING <u>Situation.</u> Be prepared to role-play one of the following situations, according to the directions of your instructor.

1. You meet a Russian student who has just recently arrived in the United States and speaks little English. Find out what you can about her, e.g., when she arrived, where she is from, with whom she arrived or with whom she is staying in the States, what sports she does and how often, etc. Help make her feel at home and invite her to go to a concert with you. (Make appropriate changes if the "student" is played by a male.)

2. You are applying for a study abroad program. Part of the application procedure is an interview conducted in Russian. The program directors are not only interested in finding out how well you speak Russian, they also want to know why you want to study in Russia. Tell them what your career goals are, e.g., what you want to become, what you are studying or want to study, how long ago you began studying Russian, what other interests you may have, etc. In short, you want to impress them with your talents and your goals.

V. WRITING <u>Composition</u>. A Russian friend has asked if you would like to live in the city where you live now or in Moscow. How would you respond? Use comparatives and superlatives to talk about the tourist sights, transportation system, universities, etc. of the two cities. (7–8 sentences.)

НАЧАЛО (2)

Урок 9 - Контро́льная рабо́та А / Б
Instructor Copy

(А) II. LISTENING COMPREHENSION

А. <u>Learner or teacher?</u> A series of five sentences will be read to you. Listen carefully and decide for each sentence whether *the speaker* is talking about learning something or teaching somebody something. Circle the correct choice.

1. Я о́чень хочу́ научи́ться води́ть маши́ну. Мне ну́жно брать уро́ки вожде́ния.

2. Ты хо́чешь хорошо́ гото́вить? Я могу́ тебя́ научи́ть.

3. Когда́ я научу́сь игра́ть на гита́ре, я начну́ учи́ться игра́ть на саксофо́не.

4. Я учу́сь на медици́нском факульте́те.

5. Я научи́л моего́ бра́та игра́ть одну́ краси́вую мело́дию на роя́ле.

Б. <u>Answering machine.</u> A Russian friend called and left a message on your answering machine for one of your roommates. Fill out a message slip in English for your roommate. Be sure that the actual message portion is as complete as possible.

Приве́т, Ди́ма! Э́то говори́т Са́ша. Сего́дня четве́рг, сейча́с 8 часо́в ве́чера. За́втра мы с Ната́шей идём на конце́рт. Ната́ша купи́ла биле́т для сестры́, кото́рая прие́хала из Но́вгорода, но сестра́ не хо́чет идти́. Мо́жет быть, ты хо́чешь пойти́ с на́ми? Позвони́ мне. Мой но́мер телефо́на: 739-19-45. Пока́.

(Б) II. LISTENING COMPREHENSION

А. <u>Learner or teacher?</u> A series of five sentences will be read to you. Listen carefully and decide for each sentence whether *the speaker* is talking about learning something or teaching somebody something. Circle the correct choice.

1. Я учу́сь на биологи́ческом факульте́те.

2. Когда́ я научу́сь игра́ть на скри́пке, я начну́ учи́ться игра́ть на роя́ле.

3. Я научи́л мою́ сестру́ игра́ть одну́ краси́вую мело́дию на гита́ре.

4. Я о́чень хочу́ научи́ться води́ть маши́ну. Мне ну́жно брать уро́ки вожде́ния.

5. Ты хо́чешь хорошо́ гото́вить? Я могу́ тебя́ научи́ть.

Б. <u>Answering machine.</u> A Russian friend called and left a message on your answering machine for one of your roommates. Fill out a message slip in English for your roommate. Be sure that the actual message portion is as complete as possible.

Приве́т, Серёжа! Э́то говори́т Же́ня. Сего́дня среда́, сейча́с 9 часо́в ве́чера. За́втра мы с А́ней идём на конце́рт. А́ня купи́ла биле́т для бра́та, кото́рый прие́хал из Петербу́рга, но брат не хо́чет идти́. Мо́жет быть, ты хо́чешь пойти́ с на́ми? Позвони́ мне. Мой но́мер телефо́на: 548-68-12. Пока́.

НАЧАЛО (2)   и́мя и фами́лия _____

Уро́к 10 - Контро́льная рабо́та А

PART I. SPEAKING

_____ pts. <u>Situation.</u>

PART II. LISTENING COMPREHENSION

_____ pts. <u>Matching</u>. You are spending New Year's Eve with some of your Russian friends. You will hear two sets of four phrases. Listen carefully and decide which phrase is most appropriate for the following situations. Put the letter of the description below the appropriate picture.

1. _____   2. _____   3. _____   4. _____

*   *   *   *   *   *

5. _____   6. _____   7. _____   8. _____

PART III. READING

_____ pts. <u>**Misha's New Year**</u>. You have just received a letter from your friend Natasha in which she tells about New Year's and her brother, Misha. Read the text carefully and circle the letters of the correct answers.

Миша очень рад, что скоро будет Новый год. Ведь это его любимый праздник. Главное, наверно, то, что ему принесут много подарков. В этом году он хочет дорогой магнитофон и наушники, которые он видел в магазине. Миша сказал об этом мне, и я ответила: «Как тебе не стыдно! Ты думаешь только о себе.» Миша ответил, что он думает не только о себе, но и о Деде Морозе. Ведь Дед Мороз любит дарить детям подарки.

Миша любит поесть. Каждый год мама готовит очень вкусный новогодний обед: гуся, пирожки и салат. Мы с мамой и папой пьём вино, а Миша — сок. Ему очень хочется попробовать вино, но родители говорят, что нельзя. Они обещали ему, что он сможет попробовать вино, когда ему будет шестнадцать лет.

Ещё Миша очень любит новогодние традиции. Он любит петь песни и танцевать вокруг (*around*) ёлки. Но самое любимое у него — это ёлка. В его детском саду стоит ёлка, которая кажется ему самой большой в мире. Папа ещё не купил для нас ёлку, но скоро купит. Миша надеется, что она будет такой же высокой, как ёлка в детском саду.

1 For New Year's, Misha hopes that

   a. someone will give Grandfather Frost a present.
   б. he will get a new tape recorder and headphones.
   в. his parents will get lots of presents.
   г. Father Frost will give his sister a tape recorder and headphones.

2. Misha thinks that Grandfather Frost

   a. likes to give presents.
   б. gets paid to give presents.
   в. is tired of giving out presents.
   г. is obligated to give presents.

3. Misha's mother prepares a New Year's feast of

   a. goose, mushrooms, and salad.
   б. goose, filled pastries, and sauerkraut.
   в. goose, filled pastries, and salad.
   г. goose, salad, and potatoes.

4. Misha's parents

   a. don't want him drinking wine until he's sixteen.
   б. always let him drink a little wine.
   в. don't want him drinking wine at all.
   г. are letting him try wine for the first time this New Year.

5. Misha likes the kindergarten New Year's tree because

   a. his father isn't buying one for the family this year.
   б. it's the prettiest he's ever seen.
   в. his father bought one just like it.
   г. it's very tall.

6. What does Misha like about New Year's? Circle all sentences that are true according to the above text.

   a. New Year's is Misha's favorite holiday.
   б. Misha likes to eat.
   в. Misha likes his family's tree.
   г. Misha likes to dance around the New Year's tree.
   д. Misha likes to sing.

PART IV. GRAMMAR

A. _____ pts. **Verbs.** Complete the sentences with the correct form of an appropriate verb from the list below. The correct aspects have been given.

дать	есть	задáть	петь	пить	хотéться

1. Мне кáжется, что Лёня заболéл (*got sick*). Емý всё врéмя
   _____ спать.
2. Рýсские студéнты чáсто _____ пирожкú и
   _____ чай.
3. Ты любишь _____ рýсские пéсни?
4. Это вы вчерá _____ нам билéты на рок-концéрт?
   Большóе спасúбо!

подарúть	позвонúть	надéяться	продавáть
	садúться	сидéть	

5. Лúдия Максúмовна любит _____ на балкóне и
   смотрéть на людéй.
6. Дорогúе гóсти, всё готóво. _____ за стол.
7. Давáйте _____ родúтелям нóвый компьютер.
8. Я _____ свою машúну и покупáю нóвую.
9. Давáй я _____ Никúте Алексáндровичу.

Б. _____ pts. **Case endings.** Restore the proper endings to each of the nouns, pronouns, and adjectives below. If no ending is necessary, write an X in the blank.

1. Нáдя, ты сам_____ встрéтишь турúстов на вокзáле?
2. Прошý в_____ (*everybody*) к столý.
3. Предстáвь себ_____, он съел в_____ (*the whole*) торт!
4. Желáю в_____ (*you, formal*) здорóвь_____.
5. Я пойдý в магазúн за хлéб_____.
6. По-мóему, эт_____ пирожкú горáздо вкусн_____, чем т_____.
7. Ты знáешь преподавáтеля, о котóр_____ мы говорúм?
8. Т_____ (*you, informal*) трýдно понимáть америкáнские фúльмы?
9. Нельзя звонúть мáм_____, когдá онá на рабóте.

PART V. WRITING

A. _____ pts. <u>Translation.</u> Translate each of the following sentences into Russian.

1. I'm cold.

_____

2. Let me buy the New Year's tree!

_____

3. Somebody called, but I don't know who.

_____

4. When I was five years old, I wanted to become a doctor.

_____

5. Sveta, you're right. *Crime and Punishment* (***Преступлéние и наказáние***) is more interesting than *Doctor Zhivago*.

_____

_____

Б. _____ pts. <u>Composition.</u> Write a letter to your professor from your home-stay in Russia. Tell him/her about your family's evening meal habits, e.g., what you eat, whether or not you like it as well as American food, when you eat, etc. (7–8 sentences)

_____

_____

_____

_____

_____

_____

_____

PART VI. CULTURE

_____ pts. <u>The Russian New Year.</u> Write a short paragraph in English describing the Russian New Year. Include the names for the two main figures as well as a Russian New Year's greeting. (Write all of these in Russian.)

_____

_____

_____

_____

_____

_____

_____

Total pts. _____

НАЧАЛО (2)   и́мя и фами́лия _____
Уро́к 10 - Контро́льная рабо́та Б

PART I. SPEAKING

_____ pts. <u>Situation.</u>

PART II. LISTENING COMPREHENSION

_____ pts. <u>Matching</u>. You are spending New Year's Eve with some of your Russian friends. You will hear two sets of four phrases. Listen carefully and decide which phrase is most appropriate for the following situations. Put the letter of the description below the appropriate picture.

1. _____   2. _____   3. _____   4. _____

*   *   *   *   *   *

5. _____   6. _____   7. _____   8. _____

PART III. READING

_____ pts. **Misha's New Year.** You have just received a letter from your friend Natasha in which she tells about New Year's and her brother, Misha. Read the text carefully and circle the letters of the correct answers.

Миша о́чень рад, что ско́ро бу́дет Но́вый год. Ведь э́то его́ люби́мый пра́здник. Гла́вное, наве́рно, то, что ему́ принесу́т мно́го пода́рков. В э́том году́ он хо́чет дорого́й магнитофо́н и нау́шники, кото́рые он ви́дел в магази́не. Миша сказа́л об э́том мне, и я отве́тила: «Как тебе́ не сты́дно! Ты ду́маешь то́лько о себе́.» Миша отве́тил, что он ду́мает не то́лько о себе́, но и о Де́де Моро́зе. Ведь Дед Моро́з лю́бит дари́ть де́тям пода́рки.

Миша лю́бит пое́сть. Ка́ждый год ма́ма гото́вит о́чень вку́сный нового́дний обе́д: гуся́, пирожки́ и сала́т. Мы с ма́мой и па́пой пьём вино́, а Миша — сок. Ему́ о́чень хо́чется попро́бовать вино́, но роди́тели говоря́т, что нельзя́. Они́ обеща́ли ему́, что он смо́жет попро́бовать вино́, когда́ ему́ бу́дет шестна́дцать лет.

Ещё Миша о́чень лю́бит нового́дние тради́ции. Он лю́бит петь пе́сни и танцева́ть вокру́г (_around_) ёлки. Но са́мое люби́мое у него́ — э́то ёлка. В его́ де́тском саду́ стои́т ёлка, кото́рая ка́жется ему́ са́мой большо́й в ми́ре. Па́па ещё не купи́л для нас ёлку, но ско́ро ку́пит. Миша наде́ется, что она́ бу́дет тако́й же высо́кой, как ёлка в де́тском саду́.

1. For New Year's, Misha hopes that

   a. Father Frost will give his sister a tape recorder and headphones.
   б. his parents will get lots of presents.
   в. someone will give Grandfather Frost a present.
   г. he will get a new tape recorder and headphones.

2. Misha thinks that Grandfather Frost

   a. is tired of giving out presents.
   б. likes to give presents.
   в. is obligated to give presents.
   г. gets paid to give presents.

3. This year the meal that the family is having is

   a. unusual because they are having goose.
   б. typical of their New Year's meal.
   в. incomplete because there won't be goose.
   г. not to Misha's liking.

4. Wine will be drunk by

   a. everybody in the family.
   б. only the father.
   в. everybody but Misha.
   г. everybody but Misha and Natasha.

5. Misha's favorite part about New Year's is

   a. having a tree.
   б. getting presents.
   в. eating.
   г. singing.

6. What does Misha like about New Year's? Circle all sentences that are true according to the above text.

   a. Misha likes to eat.
   б. Misha likes to sing.
   в. New Year's is Misha's favorite holiday.
   г. Misha likes his family's tree.
   д. Misha likes to dance around the New Year's tree.

PART IV. GRAMMAR

A. _____ **pts.** <u>**Verbs.**</u> Complete the sentences with the correct form of an appropriate verb from the list below. The correct aspects have been given.

дать	есть	зада́ть	петь	пить	хоте́ться

1. Мы о́чень лю́бим _____ францу́зские пе́сни.

2. Тебе́ не ка́жется, что Мари́на заболе́ла (*got sick*)? Ей всё вре́мя

   _____ спать.

3. Э́то вы вчера́ _____ нам биле́ты на футбо́льный матч? Большо́е спаси́бо!

4. Америка́нские студе́нты ча́сто_____ пи́ццу и

   _____ Пе́пси.

подари́ть	позвони́ть	надея́ться	продава́ть
	сади́ться	сиде́ть	

5. Дава́йте _____ тёте А́не сего́дня ве́чером.

6. Мы _____ свой при́нтер и покупа́ем но́вый.

7. Бори́с Ви́кторович лю́бит _____ в о́фисе и говори́ть по телефо́ну.

8. Дава́й я _____ ма́ме но́вые бока́лы.

9. Дороги́е го́сти, всё гото́во. _____ за стол.

Б. _____ **pts.** <u>**Case endings.**</u> Restore the proper endings to each of the nouns, pronouns, and adjectives below. If no ending is necessary, write an X in the blank.

1. Мы пойдём в магази́н за молок_____.

2. По-мо́ему, э́т_____ торт гора́здо вкусн_____, чем т_____.

3. Жела́ю в_____ (*you, formal*) сча́сть_____.

4. Предста́вь себ_____, Ната́ша съе́ла в_____ (*the whole*) икру́!

5. Т_____ (*you, informal*) тру́дно понима́ть англи́йские газе́ты?

6. Прошу́ в_____ (*everybody*) к столу́.

7. Нельзя́ звони́ть ма́м_____, когда́ она́ на рабо́те.

8. На́дя и То́ля, вы са́м_____ встре́тите па́пу на вокза́ле?

9. Ты зна́ешь учи́тельницу, о кото́р_____ я говорю́?

PART V. WRITING

A. _____ **pts. <u>Translation.</u>** Translate each of the following sentences into Russian.

1. Somebody called, but I don't know who.

_____

2. When I was seven years old, I wanted to become a journalist.

_____

3. Let me buy the New Year's tree!

_____

4. I'm hot.

_____

5. Dima, you're right. _Doctor Zhivago_ is more interesting than _War and Peace_ (**Война и мир**).

_____

_____

Б. _____ **pts. <u>Composition.</u>** Write a letter to your professor from your home-stay in Russia. Tell him/her about your family's evening meal habits, e.g., what you eat, whether or not you like it as well as American food, when you eat, etc. (7–8 sentences)

_____

_____

_____

_____

_____

_____

_____

PART VI. CULTURE

_____ **pts. <u>The Russian New Year.</u>** Write a short paragraph in English describing the Russian New Year. Include the names for the two main figures as well as a Russian New Year's greeting. (Write all of these in Russian.)

_____

_____

_____

_____

_____

Total pts. _____

НАЧАЛО (2)

Урок 10 - Контрольная работа A / Б
Student Preview Sheet

I. **SPEAKING** <u>Situation.</u> Be prepared to role-play one of the following situations, according to the directions of your instructor.

1. You just celebrated New Year's with a Russian friend in Moscow. Now he would like you to tell about your New Year's and Christmas or Hannukah traditions. (You won't be able to say everything, so be sure to stick to what you *do* know how to say!) Explain that many Americans have a tree at Christmas, not at the New Year. They also give and receive presents. Tell about your own traditions. Do you usually have a tree? A big one or a small one? About how much does it cost? To whom do you give presents? What kinds of things might you buy? From whom do you receive presents? How do you ring in the New Year? With whom do you usually celebrate? What do you do? Play cards? Watch TV? What do you usually eat and drink?

2. You and a Russian friend are planning to host a party at your apartment. You are not sure what your friend has already done, so you need to find out. (Possibilities: inviting certain people, shopping, cleaning, preparing certain foods, etc.). Tell what you have already done. Then discuss what you still have to do. Think about what foods you might prepare and which ones might be tastier. Ask what toast he will propose at the party and tell which one you will propose.

V. WRITING <u>Composition.</u> Write a letter to your professor from your home-stay in Russia. Tell him/her about your family's evening meal habits, e.g., what you eat, whether or not you like it as well as American food, when you eat, etc. (7–8 sentences)

НАЧАЛО (2)

Уро́к 10 - Контро́льная рабо́та А / Б
Instructor Copy

(А) II. LISTENING COMPREHENSION

Matching. You are spending New Year's Eve with some of your Russian friends. You will hear two sets of four phrases. Listen carefully and decide which phrase is most appropriate for the following situations. Put the letter of the description below the appropriate picture.

<u>Items 1–4</u>

а. Переда́й, пожа́луйста, сала́т.

б. Сади́сь. Тут есть ме́сто.

в. Когда́ я сижу́ на полу́, я чу́вствую себя́ как до́ма.

г. Вот Ве́ра. Она́, наве́рно, идёт в магази́н за пода́рками.

<u>Items 5-8</u>

а. Вот ви́дишь, кому́–то Дед Моро́з несёт ёлку.

б. Обяза́тельно попро́буйте пирожки́.

в. За ста́рый год!

г. Ты о́чень хорошо́ танцу́ешь.

(Б) II. LISTENING COMPREHENSION

Matching. You are spending New Year's Eve with some of your Russian friends. You will hear two sets of four phrases. Listen carefully and decide which phrase is most appropriate for the following situations. Put the letter of the description below the appropriate picture.

<u>Items 1–4</u>

а. Вот Ве́ра. Она́, наве́рно, идёт в магази́н за пода́рками.

б. Переда́й, пожа́луйста, сала́т.

в. Когда́ я сижу́ на полу́, я чу́вствую себя́ как до́ма.

г. Сади́сь. Тут есть ме́сто.

<u>Items 5-8</u>

а. Ты о́чень хорошо́ танцу́ешь.

б. Вот ви́дишь, кому́–то Дед Моро́з несёт ёлку.

в. За ста́рый год!

г. Обяза́тельно попро́буйте пирожки́.

НАЧАЛО (2)   имя и фамилия _____
Уро́к 11 - Контро́льная рабо́та A

PART I. SPEAKING

_____ pts. **Situation.**

PART II. LISTENING COMPREHENSION

_____ pts. **What was that number?** Your worst nightmare! In a conversation with several of your Russian friends, almost every sentence they utter has a number in it. Listen carefully and decide what they are saying.

1. a. Sveta was supposed to come visit promptly at 6:00.
    б. Sveta was supposed to come visit at about 6:00.
    в. Sveta came at 6:00 sharp.
    г. Sveta came at about 6:00.

2. a. David supposedly read *Anna Karenina* 7 days ago.
    б. David supposedly wants to read *Anna Karenina* 7 days from now.
    в. David is supposedly taking 7 days to read *Anna Karenina*.
    г. David supposedly read *Anna Karenina* in 7 days.

3. a. Zhenya is about 19 years old.
    б. Zhenya is exactly 19 years old.
    в. Zhenya is about 20 years old.
    г. Zhenya is exactly 20 years old.

4. a. Sonya learned to drive 3 months ago.
    б. Sonya is going to start driving in 3 months.
    в. Sonya learned to drive in 3 months.
    г. Sonya will be taking a 3-month driving course.

5. You are asked to come to your friends house at
    a. 6:50
    б. 10:07
    в. 7:10
    г. 6:10

6. The author spoken of was born in
    a. 1729
    б. 1892
    в. 1819
    г. 1719

7. The lecture begins at
    a. 2:45
    б. 1:45
    в. 1:56
    г. 2:15

8. Sasha arrived home at
    a. 11:30
    б. 11:15
    в. 11:00
    г. 10:30

9. The attendance at the stadium was
    a. 7,342
    б. 7,432
    в. 8,342
    г. 8,432

10. The composer spoken of died in
    a. 1760
    б. 1766
    в. 1816
    г. 1860

PART III. READING

_____ pts. **Куда?** It's your first trip to Russia and you have finally arrived at your dorm. You would like to visit some Russians whom you met in the United States. Several of them already sent you directions to their homes. Follow the directions and find the corresponding building on your map. Make sure that you start each trip from your *йобщежитие*! Mark the box next to each destination with the appropriate number. Note: there are more boxes than numbers.

1. Рядом с твоим общежитием — метро. Тебе нужно ехать на метро до станции Ботанический сад. Когда ты выйдешь из метро, ты увидишь почту. Около почты остановка двенадцатого автобуса. Садись на него. Первая остановка будет наша.

2. Мимо твоего общежития ходит девятнадцатый автобус, который идёт к нам. Ехать будешь долго: наша остановка — самая последняя.

3. Сначала садись на девятнадцатый автобус. На четвёртой остановке тебе надо выйти и сделать пересадку на троллейбус. Около парка на углу ты увидишь остановку двадцатого троллейбуса. Тебе надо сесть на него. Четвёртая остановка — наша.

4. Сначала надо ехать на метро до станции Парк культуры. Здесь тебе надо выйти из метро и сесть на десятый автобус. Наша остановка —седьмая. Мы живём около метро.

M	Станция метро
- - -	Автобус (А)
- • -	Остановка автобуса
......	Троллейбус
..•..	Остановка троллейбуса
☐	Home of one of your Russian friends!

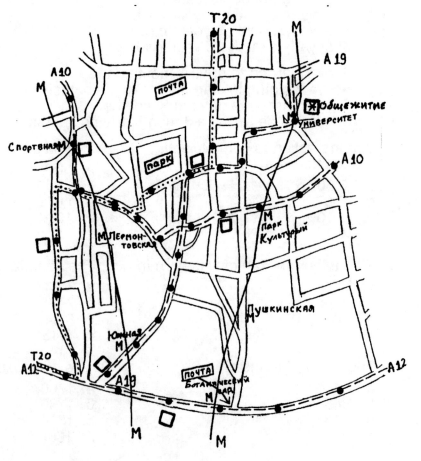

PART IV. GRAMMAR

A. _____ **pts.** <u>Verbs</u>. Complete the following sentences with the correct form of the appropriate verb from those listed. The correct aspect has been given.

ходи́ть	идти́	е́здить	е́хать

1. Вчера́ Ви́ка _____ в консервато́рию на конце́рт.

2. Когда́ я был ма́леньким ма́льчиком, мы ка́ждый год

   _____ в Я́лту.

3. Мы с Ната́шей сейча́с _____ в кино́. Хо́чешь пойти́ с на́ми?

4. За́втра роди́тели _____ в Нью-Йо́рк.

купи́ть	приготóвить	_Use imperative forms_

5. Я сейча́с ухожу́ на рабо́ту, а ты _____ проду́кты и

   _____ обе́д.

привести́	принести́

6. В суббо́ту мы соберёмся у То́ли и бу́дем учи́ться гото́вить пирожки́.

   Ка́ждый из нас что́-нибудь _____: мя́со, карто́шку, я́йца

   и́ли грибы́. А А́ня _____ свою́ ба́бушку. Она́ гото́вит

   о́чень вку́сные пирожки́.

попро́бовать	пыта́ться

7. Ты не хо́чешь _____ винегре́т? Почему́?

8. Когда́ мы бы́ли в Росси́и, мы _____ чита́ть ру́сские газе́ты.

привы́кнуть	умере́ть	_Use past tense_

9. Фёдор Миха́йлович Достое́вский _____ в 1881 году́.

10. А́нджела, по-мо́ему, ты о́чень бы́стро _____ к на́шей пого́де.

Б. _____ **pts.** <u>Case endings.</u> Restore the proper endings to the nouns, pronouns, and adjectives below. If no ending is necessary, write an X in the blank.

1. Сейча́с без че́тверт_____ пять.

2. Почему́ окно́ откры́т_____? Хо́лодно!

3. Я слы́шал по ра́ди_____, что бу́дет снег.

4. То́м_____ и Дже́нни_____ ну́жно бы́ло купи́ть буке́т цвето́в.

5. Та́ня придёт в полшест_____.

6. Серге́й в_____ (_all_) ноч_____ гото́вился к экза́мену по фи́зике.

7. Оле́г роди́лся в ты́сяча девятьсо́т во́семьдесят шест_____ год_____.

PART V. WRITING

A. _____ **pts.** <u>Translation.</u> Translate the following sentences into Russian.

1. Our Russian language teacher is about 40 years old.

   _____

2. The chauffeurs should have arrived an hour ago.

   _____

3. The tourists will need a car in Canada.

   _____

4. I want Tanya to bring her own guitar.

   _____

5. It usually takes me an hour to do all my homework.

   _____

6. Pyotr, in what year were you born?

   _____

Б. _____ **pts.** <u>Composition</u>. You would like to invite one of your Russian friends who lives in another dorm to visit you. Write a short note telling him/her when to come, what to bring, if anybody else will be there, and what you will be doing. The essay should be about 7-8 sentences long.

_____

_____

_____

_____

_____

_____

PART VI. CULTURE

_____ **pts.** <u>**На рынке.**</u> Write a short paragraph in English (about 5 sentences) describing what you might expect to see when visiting a Russian **рынок**.

_____

_____

_____

_____

_____

_____

Total pts. _____

НАЧАЛО (2)   и́мя и фами́лия _____
Уро́к 11 - Контро́льная рабо́та Б

PART I. SPEAKING

_____ pts. <u>Situation.</u>

PART II. LISTENING COMPREHENSION

_____ pts. <u>What was that number?</u> Your worst nightmare! In a conversation with several of your Russian friends, almost every sentence they utter has a number in it. Listen carefully and decide what they are saying.

1. a. Mitya will be taking a 2-month driving course.
    б. Mitya learned to drive 2 months ago.
    в. Mitya is going to start driving in 2 months.
    г. Mitya learned to drive in 2 months.

2. a. Mila came at 3:00 sharp.
    б. Mila came at about 3:00.
    в. Mila was supposed to come visit at about 3:00.
    г. Mila was supposed to come visit promptly at 3:00.

3. a. Sara is supposedly taking 30 minutes to learn the new vocabulary.
    б. Sara supposedly learned the new vocabulary in 30 minutes.
    в. Sara supposedly studied the new vocabulary 30 minutes ago.
    г. Sara supposedly will study the new vocabulary 30 minutes from now.

4. a. Sasha is about 19 years old.
    б. Sasha is exactly 19 years old.
    в. Sasha is about 20 years old.
    г. Sasha is exactly 20 years old.

5. The lecture begins at
    a. 7:45
    б. 7:15
    в. 6:56
    г. 6:45

6. The author spoken of was born in
    a. 1743
    б. 1747
    в. 1834
    г. 1843

7. The composer spoken of died in
    a. 1770
    б. 1817
    в. 1870
    г. 1877

8. Nadya arrived home at
    a. 12:30
    б. 12:15
    в. 11:15
    г. 11:30

9. You are asked to come to your friends house at
    a. 8:40
    б. 8:20
    в. 7:40
    г. 7:20

10. The attendance at the stadium was
    a. 6,573
    б. 7,583
    в. 6,583
    г. 6,773

PART III. READING

_____ **pts. Куда?** It's your first trip to Russia and you have finally arrived at your dorm. You would like to visit some Russians whom you met in the United States. Several of them already sent you directions to their homes. Follow the directions and find the corresponding building on your map. Make sure that you start each trip from your *общежитие*! Mark the box next to each destination with the appropriate number. Note: there are more boxes than numbers.

1. Мимо твоего общежития ходит девятнадцатый автобус, который идёт к нам. Ехать будешь долго: наша остановка — самая последняя.

2. Сначала садись на девятнадцатый автобус. На четвёртой остановке тебе надо выйти и сделать пересадку на троллейбус. Около парка на углу ты увидишь остановку двадцатого троллейбуса. Тебе надо сесть на него. Четвёртая остановка — наша.

3. Сначала надо ехать на метро до станции Парк культуры. Здесь тебе надо выйти из метро и сесть на десятый автобус. Наша остановка —седьмая. Мы живём около метро.

4. Рядом с твоим общежитием — метро. Тебе нужно ехать на метро до станции Ботанический сад. Когда ты выйдешь из метро, ты увидишь почту. Около почты остановка двенадцатого автобуса. Садись на него. Первая остановка будет наша.

M	Станция метро
- - -	Автобус (А)
- • -	Остановка автобуса
......	Троллейбус
..•..	Остановка троллейбуса
☐	Home of one of your Russian friends!

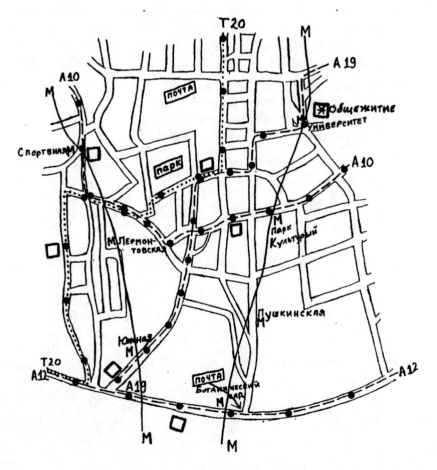

PART IV. GRAMMAR

A. _____ **pts.** **Verbs.** Complete the following sentences with the correct form of the appropriate verb from those listed. The correct aspect has been given.

ходи́ть	идти́	е́здить	е́хать

1. Мы с Кири́лом сейча́с _____ в кино́. Хо́чешь пойти́ с на́ми?

2. Вчера́ Ми́тя и Ви́тя _____ на конце́рт рок-му́зыки.

3. За́втра Алексе́й Миха́йлович _____ в Нью-Йо́рк.

4. Когда́ я была́ ма́ленькой де́вочкой, я ка́ждый год _____ к ба́бушке в Но́вгород.

привести́	принести́

5. В суббо́ту мы соберёмся у Зи́ны и бу́дем учи́ться гото́вить пирожки́.
   Ка́ждый из нас что́-нибудь _____: мя́со, карто́шку, я́йца и́ли грибы́. А Ва́ня _____ свою́ ба́бушку. Она́ гото́вит о́чень вку́сные пирожки́.

купи́ть	пригото́вить	_Use imperative forms_

6. Мы сейча́с ухо́дим на рабо́ту, а вы _____ проду́кты и _____ обе́д.

попро́бовать	пыта́ться

7. Когда́ я была́ в Росси́и, я ча́сто смотре́ла телепереда́чи и _____ поня́ть, о чём говоря́т.

8. Вы не хоти́те _____ торт? Почему́?

привы́кнуть	умере́ть	_Use past tense_

9. Бра́йан, по-мо́ему, ты о́чень бы́стро _____ к на́шей пого́де.

10. Никола́й Васи́льевич Го́голь _____ в 1852 году́.

Б. _____ **pts.** **Case endings.** Restore the proper endings to the nouns, pronouns, and adjectives below. If no ending is necessary, write an X in the blank.

1. Мы слы́шали по ра́ди_____, что бу́дет дождь.

2. Сейча́с полседьм_____.

3. Ле́на в_____ (_all_) ночь_____ гото́вилась к экза́мену по матема́тике.

4. Та́ня придёт без че́тверт_____ во́семь.

5. Ал_____ и Кэ́рол_____ ну́жно бы́ло купи́ть буке́т цвето́в на ры́нке.

6. Ге́на роди́лся в ты́сяча девятьсо́т во́семьдесят пят_____ год_____.

7. Почему́ окно́ откры́т_____? Хо́лодно!

PART V. WRITING

A. _____ pts. <u>Translation.</u> Translate the following sentences into Russian.

1. Dasha, in what year were you born?

_____

2. We want Alik to bring his own guitar.

_____

3. The businessmen will need a car in New York.

_____

4. Our mathematics teacher is about 35 years old.

_____

5. It usually takes us an hour to do all our homework.

_____

6. The women on duty should have arrived two hours ago.

_____

Б. _____ pts. <u>Composition.</u> You would like to invite one of your Russian friends who lives in another dorm to visit you. Write a short note telling him/her when to come, what to bring, if anybody else will be there, and what you will be doing. The essay should be about 7-8 sentences long.

_____
_____
_____
_____
_____
_____
_____
_____

PART VI. CULTURE

_____ pts. <u>На ры́нке.</u> Write a short paragraph in English (about 5 sentences) describing what you might expect to see when visiting a Russian **ры́нок**.

_____
_____
_____
_____
_____

Total pts. _____

НАЧА́ЛО (2)

Уро́к 11 - Контро́льная рабо́та А / Б
Student Preview Sheet

I. SPEAKING Situation. Be prepared to role-play one of the following situations, according to the directions of your instructor.

1. Your Russian friend is considering a semester-long study abroad program in the United States and is asking you for details about certain aspects of student life. He wants to know, for example, about the cost of living and studying in America. What does the dorm cost? What do books cost? He would also like to know what the typical student day is like. How many hours a week do you go to classes? How many hours do you study? What do students do on weekends? And so on!

2. Your Russian friend wants to know why you look so tired. Describe your VERY busy last day(s) to him. What time did you get up? How fast did you eat your breakfast? At what time did you have to be where? How much time did you study or talk with instructors or friends? Is this what your days are like usually? Is it hard to get used to such a busy life?

V. WRITING Composition. You would like to invite one of your Russian friends who lives in another dorm to visit you. Write a short note telling him/her when to come, what to bring, if anybody else will be there, and what you will be doing. The essay should be about 7–8 sentences long.

НАЧА́ЛО (2)

Уро́к 11 - Контро́льная рабо́та A / Б
Instructor Copy

(A) II. LISTENING COMPREHENSION

What was that number? Your worst nightmare! In a conversation with several of your Russian friends, almost every sentence they utter has a number in it. Listen carefully and decide what they are saying.

1. Све́та должна́ была́ прие́хать ко мне часо́в в шесть.
2. Дави́д сказа́л, что он прочита́л «А́нну Каре́нину» за семь дней.
3. Же́не лет два́дцать.
4. Со́ня научи́лась води́ть маши́ну за три ме́сяца.
5. Приходи́те ко мне в де́сять мину́т седьмо́го.
6. Э́тот а́втор роди́лся в 1729 (ты́сяча семьсо́т два́дцать девя́том) году́.
7. Ле́кция начина́ется без че́тверти два.
8. Са́ша пришёл домо́й в пол-оди́ннадцатого? Э́то не о́чень по́здно.
9. На стадио́не бы́ло 8.342 (во́семь ты́сяч три́ста со́рок два) челове́ка.
10. Э́тот компози́тор у́мер в 1860 (ты́сяча восемьсо́т шестидеся́том) году́.

(Б) II. LISTENING COMPREHENSION

What was that number? Your worst nightmare! In a conversation with several of your Russian friends, almost every sentence they utter has a number in it. Listen carefully and decide what they are saying.

1. Ми́тя научи́лся води́ть маши́ну за два ме́сяца.
2. Ми́ла должна́ была́ прие́хать ко мне часа́ в три.
3. Са́ра сказа́ла, что она́ вы́учила все но́вые слова́ за три́дцать мину́т.
4. Са́ше лет девятна́дцать.
5. Ле́кция начина́ется без че́тверти семь.
6. Э́тот а́втор роди́лся в 1743 (ты́сяча семьсо́т со́рок тре́тьем) году́.
7. Э́тот компози́тор у́мер в 1870 (ты́сяча восемьсо́т семидеся́том) году́.
8. На́дя пришла́ домо́й в полвена́дцатого? Э́то не о́чень по́здно.
9. Приходи́те ко мне в два́дцать мину́т восьмо́го.
10. На стадио́не бы́ло 6.583 (шесть ты́сяч пятьсо́т во́семьдесят три) челове́ка.

НАЧАЛО (2)   имя и фамилия _____
Урок 12 - Контрольная работа А

PART I. SPEAKING
_____ pts. <u>Situation.</u>

PART II. LISTENING COMPREHENSION
_____ pts. <u>What's the matter?</u> You overhear two of your friends having a conversation about illnesses. Listen carefully and answer the following questions in English.

1. What prompted Vanya's first question? What made him curious?

_____

2. What are Misha's grandfather's symptoms? Name at least three.

_____

3. How long has he been sick?

_____

4. Who else does Vanya say got sick?

_____

5. How is this person being treated?

_____

6. Why is Misha's grandmother not treating the grandfather with her home remedies?

_____

PART III. READING
_____ pts. <u>Matching.</u> In which situation would you most likely hear each of the following dialogues? Place the letter of the picture in the blank next to the most appropriate dialogue. There is one extra picture.

1. _____ — Я поставлю вам на спину горчичники. А теперь опустите (*lower*) голову и дышите.
— Вы обещаете, что кашель пройдёт?

2. _____ — Куда это вы так спешите?
— На каток (*skating rink*). Сегодня уроков не будет! В городе эпидемия гриппа, и все школы закрыты.

3. _____ — Вам нужно принимать это лекарство от кашля три раза в день.
— Но, доктор, я не люблю лекарств.

4. _____ — Я себя очень плохо чувствую. Я кашляю, и мне трудно говорить.
— Я буду лечить вас домашними средствами. Вот вам чай с лимоном. Сегодня вечером я дам вам бульон.

5. _____ — Я вижу, что вы сильно простудились. Зачем вы на улицу вышли?
— Мне нужно купить кое-какие (*some*) продукты.

a.   б.   в.

г.   д.   е.

PART IV. GRAMMAR

A. _____ **pts**. **<u>Verbs</u>.** Complete the following sentences with the correct form of the appropriate verb from those listed. The correct aspect has been given.

болеть[1]   болеть[2]   *Use present tense*

1. Что у тебя _____?

2. Все студе́нты че́м-то _____. Мо́жет быть, в университе́те кака́я-то эпиде́мия.

конча́ться   начина́ться

3. Экску́рсия в Кремль за́втра _____ в де́сять часо́в,

   а _____ в двена́дцать.

открыва́ть   позвони́ть   *Use imperative forms*

4. У тебя́ грипп? Снача́ла _____ по телефо́ну в поликли́нику и вы́зови врача́. Пото́м вы́пей ча́ю с лимо́ном и ложи́сь в крова́ть. Ча́ще _____ окно́, что́бы прове́трить (*air out*) ко́мнату.

купи́ть   принести́   хвата́ть

5. Пусть Лю́да _____ хле́ба и молока́ в магази́не на углу́.

6. На столе́ есть всё: вино́, сала́т, сыр. Не _____ то́лько колбасы́.

7. По́сле у́жина мы бу́дем петь пе́сни, е́сли Ва́ря

   _____ гита́ру.

Б. _____ **pts. Case endings.** Restore the proper endings to the nouns, pronouns, and adjectives below. If no ending is necessary, write an X in the blank.

1. Мáма всегдá лéчит меня́ ча_____ с мёдом.

2. Как Вáля с_____ чýвствует?

3. Лéна, ты звони́ла в шкóл_____?

4. Лю́ба и Свéта пошли́ в университéт_____ на лéкци_____.

5. Тебé нáдо позвони́ть Ольг_____.

6. Тебé положи́ть колбас_____ и сы́р_____?

7. Я мя́с_____ не ем.

В. _____ **pts. Prepositions.** Which preposition would you use to express that the following people are coming *from* the given locations?

1. Студéнт идёт _____ общежи́тия.

2. Музыкáнт идёт _____ концéрта.

3. Натáлья Ивáновна идёт _____ рабóты.

4. Мáша идёт _____ врачá.

5. Наш преподавáтель идёт _____ библиотéки.

PART V. WRITING

A. _____ **pts. Comparisons.** Write a sentence comparing each pair of similiar items below. Use the adjectives given in parentheses.

1. (холóдный) _____

_____

2. (дорогóй) _____

_____

3. Write this sentence *without* the word **чем.** (молодóй or стáрый)

_____

_____

В Москвé	В Нью-Йóрке
-20 c	-5 c
ПОРШЕ	ФОРД
$40.000	$17.000
РОБЕРТ	ДЖЕФФ

Б. _____ pts. <u>Translation.</u> Translate the following sentences into Russian.

1. Sonya, how do you feel? _____

2. There's not enough milk. _____

3. Please come in and sit down!

_____

4. Don't tell mother that I'm sick with the flu.

_____

5. Sara, call me when you arrive in Russia. And write to me every week.

_____

6. The stores open at nine in the morning and close at seven in the evening.

_____

В. _____ pts. <u>Composition.</u> You were sick for several days during your stay in Russia. Write a note to your Russian professor in the States. Describe your symptoms and tell whether your host family tried to cure you with home remedies or other medications, whether you went to a doctor, etc. (about 7–8 sentences).

_____

_____

_____

_____

_____

_____

_____

_____

PART VI. CULTURE

_____ pts. <u>Health in Russia.</u> Answer questions 1 and 2 in English.

1. What would be considered the normal body temperature in Celsius?

_____

2. What does it mean if a Russian says he has a **больни́чный лист**?

_____

_____

3. What do you say (in Russian) to a friend when she sneezes?

_____

Total pts. _____

НАЧАЛО (2)

и́мя и фами́лия _____

Уро́к 12 - Контро́льная рабо́та Б

PART I. SPEAKING

_____ pts. Situation.

PART II. LISTENING COMPREHENSION

_____ pts. What's the matter? You overhear two of your friends having a conversation about illnesses. Listen carefully and answer the following questions in English.

1. What prompted Tolya's first question? What made him curious?

_____

2. What are Vera's mother's symptoms? Name at least three.

_____

3. How long has she been sick?

_____

4. Who else does Tolya say got sick?

_____

5. How is this person being treated?

_____

6. Why is Vera's grandmother not treating the mother with her home remedies?

_____

PART III. READING

_____ pts. Matching. In which situation would you most likely hear each of the following dialogues? Place the letter of the picture in the blank next to the most appropriate dialogue. There is one extra picture.

1. _____
   — Я себя́ о́чень пло́хо чу́вствую. Я ка́шляю, и мне тру́дно говори́ть.
   — Я бу́ду лечи́ть вас дома́шними сре́дствами. Вот вам чай с лимо́ном. Сего́дня ве́чером я дам вам бульо́н.

2. _____
   — Я ви́жу, что вы си́льно простуди́лись. Заче́м вы на у́лицу вы́шли?
   — Мне ну́жно купи́ть ко́е-каки́е (*some*) проду́кты.

3. _____
   — Я поста́влю вам на спи́ну горчи́чники. А тепе́рь опусти́те (*lower*) го́лову и дыши́те.
   — Вы обеща́ете, что ка́шель пройдёт?

4. _____
   — Куда́ э́то вы так спеши́те?
   — На като́к (*skating rink*). Сего́дня уро́ков не бу́дет! В го́роде эпиде́мия гри́ппа, и все шко́лы закры́ты.

5. _____
   — Вам ну́жно принима́ть э́то лека́рство от ка́шля три ра́за в день.
   — Но, до́ктор, я не люблю́ лека́рств.

а.　　　　　　　　б.　　　　　　　　в.

г.　　　　　　　　д.　　　　　　　　е.

PART IV. GRAMMAR

A. _____ **pts**. **Verbs.** Complete the following sentences with the correct form of the appropriate verb from those listed. The correct aspect has been given.

боле́ть[1]	боле́ть[2]	*Use present tense*

1. Все шко́льники чём-то _____. Мо́жет быть, в шко́ле кака́я-то эпиде́мия.

2. У меня́ о́чень _____ спина́.

открыва́ть	позвони́ть	*Use imperative forms*

3. У вас грипп? Снача́ла _____ по телефо́ну в поликли́нику и вы́зовите врача́. Пото́м вы́пейте ча́ю с лимо́ном и ложи́тесь в крова́ть. Ча́ще _____ окно́, чтобы прове́трить (*air out*) ко́мнату.

конча́ться	начина́ться

4. Телепереда́ча «По А́фрике» за́втра _____ в шесть часо́в, а _____ в семь.

купи́ть	принести́	хвата́ть

5. На столе́ есть всё: вино́, сала́т, колбаса́. Не _____ то́лько сы́ра.

6. По́сле у́жина мы бу́дем петь пе́сни, е́сли Серёжа _____ гита́ру.

7. Пусть Фе́дя _____ колбасу́ в магази́не на углу́.

Б. _____ pts. **Case endings.** Restore the proper endings to the nouns, pronouns, and adjectives below. If no ending is necessary, write an X in the blank.

1. Тебе́ на́до позвони́ть Анто́н_____.

2. Ба́бушка всегда́ ле́чит меня́ ча_____ с лимо́ном.

3. Вам положи́ть немно́го сы́р_____ и колбас_____?

4. Андре́й, ты звони́л в поликли́ник_____?

5. Я мя́с_____ не ем.

6. Как На́стя с_____ чу́вствует?

7. Лю́да пошла́ в консервато́ри_____ на конце́рт_____.

В. _____ pts. **Prepositions.** Which preposition would you use to express that the following people are coming *from* the given locations?

1. Профе́ссор Ивано́в идёт _____ ле́кции.

2. Студе́нт идёт _____ университе́та.

3. Са́ша и О́ля иду́т _____ ба́бушки.

4. Ива́н Серге́евич идёт _____ рабо́ты.

5. Наш преподава́тель идёт _____ библиоте́ки.

PART V. WRITING

A. _____ pts. **Comparisons.** Write a sentence comparing each pair of similiar items below. Use the adjectives given in parentheses.

1. (холо́дный) _____

_____

2. (дорого́й) _____

_____

3. Write this sentence *without* the word **чем**. (молодо́й or ста́рый)

_____

_____

В Москве́	В Нью-Йо́рке
-20 C	-5 C
ПОРШЕ	ФОРД
$40.000	$17.000
РО́БЕРТ	ДЖЕФФ

Б. _____ **pts.** **Translation.** Translate the following sentences into Russian.

1. Please come in and sit down!

_____

2. Petya, call me when you arrive in Dallas. And write to me every week.

_____

3. There's not enough bread. _____

4. The stores open at nine in the morning and close at seven in the evening

_____

5. Yulya and Ira, how do you feel? _____

6. Don't tell grandma that I'm sick with the flu.

_____

В. _____ **pts.** **Composition.** You were sick for several days during your stay in Russia. Write a note to your Russian professor in the States. Describe your symptoms and tell whether your host family tried to cure you with home remedies or other medications, whether you went to a doctor, etc. (about 7-8 sentences).

_____

_____

_____

_____

_____

_____

_____

_____

PART VI. CULTURE

_____ **pts.** **Health in Russia.** Answer questions 1 and 2 in English.

1. What would be considered the normal body temperature in Celsius?

_____

2. What does it mean if a Russian says he has a **больничный лист**?

_____

_____

_____

3. What do you say (in Russian) to a friend when she sneezes?

_____

Total pts. _____

НАЧАЛО (2)

Урок 12 - Контрóльная рабóта А / Б
Student Preview Sheet

I. SPEAKING <u>Situation.</u> Be prepared to role-play one of the following situations, according to the directions of your instructor.

1. During your study abroad program, you get sick and have to go to the doctor. Describe your symptoms, how long you've felt like this, if you think you have a temperature, if anyone else in your family is sick, etc. Ask the doctor what the recommended treatment is, where you can find medications, etc.

2. The mother of a Russian friend has discovered that you have the flu and wants to cure you with home remedies. You try to reassure her that you have the necessary American medicine. Discuss how you normally treat yourself and convince her that you can cure yourself.

V. WRITING <u>Composition.</u> You were sick for several days during your stay in Russia. Write a note to your Russian professor in the States. Describe your symptoms and tell whether your host family tried to cure you with home remedies or other medications, whether you went to a doctor, etc. (about 7-8 sentences).

НАЧАЛО (2)

Уро́к 12 - Контро́льная рабо́та А / Б
Instructor Copy

(А) II. LISTENING COMPREHENSION

What's the matter? You overhear two of your friends having a conversation about illnesses. Listen carefully and answer the following questions in English.

ВА́НЯ: Ми́ша, почему́ вы вы́звали врача́?
МИ́ША: У нас заболе́л де́душка.
ВА́НЯ: Что с твои́м де́душкой?
МИ́ША: Он ка́шляет и чиха́ет. У него́ высо́кая температу́ра и голова́ боли́т.
ВА́НЯ: Он давно́ боле́ет?
МИ́ША: Уже́ три дня. Ты зна́ешь, что в го́роде эпиде́мия гри́ппа?
ВА́НЯ: Зна́ю. Мой брат то́же заболе́л. Но ба́бушка ле́чит его́ дома́шними сре́дствами.
МИ́ША: Моя́ ба́бушка то́же хоте́ла лечи́ть де́душку. Она́ хоте́ла поста́вить ему́ горчи́чники, но он бои́тся.

(Б) II. LISTENING COMPREHENSION

What's the matter? You overhear two of your friends having a conversation about illnesses. Listen carefully and answer the following questions in English.

ТО́ЛЯ: Ве́ра, почему́ вы вы́звали врача́?
ВЕ́РА: У нас заболе́ла ма́ма.
ТО́ЛЯ: Что с твое́й ма́мой?
ВЕ́РА: Она́ си́льно простуди́лась. Она́ ка́шляет и чиха́ет. У неё боли́т го́рло и ей о́чень тру́дно говори́ть.
ТО́ЛЯ: Она́ давно́ боле́ет?
ВЕ́РА: Уже́ неде́лю. Ты зна́ешь, что в го́роде эпиде́мия гри́ппа?
ТО́ЛЯ: Зна́ю. Моя́ сестра́ то́же заболе́ла. Но ба́бушка ле́чит её дома́шними сре́дствами.
ВЕ́РА: Моя́ ба́бушка то́же хоте́ла лечи́ть ма́му. Она́ сказа́ла, что на́до поста́вить ма́ме горчи́чники, но ма́ма не хо́чет.

НАЧАЛО (2)   и́мя и фами́лия _____

Уро́к 13 - Контро́льная рабо́та A

PART I. SPEAKING

_____ pts. <u>Situation.</u>

PART II. LISTENING COMPREHENSION

_____ pts. <u>Russian authors.</u> During your study abroad program, you have to attend several lectures about Russian literature. Listen carefully to the portion of your lecture about Dostoevsky, Tolstoy, and Chekhov and answer the questions below.

Достое́вский	Толсто́й	Че́хов

1. Dostoevsky was born
   а. October 13, 1821.
   б. October 30, 1822.
   в. October 31, 1822.
   г. October 30, 1821.
	4. Tolstoy was born
	   а. August 27, 1827.
	   Б. August 28, 1829.
	   в. August 27, 1828.
	   г. August 28, 1828.
		8. Chekhov was born
		   а. January 7, 1860.
		   б. January 17, 1860.
		   в. January 17, 1866.
		   г. January 7, 1866.

2. He was arrested
   а. in 1848.
   б. in 1847.
   в. in 1840.
   г. in 1838.
	5. His mother died
	   а. in 1833.
	   б. in 1830.
	   в. in 1831.
	   г. in 1834.
		9. He entered medical school
		   а. in 1889.
		   б. in 1879.
		   в. in 1890.
		   г. in 1880.

3. Dostoevsky died
   а. February 27, 1882.
   б. February 28, 1882.
   в. February 18, 1881.
   г. February 28, 1881.
	6. He married
	   а. in 1861.
	   б. in 1852.
	   в. in 1862.
	   г. in 1851.
		10. Chekhov died
		   а. June 2, 1904.
		   б. July 1, 1914.
		   в. June 1, 1940.
		   г. July 2, 1904.

	7. Tolstoy died
	   а. in November, 1900.
	   б. in November, 1909.
	   в. in November, 1910.
	   г. in November, 1919.	

Достоевский

Толстой

Чехов

PART III. READING

_____ pts. **Matching.** Match the statements on the left with the correct responses on the right. Place the letter of the appropriate rejoinder in the blank to the left of the first statement.

1._____ — Когда́ пра́зднуют Междунаро́дный же́нский день?

2._____ — Мне ну́жен пода́рок к 8 Ма́рта.

3._____ — Ната́лья Ива́новна, поздравля́ю с 8 Ма́рта.

4._____ — Что ты пода́ришь де́вушкам в на́шей гру́ппе?

5._____ — Пётр, ты уже́ купи́л пода́рок Та́не к 8 Ма́рта?

а. — Спаси́бо, Леони́д Васи́льевич.

б. — Я куплю́ всем цветы́.

в. — Ещё нет. Я ника́к не могу́ реши́ть, что ей купи́ть.

г. — Для како́го во́зраста?

д. — Восьмо́го ма́рта.

*   *   *   *   *   *

6._____ — Скажи́те, пожа́луйста, что продаю́т?

7._____ — Цветы́ мо́жно купи́ть во́зле метро́, но э́то до́рого.

8._____ — Францу́зские духи́ — э́то о́чень до́рого!

9._____ — Я купи́л Ни́не фотоальбо́м, она́ была́ о́чень ра́да.

10. _____ — У меня́ бу́дут го́сти из Аме́рики. Мне хо́чется подари́ть им что́-нибудь на па́мять.

а. — И я рад, что он ей понра́вился.

б. — Духи́ и косме́тику.

в. — Зато́ недалеко́.

г. — Подари́те им что́ нибудь ру́сское.

д. — Но ведь э́то для Ната́ши.

PART IV. GRAMMAR

A. _____ pts. **Verbs.** Complete the following sentences with the correct past tense form of **быть.**

1. Э́то _____ о́чень прия́тная неде́ля.

2. Э́то _____ о́чень вку́сные пирожки́.

Complete the following sentences with the correct form of the appropriate verb from the lists below. The correct aspect has been given. In the first and second sections there is one extra verb.

купи́ть	пойти́	посове́товать	сде́лать

3. Е́сли бы И́горь мне помо́г, мы бы всё _____ за два часа́.

4. Е́сли у нас бу́дет вре́мя, мы _____ в музе́й.

5. Е́сли бы у И́горя бы́ли де́ньги, он бы _____ но́вый при́нтер.

```
  ┌──────────────────────────────────────┐
  │  вы́пить        постара́ться           │
  └──────────────────────────────────────┘
```

6. — У меня́ боли́т го́рло.

   — Мо́жет быть, тебе́ _____ ча́ю с мёдом?

```
  ┌──────────────────────────────────────────────┐
  │  пове́сить      положи́ть      поста́вить       │
  └──────────────────────────────────────────────┘
```

7. Что где бу́дет? В шкаф я _____ салфе́тки, ви́лки,

   ножи́ и ло́жки, а на по́лку я _____ ча́йник и ча́шки.

   Но́вую карти́ну я _____ над дива́ном.

Б. _____ pts. **Case endings.** Restore the proper endings to each of the nouns, pronouns, and adjectives below. If no ending is necessary, write an X in the blank.

1. Ната́ша ча́сто по́льзуется зо́нтик_____.

2. Од_____ (*one*) из мо_____ подру́г_____ пое́дет зимо́й в Ита́лию.

3. Моя́ тётя родила́сь шест_____ сентябр_____ 1956-ого го́д_____.

4. Герд и Реги́на — на́ши знако́м_____ из Герма́нии.

5. Ми́ша, ты до́лго стоя́л в о́черед_____?

6. Мы весь день ходи́ли по у́лиц_____ (*plural*).

7. Моему́ отцу́ о́чень нра́вятся рома́ны Достое́вск_____.

В. _____ pts. **Word order.** Match the questions on the left with the most appropriate response on the right.

1. _____ Где Ма́ша была́ вчера́?   а. Ма́ша была́ в па́рке вчера́.

2. _____ Когда́ Ма́ша была́ в па́рке?   б. Вчера́ Ма́ша была́ в па́рке.

3. _____ Кто был вчера́ в па́рке?   в. Вчера́ в па́рке была́ Ма́ша.

PART V. WRITING

А. _____ pts. **Completion.** Write an appropriate conclusion to each of the following statements.

1. Е́сли бы я _____.

2. Е́сли за́втра _____.

Б. _____ pts. **Translation.** Translate the following sentences into Russian.

1. Masha lives on the eighth floor, but she never uses the elevator.

   _____

2. Nadezhda Viktorovna, do you like to go shopping?

   _____

3. "I don't know what to buy Vika for (her) birthday."
   "You can buy her perfume."

   _____

   _____

4. If Oleg learned to drive a car, we would go to Yalta in the summer.

   _____

B. _____ pts. Composition. Yesterday was the birthday of a good friend and you organized a small party for her. Tell what you did to get ready for the party and what you did at the party. Your narration should be in the same sequence in which things were done. (7-8 sentences)

_____

_____

_____

_____

_____

_____

_____

_____

_____

PART VI. CULTURE

A. _____ pts. Dates. How might you write the following dates in Russian? Use a different style (numerals, abbreviations, punctuation, etc.) for each date.

1. July 4, 1776 _____   3. October 21, 2001 _____

2. March 17, 1984 _____

Б. _____ pts. 8 Мáрта. Write a short paragraph (at least 5 sentences) in English describing the celebration of March 8th in Russia. Mention also its counterpart for men.

_____

_____

_____

_____

_____

_____

Total pts. _____

НАЧАЛО (2)   и́мя и фами́лия _____

Уро́к 13 - Контро́льная рабо́та Б

PART I. SPEAKING

_____ pts. **Situation.**

PART II. LISTENING COMPREHENSION

_____ pts. **Russian authors.** During your study abroad program, you have to attend several lectures about Russian literature. Listen carefully to the portion of your lecture about Dostoevsky, Tolstoy, and Chekhov and answer the questions below.

Достое́вский	Толсто́й	Че́хов

1. Dostoevsky was born
   a. October 3, 1812.
   б. October 30, 1820.
   в. October 30, 1821.
   г. October 3, 1822.
	4. Tolstoy was born
	   a. August 27, 1827.
	   б. August 28, 1827.
	   в. August 27, 1828.
	   г. August 28, 1828.
		8. Chekhov was born
		   a. January 7, 1860.
		   б. January 17, 1860
		   в. January 7, 1866.
		   г. January 17, 1866.

2. He was arrested
   a. in 1838.
   б. in 1839.
   в. in 1847.
   г. in 1848.
	5. His mother died
	   a. in 1830.
	   б. in 1831.
	   в. in 1833.
	   г. in 1834.
		9. He entered medical school
		   a. in 1872.
		   б. in 1877.
		   в. in 1879.
		   г. in 1880.

3. Dostoevsky died
   a. February 27, 1881.
   б. February 28, 1881.
   в. February 27, 1882.
   г. February 28, 1882.
	6. He married
	   a. in 1851.
	   б. in 1852.
	   в. in 1861.
	   г. in 1862.
		10. Chekhov died
		   a. July 2, 1904.
		   б. June 2, 1914.
		   в. July 1, 1914.
		   г. June 1, 1940.

	7. Tolstoy died
	   a. in November, 1900.
	   б. in November, 1909.
	   в. in November, 1910.
	   г. in November, 1919.	

Достоевский

Толстой

Чехов

PART III. READING

_____ pts. **Matching.** Match the statements on the left with the correct responses on the right. Place the letter of the appropriate rejoinder in the blank to the left of the first statement.

1._____ — Скажи́те, пожа́луйста, что продаю́т?

2._____ —Францу́зские духи́ — э́то о́чень до́рого!

3._____ — Пётр, ты уже́ купи́л пода́рок Та́не к 8 Ма́рта?

4._____ — Мне ну́жен пода́рок к 8 Ма́рта.

5._____ — Я купи́л Ни́не фотоальбо́м, она́ была́ о́чень ра́да.

а. — Для како́го во́зраста?

б. — Духи́ и косме́тику.

в. — Но ведь э́то для Ната́ши.

г. — И я рад, что он ей понра́вился.

д. — Ещё нет. Я ника́к не могу́ реши́ть, что ей купи́ть.

* * * * * *

6._____ — Цветы́ мо́жно купи́ть во́зле метро́, но э́то до́рого.

7._____ —. Когда́ пра́зднуют Междунаро́дный же́нский день?

8._____ — Что ты пода́ришь де́вушкам в на́шей гру́ппе?

9._____ — Ната́лья Ива́новна, поздравля́ю с 8 Ма́рта.

10. _____ — У меня́ бу́дут го́сти из Аме́рики. Мне хо́чется подари́ть им что́-нибудь на па́мять.

а. — Восьмо́го ма́рта.

б. — Я куплю́ всем цветы́.

в. — Подари́те им что́-нибудь ру́сское.

г. — Зато́ недалеко́.

д. — Спаси́бо, Леони́д Васи́льевич.

PART IV. GRAMMAR

A. _____ pts. **Verbs.** Complete the following sentences with the correct past tense form of **быть.**

1. Э́то _____ фиоле́товый пла́ток.

2. Э́то _____ о́чень дорога́я косме́тика.

Complete the following sentences with the correct form of the appropriate verb from the lists below. The correct aspect has been given. In the first and second sections there is one extra verb.

пове́сить	положи́ть	поста́вить

3. Что где бу́дет? На по́лку я _____ ча́йник и ча́шки, а в шкаф я _____ салфе́тки, ви́лки, ножи́ и ло́жки.

Но́вую карти́ну я _____ над дива́ном.

| купить | пойти | посоветовать | сделать |

4. Если бы у них было время, Олег и Катя _____ бы на концерт.

5. Если Зина тебе поможет, ты всё _____ за час.

6. Если бы у Наташи были деньги, она бы _____ это золотое кольцо.

| выпить | постараться |

7. — У меня насморк.

— Может быть, тебе _____ чаю с лимоном?

Б. _____ pts. **Case endings.** Restore the proper endings to each of the nouns, pronouns, and adjectives below. If no ending is necessary, write an X in the blank.

1. Од_____ (one) из мо_____ подруг_____ поедет летом в Африку.

2. В прошлом семестре я прочитала три романа Толст_____.

3. Пьер и Жак — наши знаком_____ из Франции.

4. Наша бабушка плохо ходит и всегда пользуется автобус_____.

5. Оля, ты долго стояла в очеред_____?

6. Мой дядя родился пят_____ феврал_____ 1952-ого год_____.

7. Новые студенты весь день ходили по улиц_____ (*plural*).

В. _____ pts. **Word order.** Match the questions on the left with the most appropriate response on the right.

1. _____ Где Маша была вчера?   а. Вчера в парке была Маша.

2. _____ Когда Маша была в парке?   б. Маша была в парке вчера.

3. _____ Кто был вчера в парке?   в. Вчера Маша была в парке.

PART V. WRITING
A. _____ pts. **Completion.** Write an appropriate conclusion to each of the following statements.

1. Если бы я _____.

2. Если завтра _____.

Б. _____ pts. **Translation.** Translate the following sentences into Russian.

1. Svetlana Borisovna, do you like to go shopping?

_____

2. If Dasha learned to drive a car, we would go to Kiev in the spring.

_____

3. Fedya lives on the tenth floor, but he never uses the elevator.

_____

4. "I don't know what to buy Nadya for (her) birthday."
   "You can buy her earrings."

   _____

   _____

B. _____ **pts.** **Composition.** Yesterday was the birthday of a good friend and you organized a small party for her. Tell what you did to get ready for the party and what you did at the party. Your narration should be in the same sequence in which things were done. (7-8 sentences)

_____

_____

_____

_____

_____

_____

_____

_____

PART VI. CULTURE

A. _____ **pts.** **Dates.** How might you write the following dates in Russian? Use a different style (numerals, abbreviations, punctuation, etc.) for each date.

1. July 4, 1776 _____   3. October 21, 2001 _____

2. March 17, 1984 _____

Б. _____ **pts.** **8 Марта.** Write a short paragraph (at least 5 sentences) in English describing the celebration of March 8th in Russia. Mention also its counterpart for men.

_____

_____

_____

_____

_____

Total pts. _____

НАЧАЛО (2)

Уро́к 13 - Контро́льная рабо́та A / Б
Student Preview Sheet

I. SPEAKING <u>Situation.</u> Be prepared to role-play one of the following situations, according to the directions of your instructor.

1. Your Russian friend wants to find out all about you! Be prepared to tell her when you were born, when you started college, when you intend to finish and what your typical year is like, i.e., when classes start in the fall, when you have vacation, etc. Also choose one of your favorite holidays and tell when and what it is. Be prepared to ask your friend for some of the same information.

2. You and a female friend are invited to the home of some Russian friends to celebrate International Women's Day. Find out who will be there, what kind of presents you might buy the women and where you might find the gift items. They will also try to find out some of the likes and dislikes of your friend (and you, if you are female).

V. WRITING <u>Composition.</u> Yesterday was the birthday of a good friend and you organized a small party for her. Tell what you did to get ready for the party and what you did at the party. Your narration should be in the same sequence in which things were done. (7–8 sentences)

НАЧАЛО (2)

Урóк 13 - Контрóльная рабóта А / Б
Instructor Copy

(А / Б) II. LISTENING COMPREHENSION

***Note to instructors*:** *You may want to alert your students to the word* **арестóван** *before commencing this portion of the test. Although it is a cognate, it will be new to students.*

<u>Russian authors.</u> During your study abroad program, you have to attend several lectures about Russian literature. Listen carefully to the portion of your lecture about Dostoevsky, Tolstoy, and Chekhov and answer the questions below.

Фёдор Михáйлович Достоéвский родѝлся 30 (тридцáтого) октября́ 1821 (тѝсяча восемьсóт двáдцать пéрвого) гóда[1] в Москвé. В 1848 (тѝсяча восемьсóт сóрок восьмóм) гóду[2] он был арестóван. Он у́мер 28 (двáдцать восьмóго) февраля́ 1881 (тѝсяча восемьсóт вóсемьдесят пéрвого) гóда.[3]

Лев Николáевич Толстóй родѝлся 28 (двáдцать восьмóго) áвгуста 1828 (тѝсяча восемьсóт двáдцать восьмóго) гóда.[4] Егó мать умерлá в 1830 (тѝсяча восемьсóт тридцáтом) гóду,[5] когдá Толстóму бы́ло два гóда. В 1862 (тѝсяча восемьсóт шéстьдесят вторóм) гóду[6] Толстóй женѝлся на Сóфье Андрéевне. Толстóй у́мер в ноябрé 1910 (тѝсяча девятьсóт деся́того) гóда.[7]

Антóн Пáвлович Чéхов родѝлся 17 (семнáдцатого) января́ 1860 (тѝсяча восемьсóт шестидеся́того) гóда[8] на ю́ге Россѝи, в гóроде Таганрóге. В 1879 (тѝсяча восемьсóт сéмьдесят девя́том) гóду[9] Чéхов поéхал в Москву́ и поступѝл на медицѝнский факультéт. Он у́мер 2 (вторóго) ию́ля 1904 (тѝсяча девятьсóт четвёртого) гóда[10] в Гермáнии.

НАЧАЛО (2)   и́мя и фами́лия _____
Уро́к 14 - Контро́льная рабо́та А

PART I. SPEAKING

_____ pts. <u>Situation.</u>

PART II. LISTENING COMPREHENSION

_____ **pts.** <u>**Who said what?**</u> You will hear two sets of three statements or short dialogues. Listen carefully and decide who said what. Put the letter of the statement under the appropriate picture. One picture in each row will not have a corresponding dialogue.

1. _____   2. _____   3. _____   4. _____

*   *   *   *   *   *

5. _____   6. _____   7. _____   8. _____

PART III. READING

_____ pts. **The ballet in Moscow!** You are going to see your first ballet at the Kremlin Palace Theater. It is called "The Crystal Slipper" and is similar to "Cinderella." Below is the first part of the story's plot, which is printed in your program. Read it and answer the questions in English according to the text.

ПРЕМЬЕРА

В ГОСУДАРСТВЕННОМ КРЕМЛЁВСКОМ ДВОРЦЕ
С. Прокофьев

Хрустальный Башмачок
Балет в 3-х действиях

Жил-был один очень хороший и добрый человек. У него была дочь — очень красивая девушка, которая была похожа на него характером (*in personality*). Её звали Золушка. Его жена умерла, и он женился на очень некрасивой и несимпатичной женщине. У неё были две дочери, которые были очень похожи на свою мать. Золушка не нравилась мачехе (*step-mother*) и её дочерям. Они решили, что Золушка должна делать всю самую тяжёлую работу по дому. У новых сестёр Золушки были большие, красивые комнаты, а у Золушки была очень плохая, маленькая комната. У сестёр были дорогие новые платья (*dresses*) и туфли, а у Золушки не было даже пары туфель. Отцу Золушки было жаль дочь (*He felt sorry for her*). Он дал ей пару туфель её матери. Это были старые туфли, но Золушка их любила, потому что это были туфли её любимой матери.

Однажды (*once*) вечером Золушка сидела на кухне и думала о своей тяжёлой жизни. Вдруг она заметила, что стало холоднее, и хотела закрыть окно. Когда она посмотрела в окно, она увидела около дома старую женщину. Золушка заметила, что у этой женщины не было туфель, и она подарила ей туфли своей матери. Старая женщина сказала: «Спасибо» и ушла.

---

1. Describe the personality and the looks of the "new sisters."

   _____

2. Compare the living conditions of the two sisters and Zolushka (their rooms, clothing, work).

   _____

3. What was special about the shoes that Zolushka's father gave her?

   _____

4. How did Zolushka happen to see the old woman outside?

   _____

5. Why did Zolushka give the old woman her shoes? How did the old woman react?

   _____

   _____

PART IV. GRAMMAR

A. _____ pts. <u>Verbs (1)</u>. Complete the following sentences with the correct form of the appropriate verb from those listed. The correct aspect has been given.

интересовать	интересоваться

1. — Вы _____ политикой?

   — Нет, политика меня не _____.

достать	заказать	остаться	успеть

2. Уже начало августа. До начала семестра _____ только три недели.

3. Леонид уже _____ столик в ресторане «Прага» на троих.

4. Не хватает времени! По-моему, никто из нас ни на этой неделе, ни на следующей не _____ всё сделать.

Б. _____ pts. <u>Verbs (2)</u>. Complete the following sentences with the correct form of the verb given in parentheses.

1. Вчера мама ещё _____ (готовить / приготовить) обед, когда _____ (приходить / прийти) гости.

2. Молодые люди играли в карты, а девушки весь вечер _____ (танцевать / потанцевать) на дискотеке.

3. — Здравствуйте, Светлана Сергеевна. Ваня дома?

   — Нет, он _____ (ходить, пойти) в аптеку. А как у тебя дела, Володя?

   — Хорошо, спасибо. Неделю назад я _____ (ездить, поехать) в Японию.

   — Я вчера _____ (ходить, идти) по магазинам и встретила твою бабушку. Она сказала, что тебе там очень понравилось.

В. _____ pts. <u>Case endings</u>. Restore the proper endings to the nouns, pronouns, and adjectives below. If no ending is necessary, write an X in the blank.

1. Это матч между командами «Спартак____» и «Динамо».

2. Нам вс____ нравится эта идея.

3. Инна достала 4 билета на «Евгени____ Онегин____».

4. В этом семестре мы читаем Толст____, Ахматов____ и Петрушевск____. (_Nom case:_ Толстой, Ахматова, Петрушевская)

5. У моей сестры в классе одн____ девочки.

PART V. WRITING

A. _____ **pts.** **Translation.** Translate the following sentences into Russian.

1. Vitya will stop by for us (*in his car*) around 7 o'clock.

_____

2. They study in the same department.

_____

3. Fedya, did you get the tickets for the ballet?

_____

4. Are you interested in tennis?

_____

5. I ordered a taxi for six o'clock.

_____

Б. _____ **pts.** **Composition.** Imagine yourself twenty years in the future. You have suddenly become very homesick for Russia and the wonderful friends you made there during college, so you decide to write to them. Fill them in on some of the most important events of the last 20 years (Use your imagination!) and tell them what you are doing now. (7–8 sentences)

_____

_____

_____

_____

_____

_____

_____

_____

PART VI. CULTURE

_____ **pts.** Sports and theater. Write a short paragraph (about 5 sentences) in English describing how Russians view either sports or the theater. What are a couple of their practices that differ from ours?

_____

_____

_____

_____

_____

Total pts. _____

НАЧАЛО (2)   и́мя и фами́лия _____

Уро́к 14 - Контро́льная рабо́та Б

PART I. SPEAKING

_____ pts. <u>Situation.</u>

PART II. LISTENING COMPREHENSION

_____ pts. <u>**Who said what?**</u> You will hear two sets of three statements or short dialogues. Listen carefully and decide who said what. Put the letter of the statement under the appropriate picture. One picture in each row will not have a corresponding dialogue.

1. _____   2. _____   3. _____   4. _____

*   *   *   *   *   *

5. _____   6. _____   7. _____   8. _____

PART III. READING

_____ **pts.** **The ballet in Moscow!** You are going to see your first ballet at the Kremlin Palace Theater. It is called "The Crystal Slipper" and is similar to "Cinderella." Below is the first part of the story's plot which is printed in your program. Read it and answer the questions in English according to the text.

ПРЕМЬЕРА

В ГОСУДАРСТВЕННОМ КРЕМЛЁВСКОМ ДВОРЦЕ
С. Прокофьев
Хрустальный Башмачок
Балет в 3-х действиях

Жил-был один очень хороший и добрый человек. У него была дочь — очень красивая девушка, которая была похожа на него характером (*in personality*). Её звали Золушка. Его жена умерла, и он женился на очень некрасивой и несимпатичной женщине. У неё были две дочери, которые были очень похожи на свою мать. Золушка не нравилась мачехе (*step-mother*) и её дочерям. Они решили, что Золушка должна делать всю самую тяжёлую работу по дому. У новых сестёр Золушки были большие, красивые комнаты, а у Золушки была очень плохая, маленькая комната. У сестёр были дорогие новые платья (*dresses*) и туфли, а у Золушки не было даже пары туфель. Отцу Золушки было жаль дочь (*He felt sorry for her*). Он дал ей пару туфель её матери. Это были старые туфли, но Золушка их любила, потому что это были туфли её любимой матери.

Однажды (*once*) вечером Золушка сидела на кухне и думала о своей тяжёлой жизни. Вдруг она заметила, что стало холоднее, и хотела закрыть окно. Когда она посмотрела в окно, она увидела около дома старую женщину. Золушка заметила, что у этой женщины не было туфель, и она подарила ей туфли своей матери. Старая женщина сказала: «Спасибо» и ушла.

---

1. Describe the personality and the looks of the "new sisters."

_____

2. Compare the living conditions of the two sisters and Zolushka (their rooms, clothing, work).

_____

_____

3. What did the father do because he felt sorry for Zolushka?

_____

4. How did Zolushka happen to see the old woman outside?

_____

_____

5. What did Zolushka do for the old woman?

_____

_____

PART IV. GRAMMAR

A. _____ **pts.** **Verbs.** Complete the following sentences with the correct form of the appropriate verb from those listed. The correct aspect has been given.

достáть	заказáть	остáться	успéть

1. Не хватáет врéмени! По-мóему, никтó из нас ни на э́той недéле, ни на

   слéдующей не _____ всё сдéлать.

2. Ужé семнáдцатое декабря́. До Нóвого гóда _____

   тóлько две недéли.

3. Нина ужé _____ таксú на шесть часóв.

интересовáть	интересовáться

4. — Ты _____ классúческой мýзыкой?

   — Нет, классúческая мýзыка меня́ не _____ .

Б. _____ **pts.** **Verbs.** Complete the following sentences with the correct form of the verb given in parentheses.

1. Молоды́е лю́ди игрáли в кáрты, а дéвушки весь вéчер

   _____ (танцевáть / потанцевáть) на дискотéке.

2. Вчерá дéвушки ещё _____ (готóвить / приготóвить)

   обéд, когдá _____ (приходúть / прийтú) Мúтя и Жéня.

3. — Здрáвствуйте, Марúна Николáевна. Тáня дóма?

   — Нет, онá _____ (ходúть, пойтú) на пóчту. А как у

   тебя́ делá, Лáра?

   — Хорошó, спасúбо. Недéлю назáд я _____ (éздить,

   поéхать) в Гермáнию.

   — Я вчерá _____ (ходúть, идтú) по магазúнам и

   встрéтила твою́ бáбушку. Онá сказáла, что тебé там óчень

   понрáвилось.

В. _____ **pts.** **Case endings.** Restore the proper endings to the nouns, pronouns, and adjectives below. If no ending is necessary, write an X in the blank.

1. Лёва достáл 3 билéта на «Евгéни____ Онéгин____».

2. Нам вс____ нрáвятся э́ти пирожкú.

3. У моегó брáта в клáссе одн____ мáльчики.

4. В э́том семéстре мы читáем Достоéвск____, Ахмáтов____ и Толст____.
   (_Nom. case:_ Достоéвский, Ахмáтова, Толстáя)

5. Э́то матч мéжду комáндами «Динáмо» и «Спартáк____».

PART V. WRITING

A. _____ pts. <u>Translation.</u> Translate the following sentences into Russian.

1. I ordered a table at the restaurant Prague («Пра́га») for seven o'clock.

_____

2. Vera will stop by for us (*in her car*) around 8 o'clock.

_____

3. They live in the same dormitory.

_____

4. Are you interested in ballet?

_____

5. Anton, did you get the tickets for the soccer game?

_____

Б. _____ pts. <u>Composition.</u> Imagine yourself twenty years in the future. You have suddenly become very homesick for Russia and the wonderful friends you made there during college, so you decide to write to them. Fill them in on some of the most important events of the last 20 years (Use your imagination!) and tell them what you are doing now. (7–8 sentences)

_____

_____

_____

_____

_____

_____

_____

_____

PART VI. CULTURE

_____ **pts.** <u>Sports and theater.</u> Write a short paragraph (about 5 sentences) in English describing how Russians view either sports or the theater. What are a couple of their practices that differ from ours?

_____

_____

_____

_____

_____

_____

Total pts. _____

НАЧАЛО (2)

Уро́к 14 - Контро́льная рабо́та А / Б
Student Preview Sheet

I. SPEAKING Situation. Be prepared to role-play one of the following situations, according to the directions of your instructor.

1. Your Russian friends are quite eager to know about Americans' interest in sports and cultural events (music, theater, ballet, and opera). Be prepared to talk about what sports and cultural events Americans most like, when those particular sports are played, when they attend such events, etc. What sports and cultural events are you most interested in? You also want to know about the Russian side of this issue so be prepared to ask questions as well.

2. You and your Russian friend are making plans to travel during summer vacation. Where would you like to go? How would you prefer to travel? Have either of you ever been there before? How much time is left before you leave? What town or person will you stop and visit on the way? What are you interested in seeing or doing while there? Will you go to the theater or a concert? Will you attend any sports events? Will you manage to visit any other places? Be prepared to answer your friend's questions as well as ask her some.

V. WRITING Composition. Imagine yourself twenty years in the future. You have suddenly become very homesick for Russia and the wonderful friends you made there during college, so you decide to write to them. Fill them in on some of the most important events of the last 20 years (use your imagination!) and tell them what you are doing now. (7–8 sentences)

НАЧАЛО (2)

Урок 14 - Контрольная работа А / Б
Instructor Copy

(A) II. LISTENING COMPREHENSION

Who said what? You will hear two sets of three statements or short dialogues. Listen carefully and decide who said what. Put the letter of the statement under the appropriate picture. One picture in each row will not have a corresponding dialogue.

Items 1–4

а. — Лекция начинается в два часа, а сейчас уже полвторого. Я успею или нет?

б. — Куда ты идёшь?
    — В библиотеку.

в. — Бедный Марк! Он очень устал. Он ездил в Киев и вернулся в четыре часа утра.

Items 5-8

а. — Люда дома?
    — Нет, она пошла в библиотеку.

б. — Андрей Александрович, вам нравится эта музыка?
    — Совсем не нравится. Мне нравится классика. Мы с женой часто ходим в оперу.

в. — Ты едешь в Новгород?
    — Нет. Я часто езжу туда, но сейчас я еду в Иркутск.

(Б) II. LISTENING COMPREHENSION

Who said what? You will hear two sets of three statements or short dialogues. Listen carefully and decide who said what. Put the letter of the statement under the appropriate picture. One picture in each row will not have a corresponding dialogue.

Items 1-4

а. — Куда ты идёшь?
    — В библиотеку.

б. — Бедный Марк! Он очень устал. Он ездил в Киев и вернулся в четыре часа утра.

в. — Лекция начинается в два часа, а сейчас уже полвторого. Я успею или нет?

Items 5-8

а. — Ты едешь в Новгород?
    — Нет. Я часто езжу туда, но сейчас я еду в Иркутск.

б. — Люда дома?
    — Нет, она пошла в библиотеку.

в. — Андрей Александрович, вам нравится эта музыка?
    — Совсем не нравится. Мне нравится классика. Мы с женой часто ходим в оперу.

НАЧАЛО, BOOK 2
ANSWER KEY FOR TESTBANK

УРÓК 8 - КОНТРÓЛЬНАЯ РАБÓТА А

II. LISTENING COMPREHENSION
1. Occasionally. Vera didn't know that Nina lives in Moscow. Nina has news about their mutual friend from last October.   2. Their friend married an American instructor.   3. In October.   4. In Arizona.   5. a. He has a job at a university there.   б. He already has his own house there.

III. READING
1. д   2. е   3. в   4. г   5. а

IV. GRAMMAR
А. Verbs.   1. попросúл   2. задавáть   3. спросúла   4. прóсит
5. спросúл   6. пошлá   7. ушлá, придёт, пришлá   8. поéхал   9. женúлся
10. поженúлись   11. вы́шла зáмуж

Б. Case endings.   1. своéй подрýги   2. вторóм годý   3. университéт X;
бáбушке   4. францýзского инженéра   5. ты́сяч X дóлларов   6. нóвых
учителéй   7. рýсских книг X; немéцких журнáлов; карандашéй; рýчек

V. WRITING
А. Fill in the blanks.   1. свидáние   2. к   3. по   4. готóва   5. мнóго
6. мéдленно

Б. Translation.
1. — Давáй(те) пойдём сегóдня в зоопáрк. Я хочý увúдеть тúгров.
   — Нет, идёт дождь.
2. — Скóлько у тебя́ брáтьев и сестёр?
   — У меня́ два брáта и две сестры́.
3. Ты поéдешь (Вы поéдете) в декабрé к бáбушке?
4. Что идёт в кинó?

VI. CULTURE
1. a. Find out the prices of the items you wish to buy and note what sections of the store they are sold in.
   б. Go to the cashier and tell her or him the prices of your items and the section each is sold in. Pay the total. The cashier gives you a receipt for each section.
   в. Return to each section of the store where your desired items are displayed, give the clerk the receipt, and state what you wish to purchase.
2. Russian students do not wear hats or coats, chew gum, eat, or drink in class.
   Russian students address their instructors by **úмя и óтчество** and do not use informal phrases like **Привéт!, Покá!,** or **Как делá?** with them.
   Russian instructors address their students **на вы.**
   It is not unusual for Russian instructors to announce the grade of each student aloud.

Russian instructors do not usually welcome or expect to receive suggestions from students about class policies and procedures.

УРÓК 8 - КОНТРÓЛЬНАЯ РАБÓТА Б

II. LISTENING COMPREHENSION
A. 1. Occasionally. Vanya didn't know that Dima lives in Petersburg. Dima has news about their mutual friend from last April. 2. Their friend married an American journalist. 3. In April. 4. In New York. 5. a. She has a job there as a journalist. б. She has a nice, big apartment in Manhattan.

III. READING
1. г 2. д 3. в 4. а 5. е

IV. GRAMMAR
A. **Verbs.** 1. спросúл 2. задавáть 3. спросúл 4. попросúла 5. прошý 6. поéхала 7. пошёл 8. ушлú; придýт; пришлú 9. вýшла замуж 10. женúлся 11. поженúлись

Б. **Case endings.** 1. америкáнск<u>ого</u> журналúст<u>а</u> 2. бáбушк<u>е</u>; стадиóн <u>X</u> 3. нóв<u>ых</u> преподавáтел<u>ей</u> 4. тýсяч <u>X</u> дóллар<u>ов</u> 5. немéцк<u>их</u> газéт <u>X</u>; итальáнск<u>их</u> журнáл<u>ов</u>; рýч<u>ек</u>; карандаш<u>éй</u> 6. четвёрт<u>ом</u> год<u>ý</u> 7. сво<u>éй</u> подрýг<u>и</u>

V. WRITING
A. **Fill in the blanks.** 1. свидáние 2. готóва 3. к 4. мнóго 5. по 6. мéдленно

Б. **Translation.**
1. Что идёт в кинó?
2. Ты поéдешь (Вы поéдете) в январé к тёте Рúте?
3. — Скóлько у тебя́ брáтьев и сестёр?
   — У меня́ три брáта и четúре сестрú.
4. — Давáй(те) пойдём сегóдня в зоопáрк. Я хочý увúдеть леопáрдов.
   — Нет, идёт дождь.

VI. CULTURE
1. а. Find out the prices of the items you wish to buy and note what sections of the store they are sold in.
   б. Go to the cashier and tell her or him the prices of your items and the section each is sold in. Pay the total. The cashier gives you a receipt for each section.
   в. Return to each section of the store where your desired items are displayed, give the clerk the receipt, and state what you wish to purchase.
2. Russian students do not wear hats or coats, chew gum, eat, or drink in class.
Russian students address their instructors by **úмя и óтчество** and do not use informal phrases like **Привéт!**, **Покá!**, or **Как делá?** with them.
Russian instructors address their students **на вы**.
It is not unusual for Russian instructors to announce the grade of each student aloud.
Russian instructors do not usually welcome or expect to receive suggestions from students about class policies and procedures.

УРÓК 9 - КОНТРÓЛЬНАЯ РАБÓТА A

II. LISTENING COMPREHENSION
A. Learner or teacher? 1. a 2. б 3. a 4. a 5. б

Б. Answering machine. 1. Dima 2. Sasha 3. Thursday 4. 8 p.m.
5. Natasha and Sasha are going to a concert tomorrow. Natasha had bought a ticket for her sister who arrived from Novgorod, but the sister doesn't want to go. Does Dima want to go? 6. 739–19–45

III. READING
1. б 2. в 3. д 4. а 5. г 6. г 7. д 8. в 9. б 10. а

IV. GRAMMAR
A. Verbs. 1. идёт 2. выхóдите 3. éдете 4. поéхали 5. приезжáли
6. ушёл 7. нау́чим 8. у́чишься 9. научи́лись 10. научи́л 11. бýдет учи́ть

Б. Case endings. 1. гимнáстик<u>ой</u> 2. Иностра́нц<u>ам</u> 3. мéсяц <u>X</u>
4. италья́нск<u>ими</u> тури́ст<u>ами</u> 5. ра<u>за</u>; недéл<u>ю</u> 6. чёрн<u>ых</u> джи́нс<u>ах</u>
7. мáленьк<u>им</u> мáльчик<u>ом</u>; преподавáтел<u>ем</u> 8. Кáжд<u>ое</u> у́тр<u>о</u>

Б. Time expressions. 1. раз в год 2. Дéсять минýт назáд 3. Чéрез пять минýт 4. кáждый день 5. Чéрез два гóда

V. WRITING
A. Translation.
1. Немéцкие маши́ны сáмые дороги́е маши́ны в ми́ре.
2. Мы с Áней идём в кинó. (Ты) хóчешь пойти́ с нáми?
3. Ты говори́шь (Вы говори́те) по-рýсски горáздо (намнóго) лýчше, чем твоя́ (вáша) сестрá.
4. Чéрез три дня отéц уéдет (уежáет) в Лóндон.
5. Тáня, ты когдá-нибудь éздила в Иркýтск на пóезде (пóездом)?
6. (Мы) желáем тебé (вам) удáчи!

VI. CULTURE
1. A black cat crossing your path will bring you bad luck, but only if you are the first person to take a step after seeing it.
2. If you meet a person carrying a full bucket or basket, you will have good luck.
3. If you meet a person carrying an empty bucket or basket, you will have bad luck.
4. If you have left something at home and return to get it, you will have bad luck.
5. If you drop a knife, you will soon have a male guest.
6. If you drop a fork, you will soon have a female guest.
7. If you see a spider, you will receive a letter.
8. If you spill salt at the table, there will be a quarrel.
9. If you shake hands with someone across the threshold, there will be a quarrel.

УРÓК 9 - КОНТРÓЛЬНАЯ РАБÓТА Б

II. LISTENING COMPREHENSION
A. Learner or teacher? 1. а 2. а 3. б 4. а 5. б

Б. Answering machine. 1. Seryozha 2. Zhenya 3. Wednesday
4. 9 p.m. 5. Zhenya and Anya are going to a concert tomorrow. Anya had bought a ticket for her brother who arrived from Petersburg, but the brother doesn't want to go. Does Seryozha want to go? 6. 548–68–12

III. READING
1. г 2. а 3. д 4. б 5. в 6. д 7. а 8. г 9. в 10. б

IV. GRAMMAR
A. Verbs. 1. выхóдишь 2. поéхали 3. ушлá 4. идёт 5. éдешь
6. приезжáла 7. научил 8. научит 9. научилась 10. бýдут учить
11. ýчитесь

Б. Case endings. 1. рáза; мéсяц X 2. америкáнским футбóлом
3. Кáждое ýтро 4. Иностáнцам 5. английскими туристами 6. крáсных брюках 7. мáленькой дéвочкой; медсестрóй 8. недéлю

Б. Time expressions. 1. Пять минýт назáд 2. Чéрез пять минýт
3. кáждый день 4. два рáза в год 5. Чéрез год

V. WRITING
A. Translation.
1. (Мы) желáем тебé (вам) удáчи!
2. Чéрез четы́ре дня мáма уéдет (уежáет) в Рим.
3. Лáра, ты когдá-нибудь éздила в Нóвгород на пóезде (пóездом)?
4. Ты говоришь (Вы говорите) по-францýзски горáздо (намнóго) лýчше, чем твой (ваш) брат.
5. Мы с Тóлей идём в зоопáрк. (Ты) хóчешь пойти с нáми?
6. Немéцкие машины сáмые дорогие машины в мире.

VI. CULTURE
1. A black cat crossing your path will bring you bad luck, but only if you are the first person to take a step after seeing it.
2. If you meet a person carrying a full bucket or basket, you will have good luck.
3. If you meet a person carrying an empty bucket or basket, you will have bad luck.
4. If you have left something at home and return to get it, you will have bad luck.
5. If you drop a knife, you will soon have a male guest.
6. If you drop a fork, you will soon have a female guest.
7. If you see a spider, you will receive a letter.
8. If you spill salt at the table, there will be a quarrel.
9. If you shake hands with someone across the threshold, there will be a quarrel.

УРÓК 10 - КОНТРÓЛЬНАЯ РАБÓТА А

II. LISTENING COMPREHENSION
1. в 2. а 3. б 4. г 5. б 6. г 7. в 8. а

III. READING
1. б 2. а 3. в 4. а 5. г 6. а; б; г; д

IV. GRAMMAR
A. Verbs. 1. хóчется 2. едя́т; пьют 3. петь 4. да́ли 5. сиде́ть
6. Сади́тесь 7. подари́м 8. продаю́ 9. позвоню́

Б. Case endings. 1. сама́ 2. всех 3. себé; весь 4. вам; здорóвья
5. хлéбом 6. эти; вкуснéе; те 7. котóром 8. Тебé 9. мáме

V. WRITING
A. Translation.
1. Мне хóлодно.
2. Дава́й (Дава́йте) я куплю́ новогóднюю ёлку!
3. Ктó-то звони́л, но я не зна́ю кто.
4. Когда́ мне бы́ло пять лет, я хотéл (хотéла) стать врачóм.
5. Свéта, ты права́. «Преступлéние и наказáние» интерéснее, чем «Дóктор Живáго».

VI. CULTURE
The celebration in Russia looks like a combination of Christmas (**Рождествó**) and New Year's customs in the West.

Religious motifs have recently again become an important part of the holiday season.

Russians get a fir tree (**ёлка**) and decorate it.

New Year's gifts are exchanged.

A Santa Claus-like figure, **Дед Морóз**, brings presents primarily for children.

He is assisted by the Snow Maiden, **Снегýрочка**.

The traditional secular greeting is **С Нóвым гóдом!** or **С наступáющим (Нóвым гóдом)!** The traditional religious greeting is **С Рождествóм Христóвым!** or **С Рождествóм!**

УРÓК 10 - КОНТРÓЛЬНАЯ РАБÓТА Б

II. LISTENING COMPREHENSION
1. в 2. б 3. г 4. а 5. г 6. а 7. в 8. б

III. READING
1. г 2. б 3. б 4. в 5. а 6. а; б; в; д

IV. GRAMMAR
A. Verbs. 1. петь 2. хóчется 3. да́ли 4. едя́т; пьют 5. позвони́м
6. продаём 7. сидéть 8. подарю́ 9. Сади́тесь

Б. Case endings. 1. молокóм 2. этот; вкуснéе; тот 3. вам; счáстья
4. себé; всю 5. Тебé 6. всех 7. мáме 8. сáми 9. котóрой

V. WRITING

A. <u>Translation</u>.

1. Кто́-то звони́л, но я не зна́ю кто.
2. Когда́ мне бы́ло семь лет, я хоте́л (хоте́ла) стать журнали́стом (журнали́сткой).
3. Дава́й (Дава́йте) я куплю́ новогóднюю ёлку!
4. Мне жа́рко.
5. Ди́ма, ты прав. «Дóктор Жива́го» интере́снее, чем «Война́ и мир».

VI. CULTURE

The celebration in Russia looks like a combination of Christmas (**Рождество́**) and New Year's customs in the West.

Religious motifs have recently again become an important part of the holiday season.

Russians get a fir tree (**ёлка**) and decorate it.

New Year's gifts are exchanged.

A Santa Claus-like figure, **Дед Морóз**, brings presents primarily for children.

He is assisted by the Snow Maiden, **Снегу́рочка**.

The traditional secular greeting is **С Нóвым гóдом!** or **С наступа́ющим (Нóвым гóдом)!** The traditional religious greeting is **С Рождество́м Христóвым!** or **С Рождество́м!**

УРÓК 11 - КОНТРÓЛЬНАЯ РАБÓТА A

II. LISTENING COMPREHENSION

1. б 2. г 3. в 4. в 5. г 6. а 7. б 8. г 9. в 10. г

III. READING

M   Станция метро
- - -   Автобус (A)
- ● -   Остановка автобуса
······   Троллейбус (T)
-●-   Остановка троллейбуса

☐   Home of one of your Russian friends!

IV GRAMMAR

A. <u>Verbs</u>.
1. ходи́ла 2. е́здили 3. идём 4. е́дут 5. купи́; приготóвь
6. принесёт; приведёт 7. попрóбовать 8. пыта́лись 9. у́мер
10. привы́кла

Б. <u>Case endings</u>.
1. че́тверт<u>и</u> 2. откры́т<u>о</u> 3. ра́ди<u>о</u> 4. Тóм<u>у</u>; Дже́нни <u>Х</u>
5. полшест<u>óго</u> 6. вс<u>ю</u> ноч<u>ь</u> 7. шест<u>óм</u> год<u>ý</u>

V. WRITING
A. Translation.
1. Нáшему учи́телю ру́сского языка́ лет сóрок.
2. Шофёры должны́ бы́ли приéхать (прийти́) час назáд.
3. Тури́стам нужнá бýдет маши́на в Канáде.
4. Я хочý, чтóбы Тáня принеслá свою́ гита́ру.
5. Я обы́чно дéлаю всё домáшнее задáние за час.
6. Пётр, в какóм годý ты роди́лся?

VI. CULTURE
Farmers' markets have been very popular for a long time, even under the
   Soviet regime, but the number of private sellers has dramatically increased
   recently.
All kinds of things are sold: foodstuffs, flowers, cigarettes, newspapers,
   clothing, footwear.
Some markets are specialized; others provide greater variety.
Bargaining for price is not the rule, but it is not uncommon, especially among
   older people.
Often the seller names a price, but then lowers it if a potential customer
   begins to walk away.

УРÓК 11 - КОНТРÓЛЬНАЯ РАБÓТА Б

II. LISTENING COMPREHENSION
1. г   2. в   3. б   4. а   5. г   6. а   7. в   8. г   9. г   10. в

III. READING

IV. GRAMMAR
A. Verbs.   1. идём   2. ходи́ли   3. éдет   4. éздила   5. принесёт;
приведёт   6. купи́те; пригото́вьте   7. пытáлась   8. попрóбовать
9. привы́к   10. ýмер

Б. Case endings.   1. рáдио   2. полседьмóго   3. всю ночь   4. чéтверти
5. Áлу; Кэрол X   6. пя́том годý   7. откры́то

V. WRITING
A. Translation.
1. Да́ша, в како́м году́ ты родила́сь?
2. Мы хоти́м, что́бы А́лик принёс свою́ гита́ру.
3. Бизнесме́нам нужна́ бу́дет маши́на в Нью-Йо́рке.
4. На́шему учи́телю матема́тики лет три́дцать пять.
5. Мы обы́чно де́лаем всё дома́шнее зада́ние за час.
6. Дежу́рные должны́ бы́ли прие́хать (прийти́) два часа́ наза́д.

VI. CULTURE
Farmers' markets have been very popular for a long time, even under the
   Soviet regime, but the number of private sellers has dramatically increased
   recently.
All kinds of things are sold: foodstuffs, flowers, cigarettes, newspapers,
   clothing, footwear.
Some markets are specialized; others provide greater variety.
Bargaining for price is not the rule, but it is not uncommon, especially among
   older people.
Often the seller names a price, but then lowers it if a potential customer
begins to walk away.

УРО́К 12 - КОНТРО́ЛЬНАЯ РАБО́ТА А

II. LISTENING COMPREHENSION
1. He knew the doctor had been called.   2. He coughs and sneezes. He has a
high temperature and his head hurts.   3. Three days.   4. His brother.
5. With his grandmother's home remedies.   6. His grandfather is afraid.

III. READING
1. г   2. б   3. е   4. д   5. а

IV. GRAMMAR
A. Verbs.   1. боли́т   2. боле́ют   3. начина́ется; конча́ется   4. позвони́;
открыва́й   5. ку́пит   6. хвата́ет   7. принесёт

Б. Case endings.   1. ча́ем   2. себя́   3. шко́лу   4. университе́т Х ; ле́кцию
5. О́льге   6. колбасы́; сы́ру (сы́ра)   7. мя́са

В. Prepositions.   1. из   2. с   3. с   4. от   5. из

V. WRITING
A. Comparisons.   1. В Москве́ холодне́е, чем в Нью-Йо́рке.   2. «По́рше»
доро́же, чем «Форд».   3. Ро́берт моло́же Дже́ффа; or   Джефф ста́рше
Ро́берта.

Б. Translation.
1. Со́ня, как ты себя́ чу́вствуешь?
2. Не хвата́ет молока́.
3. Входи́те (Заходи́те, Проходи́те), пожа́луйста, и сади́тесь!
4. Не говори́ ма́ме, что я боле́ю гри́ппом (что у меня́ грипп).
5. Са́ра, позвони́ мне, когда́ ты прие́дешь в Росси́ю. И пиши́ мне ка́ждую
   неде́лю.
6. Магази́ны открыва́ются в де́вять утра́ и закрыва́ются в семь ве́чера.

VI. CULTURE
1. Just under 37 degrees (officially 36.6).
2. When Russian workers are sick, they must obtain a written medical excuse from their local clinic, affirming that the illness is real. This is called a **больни́чный лист** and notes the dates when patients should be excused from work. When on the **больни́чный**, patients continue to receive their regular salary. When the doctor feels that they are ready to return to work, she writes on the **больни́чный** the date when they can do so.
3. Будь здоро́ва!

УРО́К 12 - КОНТРО́ЛЬНАЯ РАБО́ТА Б

II. LISTENING COMPREHENSION
1. He knew the doctor had been called.   2. She coughs and sneezes. Her throat hurts and it's difficult for her to talk.   3. A week.   4. His sister.
5. With his grandmother's home remedies.   6. Her mother doesn't want it.

III. READING
1. д   2. а   3. г   4. б   5. е

IV. GRAMMAR
A. Verbs.   1. боле́ют   2. боли́т   3. позвони́те; открыва́йте
4. начина́ется; конча́ется   5. хвата́ет   6. принесёт   7. ку́пит

Б. Case endings.   1. Анто́ну   2. ча́ем   3. сы́ру (сы́ра); колбасы́
4. поликли́нику   5. мя́са   6. себя́   7. консервато́рию; концéрт X

В. Prepositions.   1. с   2. из   3. от   4. с   5. из

V. WRITING
A. Comparisons.   1. В Москве́ холодне́е, чем в Нью-Йо́рке.   2. «По́рше» доро́же, чем «Форд».   3. Ро́берт моло́же Джéффа; or Джефф ста́рше Ро́берта.

Б. Translation.
1. Входи́те (Заходи́те, Проходи́те), пожа́луйста, и сади́тесь!
2. Пе́тя, позвони́ мне, когда́ ты прие́дешь в Да́ллас. И пиши́ мне ка́ждую неде́лю.
3. Не хвата́ет хле́ба.
4. Магази́ны открыва́ются в де́вять утра́ и закрыва́ются в семь ве́чера.
5. Ю́ля и И́ра, как вы себя́ чу́вствуете?
6. Не говори́ ба́бушке, что я боле́ю гри́ппом (что у меня́ грипп).

VI. CULTURE
1. About 37 degrees (officially 36.6).
2. When Russian workers are sick, they must obtain a written medical excuse from their local clinic, affirming that the illness is real. This is called a **больни́чный лист** and notes the dates when patients should be excused from work. When on the **больни́чный**, patients continue to receive their regular salary. When the doctor feels that they are ready to return to work, she writes on the **больни́чный** the date when they can do so.
3. Будь здоро́ва!

УРÓК 13 - КОНТРÓЛЬНАЯ РАБÓТА А

II. LISTENING COMPREHENSION
1. г   2. а   3. г   4. г   5. б   6. в   7. в   8. б   9. б   10. г

III. READING
1. д   2. г   3. а   4. б   5. в   6. б   7. в   8. д   9. а   10. г

IV. GRAMMAR
А. Verbs.   1. былá   2. бы́ли   3. сдéлали   4. пойдём   5. купи́л
6. вы́пить   7. положу́; постáвлю; повéшу

Б. Case endings.   1. зóнтиком   2. Однá; мои́х подрýг X   3. шестóго
сентября́; гóда   4. знакóмые   5. óчереди   6. ýлицам   7. Достоéвского

В. Word order.   1. б   2. а   3. в

V. WRITING
Б. Translation.
1. Мáша живёт на восьмóм этажé, но (онá) никогдá не пóльзуется
   ли́фтом.
2. Надéжда Ви́кторовна, вы лю́бите (вам нрáвится) ходи́ть по
   магази́нам?
3. — Я не знáю, что купи́ть Ви́ке на день рождéния.
   — Ты мóжешь (Вы мóжете) купи́ть ей духи́.
4. Éсли бы Олéг научи́лся води́ть маши́ну, мы бы поéхали лéтом в Я́лту.

VI. CULTURE
А. Dates. (*answers may be in any of the following forms.*)   1. 4 ию́ля 1776,
4/7/1776   2. 17.3.84, 17/III/84   3. 21 окт. 2001 г.

Б. 8 Мáрта.
8 Мáрта is also called International Women's Day, **Междунарóдный
   жéнский день.**
Most men and boys arrange gifts, flowers, and/or cards for the important
   women in their lives.
Russian male classmates may collaborate on a gift for each female teacher.
Many men even prepare meals and clean the house, which is quite unusual for
   Russian males.
About three weeks earlier, many women and girls observe an analogous
   celebration for the men and boys in their lives: **23 февраля́, День
   защи́тников Отéчества** (*Defenders of the Fatherland Day*).
This was originally a celebration of the Soviet armed forces, known as **День
   áрмии**, but its purpose gradually came to include all men.

УРÓК 13 - КОНТРÓЛЬНАЯ РАБÓТА Б

II. LISTENING COMPREHENSION
1. в   2. г   3. б   4. г   5. а   6. г   7. в   8. б   9. в   10. а

III. READING
1. б   2. в   3. д   4. а   5. г   6. г   7. а   8. б   9. д   10. в

IV. GRAMMAR

A. Verbs. 1. был 2. была 3. поставлю; положу; повешу 4. пошли
5. сделаешь 6. купила 7. выпить

Б. Case endings. 1. Одна; мойх подруг X 2. Толстого 3. знакомые
4. автобусом 5. очереди 6. пятого февраля; года 7. улицам

В. Word order. 1. в 2. б 3. а

V. WRITING
Б. Translation.
1. Светлана Борисовна, вы любите (вам нравится) ходить по магазинам?
2. Если бы Даша научилась водить машину, мы бы поехали весной в
   Киев.
3. Федя живёт на десятом этаже, но (он) никогда не пользуется лифтом.
4. — Я не знаю, что купить Наде на день рождения.
   — Ты можешь (Вы можете) купить ей серьги.

VI. CULTURE
A. Dates. (*answers may be in any of the following forms.*) 1. 4 июля 1776,
4/7/1776 2. 17.3.84, 17/III/84 3. 21 окт. 2001 г.

Б. 8 Марта.
8 Марта is also called International Women's Day, **Международный
   женский день**.
Most men and boys arrange gifts, flowers, and/or cards for the important
   women in their lives.
Russian male classmates may collaborate on a gift for each female teacher.
Many men even prepare meals and clean the house, which is quite unusual for
   Russian males.
About three weeks earlier, many women and girls observe an analogous
   celebration for the men and boys in their lives: **23 февраля, День
   защитников Отечества** (*Defenders of the Fatherland Day*).
This was originally a celebration of the Soviet armed forces, known as **День
   армии**, but its purpose gradually came to include all men.

УРОК 14 - КОНТРОЛЬНАЯ РАБОТА А

II. LISTENING COMPREHENSION
1. в 2. X 3. а 4. б 5. б 6. в 7. X 8. а

III. READING
1. They were ugly (not pretty) and mean (not nice), just like their mother.
2. The sisters had large, pretty rooms, and expensive, new dresses and
   shoes. Zolushka had a small and not very nice room, and she didn't even
   have a pair of shoes.
3. The shoes had belonged to her mother.
4. It was cold so Zolushka went to close the window when she saw the old
   woman.
5. Zolushka noticed that she didn't have any shoes. She said thank you and
   left.

IV. GRAMMAR
A. Verbs (1). 1. интересу́етесь; интересу́ет 2. оста́лось 3. заказа́л
4. успе́ет

Б. Verbs (2). 1. гото́вила; пришли́ 2. танцева́ли 3. пошёл; е́здил;
ходи́ла

В. Case endings. 1. Спарта́к X 2. всем 3. «Евге́ния Оне́гина»
4. Толсто́го; Ахма́тову; Петруше́вскую 5. одни́

V. WRITING
A. Translation.
1. Ви́тя зае́дет за на́ми часо́в в семь.
2. Они́ у́чатся на одно́м факульте́те.
3. Фе́дя, ты доста́л биле́ты на бале́т?
4. Ты интересу́ешься (Вы интересу́етесь) те́ннисом? or Тебя́ (Вас)
   интересу́ет те́ннис?
5. Я заказа́л (заказа́ла) такси́ на шесть часо́в.

VI. CULTURE
Sports:
Many people—especially men—follow their favorite teams faithfully and
   idolize the best athletes.
International events draw enormous TV audiences.
Soccer is clearly the most popular sport, but hockey, basketball, boxing,
   tennis, volleyball, and figure skating also attract many fans.
Baseball and American football are not widely known in Russia.
Major sports clubs like «Дина́мо» have teams competing in several sports.
A number of special sports schools in the largest cities accept the most
   athletically talented children and produce many world champion athletes.

Theater:
Coats and hats must be checked in at the coat check.
For a modest fee you can rent binoculars. This will allow you to pick up your
   coat after the performance without having to stand in the coat-check line.
Programs are not free but must be purchased.
A series of bells advises patrons to go to their seats.
If you pass an already-seated person in your row, you should face the person
   you are passing.
When applauding the performance, Russians don't whistle. Whistling in a
   theater expresses strong disapproval.

УРО́К 14 - КОНТРО́ЛЬНАЯ РАБО́ТА Б

II. LISTENING COMPREHENSION
1. б 2. X 3. в 4. а 5. в 6. а 7. X 8. б

III. READING
1. They were ugly (not pretty) and mean (not nice), just like their mother.
2. The sisters had large, pretty rooms, and expensive, new dresses and
   shoes. Zolushka had a small and not very nice room, and she didn't even
   have a pair of shoes.
3. He gave her a pair of shoes that had belonged to her mother.

4. It was cold so Zolushka went to close the window when she saw the old woman.
5. Zolushka gave the woman her mother's shoes.

IV. GRAMMAR
A. Verbs (1). 1. успе́ет   2. оста́лось   3. заказа́ла   4. интересу́ешься; интересу́ет

Б. Verbs (2). 1. танцева́ли   2. гото́вили; пришли́   3. пошла́; е́здила; ходи́ла

В. Case endings. 1. «Евге́ния Оне́гина»   2. всем   3. одни́
4. Достое́вского; Ахма́тову; Толсту́ю   5. Спарта́к X

V. WRITING
A. Translation.
1. Я заказа́л (заказа́ла) сто́лик в рестора́не «Пра́га» на семь часо́в.
2. Ве́ра зае́дет за на́ми часо́в в во́семь.
3. Они́ живу́т в одно́м общежи́тии.
4. Ты интересу́ешься (Вы интересу́етесь) бале́том? or Тебя́ (Вас) интересу́ет бале́т?
5. Анто́н, ты доста́л биле́ты на футбо́льный матч?

VI. CULTURE
Sports:
Many people—especially men—follow their favorite teams faithfully and idolize the best athletes.
International events draw enormous TV audiences.
Soccer is clearly the most popular sport, but hockey, basketball, boxing, tennis, volleyball, and figure skating also attract many fans.
Baseball and American football are not widely known in Russia.
Major sports clubs like «**Дина́мо**» have teams competing in several sports.
A number of special sports schools in the largest cities accept the most athletically talented children and produce many world champion athletes.

Theater:
Coats and hats must be checked in at the coat check.
For a modest fee you can rent binoculars. This will allow you to pick up your coat after the performance without having to stand in the coat-check line.
Programs are not free but must be purchased.
A series of bells advises patrons to go to their seats.
If you pass an already-seated person in your row, you should face the person you are passing.
When applauding the performance, Russians don't whistle. Whistling in a theater expresses strong disapproval.

Audioscript

to accompany

Nachalo

AUDIOSCRIPT
TO ACCOMPANY *НАЧАЛО*, BOOK 2

УРОК 8 – МОСКОВСКАЯ ЖИЗНЬ

ЧАСТЬ ПЕРВАЯ – Лена идёт на свидание
РАБОТА В ЛАБОРАТОРИИ (*Laboratory exercises*)

ДИАЛОГИ (*Dialogues*)

Диалог 1 Куда вы идёте? (Asking where someone is going)

АА. Follow along as you listen to the dialogue.

   ИРА. Вера, Серёжа, куда вы идёте?
СЕРЁЖА. На стадион.
   ИРА. А что там сегодня?
СЕРЁЖА. Баскетбол.
  ВЕРА. Играет наша команда.

Now read and repeat aloud in the pause after each phrase. [...]
Now read the lines for Seryozha aloud. [...]
Now read the lines for Ira and Vera aloud. Begin now. [...]

Диалог 2 Куда ты идёшь? (Asking where someone is going)

ББ. Follow along as you listen to the dialogue.

  АНТОН. Марина, ты уходишь?
МАРИНА. Да, ухожу. А что?
  АНТОН. А куда ты идёшь?
МАРИНА. В университет, потом в библиотеку, а потом на стадион. Между прочим, это
     не твоё дело.

Now read and repeat aloud in the pause after each phrase. [...]
Now read the lines for Marina aloud. [...]
Now read the lines for Anton aloud. Begin now. [...]

АУДИРОВАНИЕ (*Listening comprehension*)

ВВ. You will hear a series of questions. Choose the most appropriate response from the list below.

Образец: Таня, куда ты идёшь?
     You mark: 5. На свидание с Аликом.

Let's begin.

а. Иван Михайлович, куда вы поедете летом?
б. Митя, ты знаешь, куда пошёл Витя?
в. Маша дома?
г. Где твои родители?
д. Аня и Валя, что вы делаете завтра?
е. Лара, ты видела Надежду Васильевну?

ГГ. Your study-abroad group had a meeting today and many questions were asked. Who asked what? Match the person's name with the question asked. The first one has been done for you.

Образец: 1.Бранди спросила, в котором часу мы пойдём в кино.
             You mark: **г** . "What time are we going to the movies?"

Let's begin.

2. Шанна спросила, что мы собираемся делать в воскресенье.
3. Брандон спросил, куда мы пойдём в субботу вечером.
4. Эмили спросила, когда мы поедем в Кострому.
5. Брианна спросила, кто поедет в Петербург.
6. Крис спросил, почему мы не идём в Большой театр.
7. Келли спросила, где мы будем жить в Петербурге.

ДД. Listen to Nina tell about her day. Number the following locations in the order that she went to them. You will hear Nina's statements once. Replay as necessary. Let's begin.

   Как и всегда, утром я пошла <u>на лекцию в университет</u>. Потом я пошла <u>в библиотеку</u>. В библиотеке я занималась два часа. Потом я пошла <u>к профессору Дмитриеву в офис</u>. Днём я пошла <u>к Даше</u>, и мы вместе пошли <u>в парк</u>. Там мы гуляли и разговаривали, а потом пошли <u>на почту</u>. Я там купила марки, а Даша позвонила в Киев. Потом мы пошли <u>к брату Даши</u>. Мы все пошли вместе <u>в кино</u>, где идёт новый американский фильм.

ГОВОРЕНИЕ (*Speaking drills*)

ЕЕ. How would you say that you will be going to the following places?

Образец: *You hear and see:*   (Nina's place)
             You say: Я пойду к Нине.

   or   *You hear and see:*   (Germany)
             You say: Я поеду в Германию.

Let's begin.

1. (the movies)
    Я пойду в кино.
2. (grandma's house)
    Я пойду к бабушке.
3. (a date)
    Я пойду на свидание.
4. (the airport)
    Я поеду в аэропорт.
5. (a meeting)
    Я пойду на собрание.
6. (Oleg's place)
    Я пойду к Олегу.
7. (St. Petersburg)
    Я поеду в Санкт-Петербург.
8. (the office)
    Я пойду в офис.
9. (a soccer game)
    Я пойду на футбольный матч.
10. (Sveta's place)
    Я пойду к Свете.

ЖЖ. Using the locations in Exercise **ЕЕ**, how would you say that the person in question *was at* that location rather than *went to* it?

Образец: *You hear and see:*   Мы ходили к Нине.
             You say: Мы были у Нины.

   or   *You hear and see:*   Мы ездили в Германию.
             You say: Мы были в Германии.

Let's begin.

1. Таня ходила в кино.
   Таня была в кино.
2. Я ходила к бабушке.
   Я была у бабушки.
3. Вера ходила на свидание.
   Вера была на свидании.
4. Мы ездили в зоопарк.
   Мы были в зоопарке.
5. Папа ходил на собрание.
   Папа был на собрании.
6. Лида ходила к Олегу.
   Лида была у Олега.
7. Студенты ездили в Санкт-Петербург.
   Студенты были в Санкт-Петербурге.
8. Мама ходила в офис.
   Мама была в офисе.
9. Митя ходил на футбольный матч.
   Митя был на футбольном матче.
10. Мой брат ходил к Свете.
    Мой брат был у Светы.

33. How would you say that you have the right to do the following things?

Образец: *You hear and see:*   (to have secrets)
            You say: Я имею право иметь секреты.

Let's begin.

1. (to ask you questions)
   Я имею право задавать вам вопросы.
2. (to be late for classes)
   Я имею право опаздывать на занятия.
3. (to eat and drink when I want)
   Я имею право есть и пить, когда хочу.
4. (to watch TV at 3 in the morning)
   Я имею право смотреть телевизор в 3 часа утра.
5. (to sleep all day)
   Я имею право спать весь день.
6. (to talk loudly)
   Я имею право говорить громко.

ЧАСТЬ ВТОРАЯ – Кого что интересует
РАБОТА В ЛАБОРАТОРИИ (*Laboratory exercises*)

ДИАЛОГИ (*Dialogues*)

Диалог 1 Ты уходишь? (Discussing a departure)

АА. Follow along as you listen to the dialogue.

ДИМА.   Слава, ты уходишь? Куда ты идёшь?
СЛАВА. На почту. Мне надо купить марки.
ДИМА.   А потом куда ты пойдёшь?
СЛАВА. К другу. Он недавно женился.
ДИМА.   Как зовут его жену?
СЛАВА. Ирина, Ира. Она очень симпатичная. Боже мой, уже четыре часа! Я
        опаздываю! Пока!

Now read and repeat aloud in the pause after each phrase. [...]
Now read the lines for Slava aloud. [...]
Now read the lines for Dima aloud. Begin now. [...]

Диалог 2 Какой приятный сюрприз! (Sharing personal news)

ББ. Follow along as you listen to the dialogue.

ОЛЯ.	Привет, Слава! Как я рада тебя видеть!
СЛАВА.	Оля! Какой приятный сюрприз! Что у тебя нового?
ОЛЯ.	Знаешь, я вышла замуж.
СЛАВА.	Что ты говоришь! За кого?
ОЛЯ.	За Володю Васильева. Сейчас мы живём в Оренбурге, недавно у нас родилась дочь.
СЛАВА.	Поздравляю! Рад за тебя!

Now read and repeat aloud in the pause after each phrase. [...]
Now read the lines for Slava aloud. [...]
Now read the lines for Olya aloud. Begin now. [...]

АУДИРОВАНИЕ (*Listening comprehension*)

ВВ. During your stay in Russia your international group was always celebrating somebody's birthday. Listen to the text, then match each person with the month in which she or he was born. The text will be read once. Repeat as necessary. Let's begin.

Я начала учиться в Москве в сентябре, и мы начали праздновать в этом первом месяце. Пьер — он живёт в Париже — и Пабло родились в сентябре. В октябре мы праздновали только день рождения Юкари, нашей японки, а в ноябре день рождения Клауса. В декабре никто в нашей группе не родился! В январе мы праздновали Новый год, конечно, а потом ещё дни рождения Антонио и Андре. Февраль, кажется, очень популярный месяц. В феврале родилась Джина, а также Ильза, Урсула и ещё один молодой японец, Масаюки.

Наш американец Брент, который живёт в Техасе, один родился в марте. И в апреле было тихо. Только немец Дитер родился в апреле. А в мае опять было весело. Это, кажется, популярный месяц в Канаде и в США. Синди, Сара Лин и Ронда — все родились в мае. В июне мы праздновали день рождения Рауля, а потом, в июле, день рождения Лин Чен. Сейчас август, наш последний месяц в Москве, и завтра мы празднуем день рождения Свена. Я очень люблю праздновать!

ГГ. Your friend Masha is telling you about a housewarming party she went to last night. You were sick and couldn't go. When did each person arrive and leave? The first one has been done for you. You will hear Masha's story once. Repeat as necessary.

Я пришла в 6 часов и Аня тоже пришла в 6 часов. В 6.15 (в шесть пятнадцать) пришёл Олег, а в 6.30 (в шесть тридцать) пришёл Антон. В 6.45 (в шесть сорок пять) пришли Надя и Катя. В 7 часов пришла Марина. В 7.15 (в семь пятнадцать) пришли Миша и Толя, а Олег уже ушёл. В 7.30 (в семь тридцать) ушла Аня, а Вера и Стёпа пришли. В 8 часов ушли Антон и Надя. В 8.30 (в восемь тридцать) ушли Марина и Толя. В 9 часов ушла Катя, а в 9.30 (в девять тридцать) ушёл Стёпа. Вера, Миша и я — мы все ушли в 10 часов.

ДД. Your Russian host parents are telling you about their lives and when they did what. Listen to the years and write the number in the space provided.

Образец: В 57-ом году мы поженились.
               You write: "Fifty-seven" next to "We married."

Let's begin.

1. В 59-ом году мы приехали в Москву.
2. В 61-ом году родилась наша дочь.
3. В 64-ом году родился наш сын.
4. В 79-ом году мы переехали в новую квартиру.

5. В 85-ом году дочь вышла замуж.
6. В 87-ом году сын кончил институт.
7. В 92-ом году сын женился.
8. В 93-ем году мы купили машину.

ГОВОРЕНИЕ (*Speaking drills*)

EE. You will hear a series of questions asking if you did a certain thing in a certain month. Respond negatively and give the cued month.

Образец:	*You hear:*	Вы родились в октябре?
	You see:	(August)
	You say:	Нет, я родился в августе.

Let's begin.

1. Вы пойдёте на рок-концерт в апреле?
   Нет, я пойду на рок-концерт в мае.
2. Ваша сестра вышла замуж в сентябре?
   Нет, она вышла замуж в ноябре.
3. Вы будете в Канаде в июне?
   Нет, я буду в Канаде в июле.
4. Вы познакомились в январе?
   Нет, мы познакомились в марте.
5. Ваш дядя женился в апреле?
   Нет, он женился в феврале.
6. Твой брат родился в августе?
   Нет, он родился в декабре.

ЖЖ. As an assignment, you and your fellow students had to attend an all-day festival and you were responsible for keeping track of when students arrived and when they left. You will hear a series of questions asking you when people arrived. When you answer you should also tell when people left.

Образец:	*You hear:*	Когда пришёл Марк?
	You see:	10.00 / 2.00
	You say:	Он пришёл в 10 часов, а ушёл в 2.

Let's begin.

1. Когда пришла Карен?
   Она пришла в 9 часов, а ушла в 12.
2. Когда пришёл Брайан?
   Он пришёл в 11 часов, а ушёл в 3.
3. Когда пришёл Джастин?
   Он пришёл в 10.30, а ушёл в час тридцать.
4. Когда пришла Лиса?
   Она пришла в 10 часов, и ушла в три тридцать.
5. Когда пришла Вероника?
   Она пришла в 9.30, а ушла в час.
6. Когда пришёл Арон?
   Он пришёл в 11.30, а ушёл в 2.
7. Когда пришла Лесли?
   Она пришла в 12 часов, а ушла в два тридцать.

33. You will hear a series of questions asking about the interests of your friends and family members. Answer according to the cued item.

Образец: *You hear:*   Что интересует вашего брата?
                    You see: (soccer)
                    You say: Его интересует футбол.

Let's begin.

1. Что интересует вашего отца?
   Его интересует опера.
2. Что интересует вашу маму?
   Её интересует рок-музыка.
3. Что интересует вашу сестру?
   Её интересует хоккей.
4. Что интересует вашего дедушку?
   Его интересует теннис.

5. Что интересует вашу бабушку?
   Её интересуют новые фильмы.
6. Что интересует вашего друга?
   Его интересует русская литература.
7. Что интересует вашу подругу?
   Её интересуют пьесы Чехова.
8. Что вас интересует?
   Меня интересует русский язык.

ЧАСТЬ ТРЕТЬЯ – Давайте купим вам новый компьютер
РАБОТА В ЛАБОРАТОРИИ (*Laboratory exercises*)

ДИАЛОГИ (*Dialogues*)

Диалог 1 В киоске (Making purchases)

AA. Follow along as you listen to the dialogue.

ТАНЯ.	Скажите, у вас есть карта Москвы?
ПРОДАВЕЦ.	Карта Москвы? Есть.
ТАНЯ.	Сколько она стоит?
ПРОДАВЕЦ.	Есть карта за 17 рублей и есть за 29.
ТАНЯ.	Покажите, пожалуйста, за 29.

Now read and repeat aloud in the pause after each phrase. [...]
Now read the lines for the salesperson aloud. [...]
Now read the lines for Tanya aloud. Begin now. [...]

Диалог 2 В магазине (Making purchases)

ББ. Follow along as you listen to the dialogue.

ВИКА.	Покажите, пожалуйста, альбом «Москва».
ПРОДАВЕЦ.	Этот?
ВИКА.	Нет, вон тот, маленький.
ПРОДАВЕЦ.	Пожалуйста.
ВИКА.	А сколько он стоит?
ПРОДАВЕЦ.	Сейчас скажу. [*Pause.*] 200 рублей.
ВИКА.	Я беру его. Где касса?
ПРОДАВЕЦ.	Касса там.

Now read and repeat aloud in the pause after each phrase. [...]
Now read the lines for the salesperson aloud. [...]
Now read the lines for Vika aloud. Begin now. [...]

АУДИРОВАНИЕ (*Listening comprehension*)

ВВ. What would be the most appropriate response to the following suggestions? It may help you to read the answers through before doing the exercise. The first one has been done for you.

а. Давай пригласим нового американского студента на новоселье.
You mark: number 6, Ты знаешь его номер телефона?

Let's begin.

б. Давай звонить друг другу каждый день.
в. Давайте пойдём в кино.
г. Давайте купим новый компьютер.
д. Давай напишем письмо Антону.
е. Дорогие соседи, давайте познакомимся.

ГГ. Listen to the description of Nikita Vaselyevich's office and write down the total number he has of each listed item. You will hear the paragraph once. Repeat as necessary. Let's begin.

Никита Васильевич — директор большой школы и у него большой офис. Там три стола и на каждом столе два телефона и два автоответчика, значит у него шесть телефонов и шесть автоответчиков. В офисе ещё пять компьютеров, четыре модема и шесть принтеров, но один принтер не работает. Там ещё три копира и один большой факс. Интересно, где же Никита Васильевич работает в этом офисе?

ДД. Сколько это стоит? You will hear a series of prices, either in dollars or rubles. Write down the prices you hear.

Образец: триста семьдесят пять рублей
                   You write: three hundred seventy-five rubles

Let's begin.

1. сто двенадцать рублей
2. восемь долларов тридцать четыре цента
3. двести девятнадцать рублей
4. пятьсот двадцать рублей
5. три доллара восемьдесят девять центов
6. пятнадцать долларов шестьдесят центов
7. четыреста девяносто четыре рубля

ГОВОРЕНИЕ (*Speaking drills*)

ЕЕ. How would you suggest to your friends that you do the following things?

Образец: *You hear and see:*   (go to the zoo)
                   You say: Давайте пойдём в зоопарк!

Let's begin.

1. (show photographs to your instructor)
    Давайте покажем фотографии нашему преподавателю.
2. (watch the movie *Erin Brockovich*)
    Давайте посмотрим фильм «Эрин Брокович».
3. (play tennis every Saturday)
    Давайте играть каждую субботу в теннис.
4. (call up Anya)
    Давайте позвоним Ане.

5. (ask Professor Antonov about the test)
   Давайте спросим профессора Антонова о контрольной.
6. (study at Mitya's every evening)
   Давайте заниматься каждый вечер у Мити.

ЖЖ. Some Russian exchange students are curious about how much things cost in America. Respond to their questions with the listed prices.

Образец: *You hear:* Сколько стоит билет на рок-концерт?
             You see: ($35.00)
             You say: Тридцать пять долларов.

Let's begin.

1. Сколько стоят марки?
   Тридцать четыре цента.
2. Сколько стоит пиво?
   Три доллара.
3. Сколько стоит компакт-диск?
   Восемнадцать долларов.
4. Сколько стоит маленький дом?
   Сто шестьдесят тысяч долларов.
5. Сколько стоит минеральная вода?
   Один доллар двадцать пять центов.
6. Сколько стоит торт и кофе в кафе?
   Пять долларов пятьдесят центов.
7. Сколько стоит зубная паста?
   Два доллара шестьдесят центов.
8. Сколько стоит микроволновая печь?
   Сто сорок долларов.

33. How would you ask a classmate how much or how many he has of the following?

Образец: *You hear and see:* (brothers)
             You say: Сколько у тебя братьев?

Let's begin.

1. (sisters)
   Сколько у тебя сестёр?
2. (money)
   Сколько у тебя денег?
3. (photographs)
   Сколько у тебя фотографий?
4. (cats)
   Сколько у тебя кошек?
5. (tickets)
   Сколько у тебя билетов?
6. (cars)
   Сколько у тебя машин?
7. (letters)
   Сколько у тебя писем?

ЧАСТЬ ЧЕТВЁРТАЯ – Мой адрес: <jimrich@usex.msk.ru>
РАБОТА В ЛАБОРАТОРИИ (*Laboratory exercises*)

ДИАЛОГИ (*Dialogues*)

Диалог 1 На улице (Asking directions)

AA. Follow along as you listen to the dialogue.

ДЕВУШКА.	Простите, вы не скажете, где метро?
ЖЕНЩИНА.	Метро? Метро недалеко. Видите большой книжный магазин? Рядом газетный киоск, а справа — метро.
ДЕВУШКА.	Спасибо.
ЖЕНЩИНА.	Пожалуйста.

Now read and repeat aloud in the pause after each phrase. [...]
Now read the lines for the woman aloud. [...]
Now read the lines for the girl aloud. Begin now. [...]

Диалог 2 По имени или по фамилии? (Discussing student-teacher relationships)

ББ. Follow along as you listen to the dialogue.

ЛЕОНИД НИКИТИЧ.	Как американские преподаватели называют своих студентов?
САРА.	У нас есть разные преподаватели. Наш преподаватель математики называет нас по фамилии, а преподаватель истории хорошо знает всех своих студентов и называет их по имени.
ЛЕОНИД НИКИТИЧ.	А у вас есть преподаватели, которые не знают своих студентов?
САРА.	Можно я не буду отвечать на этот вопрос?
ЛЕОНИД НИКИТИЧ.	Вы уже ответили!

Now read and repeat aloud in the pause after each phrase. [...]
Now read the lines for Sara aloud. [...]
Now read the lines for Leonid Nikitich aloud. Begin now. [...]

АУДИРОВАНИЕ (*Listening comprehension*)

ВВ. You will hear a series of sentences. Does the item referred to belong to the person mentioned or to somebody else?

Образец:	Андрей починил свой компьютер.
	You mark: Person mentioned
or	Андрей починил его компьютер.
	You mark: Somebody else

Let's begin.

1. Наталья Викторовна сдаёт комнату в своей квартире.
2. Ирина показала нам её фотографии.
3. Томас часто проверяет его домашнее задание.
4. Слава продаёт свою машину.
5. Люда сегодня празднует свой день рождения.
6. Дженнифер рассказала нам о её экскурсии в Кремль.
7. Тина читала о своём университете по Интернету.
8. Паша дал мне его билет на футбольный матч.

ГГ. What did John ask each of the following people to do for him as he went about writing a letter to his Russian instructor? The first answer has been given for you. You will hear John's story once. Repeat as necessary. Let's begin.

Джон очень хотел написать своему преподавателю русского языка письмо, но у него не было ручки. Он попросил Сару дать ему ручку. Когда он написал письмо, он попросил Соню проверить его, потому что он всегда делает много ошибок по-русски. У Джона не было марок и конверта. Он попросил Тодда дать ему красивые марки, а Билла дать ему конверт. Джон не знал адрес и попросил Сандру найти его. У Джона не было времени пойти на почту, поэтому он попросил Роберта отнести письмо на почту. А почему он не послал электронную почту? Компьютер и адрес электронной почты у него были!

ДД. You will hear a series of sentences. Place the letter of the sentence next to the most appropriate response. Read through all the answers before you begin. The first one has been done for you.

а. Пётр продаёт свой компьютер?
You mark: number 6, Нет, это компьютер его брата.

Let's begin.

б. Муж и жена должны готовить обед по очереди?
в. Как ты ответил на вопрос Надежды Николаевны?
г. Что вы видели на экскурсии в зоопарке?
д. У вас в городе есть трамвай и троллейбус?
е. Куда ты бежишь?
ж. Что твои родители пришлют тебе на день рождения?

ГОВОРЕНИЕ (*Speaking drills*)

ЕЕ. How would you say that you have a lot of the following buildings and landmarks in your city?

Образец: *You hear and see:* (old homes)
             You say: В нашем городе много старых домов.

Let's begin.

1. (wonderful theaters)
   В нашем городе много прекрасных театров.
2. (inexpensive cinemas)
   В нашем городе много недорогих кинотеатров.
3. (pretty streets)
   В нашем городе много красивых улиц.
4. (cultural centers)
   В нашем городе много культурных центров.
5. (clean parks)
   В нашем городе много чистых парков.
6. (excellent libraries)
   В нашем городе много отличных библиотек.
7. (expensive restaurants)
   В нашем городе много дорогих ресторанов.

ЖЖ. While you were walking around Moscow yesterday, what did you see and where did you see it?

Образец: *You hear and see:* (inexpensive stores in our neighborhood)
             You say: Я видел недорогие магазины в нашем районе.
                       Я видела недорогие магазины в нашем районе.

Let's begin.

1. (French tourists near the Kremlin)
   Я видел французских туристов около Кремля.
   Я видела французских туристов около Кремля.

2. (happy children in the park)
   Я видел счастливых детей в парке.
   Я видела счастливых детей в парке.
3. (wonderful museums downtown)
   Я видел прекрасные музеи в центре.
   Я видела прекрасные музеи в центре.
4. (Russian musicians on the Arbat)
   Я видел русских музыкантов на Арбате.
   Я видела русских музыкантов на Арбате.
5. (interesting books in «Dom knigi»)
   Я видел интересные книги в Доме книги.
   Я видела интересные книги в Доме книги.
6. (rude students near the university)
   Я видел грубых студентов около университета.
   Я видела грубых студентов около университета.
7. (new kiosks near the stadium)
   Я видел новые киоски около стадиона.
   Я видела новые киоски около стадиона.

33. You will hear a series of questions asking what you asked other people to do for you. Answer negatively with the given response.

Образец: *You hear:*   Ты попросил Ваню помочь тебе?
            You see: (call you)
            You say: Нет, я попросил его позвонить мне.

Let's begin.

1. Ты попросил Лизу позвонить тебе?
   Нет, я попросил её дать мне деньги.
2. Ты попросил отца дать тебе деньги?
   Нет, я попросил его купить мне машину.
3. Ты попросил маму купить тебе машину?
   Нет, я попросил её показать мне фотографии.
4. Ты попросила Володю показать тебе фотографии?
   Нет, я попросила его починить мой компьютер.
5. Ты попросила Максима починить твой компьютер?
   Нет, я попросила его проверить моё домашнее задание.
6. Ты попросила Надю проверить твоё домашнее задание?
   Нет, я попросила её позвонить мне по телефону.
7. Ты попросила Свету позвонить мне по телефону?
   Нет, я попросила её помочь мне.

УРОК 9 – ЕДЕМ ИЛИ ИДЁМ?

ЧАСТЬ ПЕРВАЯ – Джим в метро
РАБОТА В ЛАБОРАТОРИИ

ДИАЛОГИ

Диалог 1 Скажите, пожалуйста, когда... (Asking directions in the metro)

AA. Follow along as you listen to the dialogue.

СТУДЕНТ.	Скажите, пожалуйста, когда будет станция Пушкинская?
ЖЕНЩИНА.	Через две остановки.
СТУДЕНТ.	Мои друзья сказали мне, что это очень красивая станция. Я хочу её посмотреть.
ЖЕНЩИНА.	А откуда вы?
СТУДЕНТ.	Из Америки, из Сиэтла.

Now read and repeat aloud in the pause after each phrase. [...]
Now read the lines for the woman aloud. [...]
Now read the lines for the student aloud. Begin now. [...]

Диалог 2 Хотите пойти? (Making sightseeing plans)

ББ. Follow along as you listen to the dialogue.

АЛЕКСЕЙ.	Что вы хотите посмотреть в Москве?
ФРЕД.	Красную площадь, собор Василия Блаженного, Кремль, Третьяковскую галерею.
АЛЕКСЕЙ.	Я тоже хочу пойти в Третьяковскую галерею. Я очень хочу посмотреть русские иконы.
ФРЕД.	Хотите пойти туда завтра?
АЛЕКСЕЙ.	С удовольствием.

Now read and repeat aloud in the pause after each phrase. [...]
Now read the lines for Fred aloud. [...]
Now read the lines for Aleksei aloud. Begin now. [...]

АУДИРОВАНИЕ

ВВ. Кто где сидит? Complete the puzzle! There are sixteen students in this class. You will hear a description of where each person sits in relation to others in the class. Below you have a list of the class members. Put the names in the proper places in the seating chart. You will hear the class description once. Repeat as necessary. The first name has been filled in for you. Let's begin.

За Иваном сидит Пётр, а за ним Наталья. Перед Иваном сидит Анна. Между Анной и Михаилом сидит Ольга, а за Ольгой сидит Евгений. Между Натальей и Фёдором сидит Марина, а перед Мариной сидит Галина. Между Галиной и Алексеем сидит Софья. Между Евгением и Ларисой сидит Борис. Перед Ларисой сидит Антон, а за Алексеем сидит Вера.

ГГ. Кто откуда? During your stay in Russia you meet another foreign student, Pierre. His family and the families of both his parents have traveled a lot and as a result many of them married people from other countries. Listen as Pierre tells about his family and match the person with the country he or she is from. One country will be used twice. The first one has been done for you. Replay the text as necessary to complete the exercise. Let's begin.

Я из Франции, но многие в моей семье не оттуда. Мой отец тоже из Франции, но моя мать из Германии. Моя бабушка — мать папы — из Южной Америки, из Аргентины. А мать мамы из России. Тётя Лиза — она вышла замуж за брата мамы — из Канады, а тётя Уанита, которая вышла замуж за брата папы, из Мексики. В прошлом году моя сестра вышла замуж за бизнесмена из США, а мой брат женился на журналистке из Италии. Интересно, откуда будет моя жена?

ДД. Someone has left a message on the office answering machine for your supervisor, who speaks only a little Russian. Fill out a message slip for her in English. You will hear the message once. Repeat as necessary. Let's begin.

Добрый день, говорит Сергей Петрович Данилов из «банка Москвы». Сейчас 13 часов, пятница, 16-ое февраля. Я хочу поговорить с Анной Джонс. Позвоните мне по телефону 226-85-71. Спасибо, до свидания.

ГОВОРЕНИЕ

ЕЕ. You will hear a series of questions asking where certain people are from. Respond with the cued city, state, or province. All are fairly well known so you should not need to indicate which of the three it is.

Образец:	You hear:	Откуда Джон?
	You see:	(Las Vegas)
	You say:	Он из Лас-Вегаса.

Let's begin.

1. Откуда Мэри?
   Она из Мичигана.
2. Откуда Алисия?
   Она из Квебека.
3. Откуда Брус?
   Он из Питтсбурга.
4. Откуда Кейт?
   Она из Аризоны.

5. Откуда Патрик?
   Он из Оттавы.
6. Откуда Джуди?
   Она из Хьюстона.
7. Откуда Травис?
   Он из Висконсина.
8. Откуда Шаннон?
   Она из Торонто.

ЖЖ. Your neighbor is pointing people and things out to you, but you don't know for sure which people and things he's talking about so you ask for clarification.

Образец:	You hear:	Вон идёт новый студент из Миссисипи.
	You see:	(with the expensive backpack)
	You say:	Какой? Тот, с дорогим рюкзаком?

Let's begin.

1. Вон идёт моя сестра.
   Какая? Та, с маленькой собакой?
2. Ты знаешь, кто этот молодой человек?
   Какой? Тот, с американскими туристами?
3. Это наш дом.
   Какой? Тот, с красивыми балконами?
4. Вон идёт мой дедушка.
   Какой? Тот, с маленьким мальчиком?
5. Ты знаешь, кто эта девушка?
   Какая? Та, с нашим преподавателем?
6. Вон идёт мой преподаватель английского языка.
   Какой? Тот, с большим портфелем?

33. How would give your opinion about the following items, saying they are the most expensive, the fastest, etc.?

Образец:	You hear and see:	(Moscow subway / least expensive in the world)
	You say:	По-моему, московское метро — самое недорогое в мире.

Let's begin.

1. (this restaurant / oldest in Chicago)
   По-моему, этот ресторан — самый старый в Чикаго.
2. (Japanese language / most difficult in the world)
   По-моему, японский язык — самый трудный в мире.
3. (French wine / most expensive in Europe)
   По-моему, французское вино — самое дорогое в Европе.
4. (our university / largest in America)
   По-моему, наш университет — самый большой в Америке.
5. (Japanese cars / least expensive in the world)
   По-моему, японские машины — самые недорогие в мире.
6. (Russian literature / most interesting in the world)
   По-моему, русская литература — самая интересная в мире.

ЧАСТЬ ВТОРАЯ – Бабушка знает всё
РАБОТА В ЛАБОРАТОРИИ

ДИАЛОГИ

Диалог 1 Кто это? (Discussing someone's activities)

AA. Follow along as you listen to the dialogue.

МУЖ.	Посмотри в окно. Кто это бежит?
ЖЕНА.	Это наш сосед Сергей, аспирант университета.
МУЖ.	А почему он в наушниках?
ЖЕНА.	Он всегда в наушниках — слушает французские тексты, у него скоро экзамен по французскому языку.

Now read and repeat aloud in the pause after each phrase. [...]
Now read the lines for the wife aloud. [...]
Now read the lines for the husband aloud. Begin now. [...]

Диалог 2 Когда вы видите друг друга? (Discussing work schedules)

ББ. Follow along as you listen to the dialogue.

ЛИДИЯ ВИКТОРОВНА.	Уже шесть часов. Мой муж обычно возвращается с работы в это время.
ВЕРА НИКОЛАЕВНА.	А мой муж работает ночью. Он работает на «скорой помощи».
ЛИДИЯ ВИКТОРОВНА.	Твой муж работает ночью, ты работаешь днём — когда же вы видите друг друга?
ВЕРА НИКОЛАЕВНА.	Только в субботу и в воскресенье.

Now read and repeat aloud in the pause after each phrase. [...]
Now read the lines for Vera Nikolaevna aloud. [...]
Now read the lines for Lidiya Viktorovna aloud. Begin now. [...]

АУДИРОВАНИЕ

BB. You will hear a series of questions asking when certain people leave for or arrive at their destinations. Use the time schedule below to answer the questions.

Образец: *You hear:*   Когда Валя приезжает в Вологду?
             You write: 4.45

Let's begin.

1. Когда Настя уезжает в Тулу?
2. Когда Гена уезжает во Владимир?
3. Когда Федя приезжает в Петербург?
4. Когда Соня уезжает в Ярославль?
5. Когда Юра приезжает в Тулу?
6. Когда Женя приезжает во Владимир?
7. Когда Мила уезжает в Петербург?
8. Когда Серёжа приезжает в Ярославль?

ГГ. Fill in the blanks with **лучше, хуже, больше,** or **меньше,** depending on the situation you hear described.

Образец: Фрэнк хорошо говорит по-русски, а Тони говорит прекрасно.
             Фрэнк говорит __хуже__, чем Тони.

Let's begin.

1. Карен хорошо играет на кларнете, а Бриджет играет замечательно.
2. Джеймс много читает, а Крис читает ещё больше.
3. Патти мало разговаривает по телефону, а Санди разговаривает много.
4. Эрика маленькая кошка, а у Ларри большая.
5. У Папа хорошо готовит, а мама готовит плохо.
6. Дядя Ваня много работает, а дядя Петя работает мало.
7. Моя сестра хорошо поёт, а мой брат поёт отлично.
8. Эрин плохо играет в волейбол, а Марти играет хорошо.

ДД. Who is who at the party? Your friend is identifying people at the party by describing what they are wearing. Match the name on the left with the description on the right. The first one has been done for you.

You hear: 1. Это Юля в розовой блузке и в розовых туфлях.
You mark: the letter **r** on the line next to number one.

Let's begin.

2. Это Антон в чёрных джинсах и красной футболке.
3. Это Саша в коричневых брюках и жёлтой рубашке.
4. Это Вера в лиловых очках и голубой юбке.
5. Это Света в чёрной футболке, чёрной юбке и чёрных туфлях.
6. Это Митя в синих джинсах и оранжевой футболке.
7. Это Аня в зелёной блузке и синих джинсах.
8. Это Максим в чёрных брюках и серой рубашке.

ГОВОРЕНИЕ

EE. You received a series of phone calls asking if certain people have arrived from various locations. Respond that they will arrive at the indicated time. Pay attention to whether the caller uses the verb **прийти** or **приехать** and
answer accordingly.

Образец: *You hear:*   Михаил Иванович уже пришёл из лаборатории?
             You see: (7.00)
             You say: Нет, он придёт в семь часов.

Let's begin.

1. Боря уже пришёл из библиотеки?
   Нет, он придёт в четыре часа.

2. Студенты уже приехали из аэропорта?
   Нет, они приедут в десять часов вечера.
3. Наталья Евгеньевна уже приехала из Вологды?
   Нет, она приедет в среду.
4. Скрипниковы уже пришли с концерта?
   Нет, они придут в десять тридцать.
5. Настя уже пришла из парка?
   Нет, она придёт в час.
6. Александр Фёдорович уже приехал из Иркутска?
   Нет, он приедет в субботу.
7. Дети уже пришли из школы?
   Нет, они придут в три часа.

ЖЖ. For each activity below, the names of three people are listed. How would you say that the first person is better at the activity than the second but worse than the third?

Образец: *You hear:*   reads English
            You see: (reads English) Люда, Вася, Даша
            You say: Люда читает по-английски лучше, чем Вася, но хуже, чем
                             Даша.

Let's begin.

1. (plays the saxophone)
   Мой брат играет на саксофоне лучше, чем моя сестра, но хуже, чем моя мать.
2. (plays chess)
   Джанет играет в шахматы лучше, чем Кэрол, но хуже, чем Брент.
3. (plays basketball)
   Игорь играет в баскетбол лучше, чем Степан, но хуже, чем Виктор.
4. (cooks)
   Моя сестра готовит лучше, чем мой отец, но хуже, чем мой брат.
5. (sings)
   Соня поёт лучше, чем Оля, но хуже, чем Вера.
6. (speaks German)
   Лена говорит по-немецки лучше, чем Слава, но хуже, чем Марина.

33. How would you say that the people listed like to talk about the subject indicated?

Образец: *You hear and see:* (our landlord —- Russian stores)
            You say: Наш хозяин любит говорить о русских магазинах.

Let's begin.

1. (my uncle — American tourists)
   Мой дядя любит говорить об американских туристах.
2. (Professor Nikitin — new movies)
   Профессор Никитин любит говорить о новых фильмах.
3. (the salesman — rude foreigners)
   Продавец любит говорить о грубых иностранцах.
4. (my mother — polite waiters)
   Моя мама любит говорить о вежливых официантах.
5. (my friend — Japanese cars)
   Мой друг любит говорить о японских машинах.
6. (Aunt Dasha — Moscow streetcars)
   Тётя Даша любит говорить о московских трамваях.
7. (grandfather — his teeth)
   Дедушка любит говорить о своих зубах.

ЧАСТЬ ТРЕТЬЯ – Настоящий бизнесмен
РАБОТА В ЛАБОРАТОРИИ

ДИАЛОГИ

Диалог 1 Тебе нужно... (Offering advice)

AA. Follow along as you listen to the dialogue.

ИРА.   Я хочу научиться водить машину.
ДИМА. Тебе нужно брать уроки вождения. Я знаю очень хорошую автошколу.
ИРА.   А где эта автошкола?
ДИМА. Вот номер телефона и адрес. Там хорошие инструкторы. Они
       тебя научат хорошо водить машину.

Now read and repeat aloud in the pause after each phrase. [...]
Now read the lines for Dima aloud. [...]
Now read the lines for Ira aloud. Begin now. [...]

Диалог 2 Ни пуха ни пера! (Wishing good luck)

ББ. Follow along as you listen to the dialogue.

АНЯ.   Доброе утро, Таня. Я тебе звонила несколько раз вчера вечером, но тебя не
       было дома.
ТАНЯ. Да, я была в библиотеке.
АНЯ.   Весь вечер?
ТАНЯ. Да, я там занималась. Учила историю. У меня завтра экзамен.
АНЯ.   Ни пуха ни пера!
ТАНЯ. К чёрту!

Now read and repeat aloud in the pause after each phrase. [...]
Now read the lines for Tanya aloud. [...]
Now read the lines for Anya aloud. Begin now. [...]

АУДИРОВАНИЕ

BB. You have been invited to the home of a Russian classmate. His parents ask you
questions about yourself. Circle the most appropriate response for each question. The first one
has been done for you.

You hear: 1. Когда вы приехали в Москву?
You circle: letter **б**, Три месяца назад.

Let's begin.

2. Вам нравится Москва?
3. Чем вы занимаетесь здесь?
4. Что вы изучаете?
5. Кем вы хотите стать?
6. Когда вы вернётесь домой?
7. Вы, наверно, часто пишете домой.
8. Ну, желаем вам удачи.

ГГ. You are eating dinner with a Russian family and they are talking about what happened
when in their lives. Match each event with the time that it happened. One example has been
done for you.

Образец: Тридцать лет назад мы с дедушкой приехали в Москву.
          You write: the letter ж, "30 years ago," next to, "We arrrived in Moscow
                        with Grandfather."

Let's begin.

1. Два года назад Саша поступил в университет, на биологический факультет.
2. Пять лет назад Лена закончила университет и начала работать в большой американской фирме.
3. Мы поженились тридцать пять лет назад.
4. Саша родился двадцать два года назад.
5. А Лена вышла замуж год назад.
6. Три года назад она ездила в США и там познакомилась с американским инженером, своим будущим мужем.
7. А четыре месяца назад вы приехали сюда в Россию.

ДД. How often does Doris do each of the following activities? Listen to the text and match the two columns. Replay the text as needed to complete the exercise. The first one has been done for you. Let's begin.

        Дорис всё делает очень регулярно. Каждое утро в восемь часов она завтракает. Три дня в неделю она занимается в университете Каждый вторник она работает на скорой помощи, а каждый четверг она работает в лаборатории в медицинском училище. Раз в неделю, обычно в субботу, она занимается плаванием, а каждое воскресенье она ходит в кино. Каждый вечер Дорис занимается два часа. Два раза в неделю она звонит домой, а два раза в месяц она готовит обед и приглашает друзей. Каждый месяц она ходит на концерт в консерваторию. Каждый год она ездит отдыхать в Калифорнию.

ГОВОРЕНИЕ

ЕЕ. How would you say that you and another person are doing the following activities?

Образец: *You hear and see:*   (you and Alan / going to the movies this evening)
          You say: Сегодня вечером мы с Аланом идём в кино.

Let's begin.

1. (you and Natasha / playing volleyball at the gym today)
   Сегодня мы с Наташей играем в волейбол в спортзале.
2. (you and John / going to Red Square tomorrow)
   Завтра мы с Джоном идём на Красную площадь.
3. (you and [your] sister / buying a computer and printer today)
   Сегодня мы с сестрой покупаем компьютер и принтер.
4. (you and [your] brother / running in the park tomorrow morning)
   Завтра утром мы с братом бегаем в парке.
5. (you and Aunt Linda / going to Washington tomorrow)
   Завтра мы с тётей Линдой едем в Вашингтон.
6. (you and Uncle Robert / going to the soccer game on Saturday)
   В субботу мы с дядей Робертом идём на футбольный матч.

ЖЖ. Somebody is asking you about the students in your study-abroad group and what they want to become. Using the cued item, respond that you think this is what they want to become.

Образец: *You hear:*   Кем хочет стать Аарон?
          You see: (Aaron / actor)
          You say: Кажется, он хочет стать актёром.

Let's begin.

1. Кем хочет стать Бекки?
   Кажется, она хочет стать врачом.
2. Кем хочет стать Даррен?
   Кажется, он хочет стать бизнесменом.
3. Кем хочет стать Кристина?
   Кажется, она хочет стать учительницей.
4. Кем хочет стать Джин?
   Кажется, она хочет стать актрисой.
5. Кем хочет стать Оливер?
   Кажется, он хочет стать спортсменом.
6. Кем хочет стать Дайана?
   Кажется, она хочет стать президентом.
7. Кем хочет стать Сандра?
   Кажется, она хочет стать балериной.
8. Кем хочет стать Эрик?
   Кажется, он хочет стать космонавтом.

33. You are a very talented person and your classmates want to know which family members were responsible for teaching you what. Correct their guesses according to the information provided.

Образец: *You hear:*   Тебя научила готовить мама?
             You see: (grandmother)
             You say: Нет, меня научила бабушка.

Let's begin.

1. Тебя научил водить машину отец?
   Нет, меня научила мать.
2. Тебя научил играть в теннис брат?
   Нет, меня научил дедушка.
3. Тебя научила играть в баскетбол сестра?
   Нет, меня научил брат.
4. Тебя научил играть в шахматы дедушка?
   Нет, меня научила моя тётя.
5. Тебя научила танцевать бабушка?
   Нет, меня научил мой дядя.
6. Тебя научила петь мама?
   Нет, меня научила сестра.

ЧАСТЬ ЧЕТВЁРТАЯ – Чёрная кошка
РАБОТА В ЛАБОРАТОРИИ

ДИАЛОГИ

Диалог 1 Какая будет погода? (Discussing the weather)

АА. Follow along as you listen to the dialogue.

ЛЮДМИЛА ПЕТРОВНА.	Как вы думаете, завтра будет хорошая погода?
АНТОН ИВАНОВИЧ.	Думаю, что да. Вы не слышали прогноз погоды?
ЛЮДМИЛА ПЕТРОВНА.	Слышала. Прогноз хороший. Но прогноз погоды на сегодня тоже был хороший, а погода плохая, идёт дождь.
АНТОН ИВАНОВИЧ.	Завтра не будет дождя. Будет хороший день.
ЛЮДМИЛА ПЕТРОВНА.	Будем надеяться, что вы правы.

Now read and repeat aloud in the pause after each phrase. [...]
Now read the lines for Anton Ivanovich aloud. [...]
Now read the lines for Lyudmila Petrovna aloud. Begin now. [...]

Диалог 2 Я хочу вас пригласить (Invitation to a sports event)

ББ. Follow along as you listen to the dialogue.

ВИКТОР МИХАЙЛОВИЧ.	Вы любите футбол?
ПЁТР СТЕПАНОВИЧ.	Я больше люблю хоккей.
ВИКТОР МИХАЙЛОВИЧ.	Жаль. У меня есть лишний билет на финальный матч, и я хотел вас пригласить.
ПЁТР СТЕПАНОВИЧ.	Я с удовольствием пойду! Я люблю хоккей больше, чем футбол, но футбол я тоже люблю.

Now read and repeat aloud in the pause after each phrase. [...]
Now read the lines for Pyotr Stepanovich aloud. [...]
Now read the lines for Viktor Mikhailovich aloud. Begin now. [...]

АУДИРОВАНИЕ

ВВ. You will hear a series of sentences. Decide which of the options below would be the most appropriate translation and circle the answer.

Образец: Дима суеверный, но он говорит, что он не верит в чёрных кошек.
You circle: letter **в**, Dima is superstitious, but he says he doesn't believe in black cats.

Let's begin.

1. Ты хочешь пойти на финальный матч? Билеты не очень дорогие.
2. Ты слышала прогноз погоды? Дождь будет?
3. Ты суеверная? Ты забыла дома рюкзак и не вернулась за ним.
4. Желаю тебе удачи в новом бизнесе. Это большой риск.
5. Молодёжь сейчас не боится рисковать, ничего не боится.

ГГ. You will hear a series of sentences. Decide whether the phrase in the Dative case is in the singular or plural and mark the appropriate column.

Образец: *You hear:* Моему брату не нужно много работать.
You mark: singular

Let's begin.

1. Здесь нельзя играть на саксофоне. Ты мешаешь моим братьям заниматься.
2. Он звонит своему другу три или четыре раза в неделю.
3. Что ты покупаешь своим сёстрам? Им нравится джаз?
4. Помогите этим студентам найти общежитие. Я не знаю, где оно находится.
5. Расскажи нашей преподавательнице о твоём университете.
6. Можно я покажу своим друзьям твою новую машину.
7. Этому туристу очень нравится русский чай.

ДД. You will hear a series of questions. Choose the most appropriate answer and circle it.

Образец: Здесь кто-нибудь говорит по-английски?
You circle: letter **а**, Я думаю, что Наташа знает английский.

Let's begin.

1. Ты купила какую-нибудь книгу твоему преподавателю истории?
2. Вы когда-нибудь были в Иркутске?
3. Кто-нибудь звонил?
4. Ты принёс что-нибудь вкусное для собаки?
5. Ты когда-нибудь смотрел фильмы Хичкока?

ГОВОРЕНИЕ

EE. You are helping host for a birthday party for an elderly Russian woman and she wants to know how all the relatives are arriving. Answer according to the given form of transportation.

Образец: *You hear:* Митя приедет на машине?
           You see: (streetcar)
           You say: Нет, он приедет на трамвае.

Let's begin.

1. Таня приедет на троллейбусе?
   Нет, она приедет на машине.
2. Серёжа приедет на электричке?
   Нет, он приедет на поезде.
3. Наташа приедет на автобусе?
   Нет, она приедет на метро.
4. Володя приедет на трамвае?
   Нет, он приедет на такси.
5. Катя приедет на метро?
   Нет, она приедет на автобусе.
6. Вика приедет на трамвае?
   Нет, она приедет на троллейбусе.
7. Лёня приедет на такси?
   Нет, он приедет на электричке.

ЖЖ. How would you say that you are afraid of the following things?

Образец: *You hear and see:* (black cats)
           You say: Я боюсь чёрных кошек.

Let's begin.

1. (big dogs)
   Я боюсь больших собак.
2. (water)
   Я боюсь воды.
3. (trains)
   Я боюсь поездов.
4. (computers)
   Я боюсь компьютеров.
5. (that young man)
   Я боюсь этого молодого человека.
6. (love)
   Я боюсь любви.
7. (microwave ovens)
   Я боюсь микроволновых печей.

33. How would you say that you often help the following people?

Образец: *You hear and see:* (new students in our department)
           You say: Я часто помогаю новым студентам на нашем факультете.

Let's begin.

1. (little kids at our school)
   Я часто помогаю маленьким детям в нашей школе.
2. (American tourists on Red Square)
   Я часто помогаю американским туристам на Красной площади.

3. (my brothers with their homework)
   Я часто помогаю своим братьям с домашним заданием.
4. (foreigners in the subway)
   Я часто помогаю иностранцам в метро.
5. (my friends with [their] computers)
   Я часто помогаю своим друзьям с компьютерами.
6. (our neighbors write letters in English)
   Я часто помогаю нашим соседям писать письма по-английски.
7. (women get off the bus)
   Я часто помогаю женщинам выходить из автобуса.

УРОК 10 – С НОВЫМ ГОДОМ!

ЧАСТЬ ПЕРВАЯ – У нас будет ёлка?
РАБОТА В ЛАБОРАТОРИИ

ДИАЛОГИ

Диалог 1 У вас есть ёлка? (Discussing plans at home for a holiday)

AA. Follow along as you listen to the dialogue.

ФЕДЯ.	Петя, у вас дома есть ёлка?
ПЕТЯ.	Пока нет, но будет.
ФЕДЯ.	Ты уверен? Сейчас трудно купить хорошую ёлку — ведь завтра Новый год.
ПЕТЯ.	Папа всегда покупает ёлку в последний день.

Now read and repeat aloud in the pause after each phrase. [...]
Now read the lines for Petya aloud. [...]
Now read the lines for Fedya aloud. Begin now. [...]

Диалог 2 У меня ёлки не будет. (Discussing travel plans for a holiday)

ББ. Follow along as you listen to the dialogue.

МИТЯ.	Оля, привет!
ОЛЯ.	Митя, это ты? Я тебя не узнала. Куда ты идёшь?
МИТЯ.	Мне очень повезло: фирма, в которой я работал, подарила мне ёлку. Мне надо её принести.
ОЛЯ.	А у меня ёлки в этом году не будет.
МИТЯ.	Почему?
ОЛЯ.	Я уезжаю на Новый год к друзьям в Крым.

Now read and repeat aloud in the pause after each phrase. [...]
Now read the lines for Olya aloud. [...]
Now read the lines for Mitya aloud. Begin now. [...]

АУДИРОВАНИЕ

BB. An American who doesn't speak any Russian went with you and your host family on an all-day outing. The next day the Russian host mother asks your friend how things were. How would you translate the statements for him?

Образец: Надеюсь, что вам не было холодно вечером?
            You write: I hope you weren't cold in the evening.

Let's begin.

1. Надеюсь, что вам было удобно в электричке?
2. Надеюсь, что вам не было жарко днём?
3. Надеюсь, что вам было приятно погулять в маленьком русском городе?
4. Надеюсь, что вам было интересно в музее?
5. Надеюсь, что вам не было скучно у бабушки?

ГГ. You are looking at a selection of Russian New Year's cards. You are very interested in the many portrayals of Grandfather Frost and want to buy a variety of cards to show your friends. A classmate is helping you choose and asks you which pictures of Grandfather Frost you like. Put the questions below in the order in which they are asked. The first one has been done for you.

Образец: Тебе нравится Дед Мороз, с которым играют дети?
          You mark: number 7, "the kids are playing with?"

Let's begin.

а. Тебе нравится Дед Мороз, который несёт подарки?
б. Тебе нравится Дед Мороз, о котором мечтают дети?
в. Тебе нравится Дед Мороз, который стоит со Снегурочкой?
г. Тебе нравится Дед Мороз, которому помогают Снегурочка и дети?
д. Тебе нравится Дед Мороз, у которого есть большая ёлка?
е. Тебе нравится Дед Мороз, который звонит из телефона-автомата?
ж. Тебе нравится Дед Мороз, который сидит в самолёте?

ДД. Who went where for what? A three-way matching. All of your classmates have disappeared. Listen as you hear who went where to get what and match the columns accordingly. The first one has been done for you.

Образец: Люда пошла в магазин за журналом.
          You write: the letter **е**, "store," on the first line, and the letters **вв**, "magazine," on the second line

Let's begin.

2. Серёжа пошёл на вокзал за билетами в Киев.
3. Дайана пошла в магазин «Продукты» за хлебом.
4. Вика пошла на почту за конвертами и марками.
5. Дон пошёл в магазин за зубной пастой.
6. Сандра пошла в аптеку за аспирином.
7. Боря пошёл в магазин электроники за принтером.
8. Тони пошёл в киоск за газетой.

ГОВОРЕНИЕ

ЕЕ. You will hear a series of questions, all containing verbs that require an object in the Dative case. Answer the questions with the cue given in parentheses.

Образец: *You hear:*   Кому ты звонишь?
            You see: (my brother)
            You say: Я звоню моему брату.

Let's begin.

1. Кому помогает Маша?
   Она помогает своим родителям.
2. Кому мешает твой брат?
   Он мешает нашему новому соседу.
3. Кому ты всегда веришь?
   Я всегда верю моей сестре.
4. Кому звонит твоя тётя?
   Она звонит своим детям.
5. Кому помогают Гена и Толя?
   Они помогают профессору Андрееву.

ЖЖ. How would you say that you are going to the following places to get the following items?

Образец: *You hear and see:*   (store; toothbrush)
             You say: Я иду в магазин за зубной щёткой.

Let's begin.

1. (post office; fax)
   Я иду на почту за факсом.
2. (kiosk; map of the metro)
   Я иду в киоск за схемой метро.
3. (grocery store; vegetables)
   Я иду в магазин «Продукты» за овощами.
4. (bank; foreign currency)
   Я иду в банк за валютой.
5. (store; chocolate)
   Я иду в магазин за шоколадом.
6. (home; money)
   Я иду домой за деньгами.

33. How would you say that you were cold, hot, ashamed, and so on? Give the appropriate past-tense form of the following impersonal Dative constructions.

Образец: *You hear and see:*   (difficult to understand the teacher)
             You say: Мне было трудно понимать преподавателя.

Let's begin.

1. (interesting to listen to the new CD)
   Мне было интересно слушать новый компакт-диск.
2. (hot in the park)
   Мне было жарко в парке.
3. (convenient to go get the New Year's tree)
   Мне было удобно пойти за ёлкой.
4. (easy to understand the movie)
   Мне было легко понимать фильм.
5. (very pleasant walking with you in the park)
   Мне было очень приятно погулять с тобой в парке!

ЧАСТЬ ВТОРАЯ – С наступающим!
РАБОТА В ЛАБОРАТОРИИ

ДИАЛОГИ

Диалог 1 Что ещё нужно купить? (Making shopping lists)

АА. Follow along as you listen to the dialogue.

МАША.	Что вы уже купили и что ещё нужно купить?
СОНЯ.	Мы купили вино, минеральную воду, сыр, колбасу и конфеты. Нужно ещё купить хлеб и солёные огурцы.
МАША.	Сейчас я сделаю салат, а потом пойду в магазин и всё куплю.
СОНЯ.	Посмотри, есть ли там пирожки с капустой.
МАША.	Я не буду покупать пирожки в магазине, я их сама сделаю.

Now read and repeat aloud in the pause after each phrase. [...]
Now read the lines for Sonya aloud. [...]
Now read the lines for Masha aloud. Begin now. [...]

Диалог 2 Очень вкусно! (Discussing food preferences)

ББ. Follow along as you listen to the dialogue.

САРА.	Что это?
ИРИНА ВАДИМОВНА.	Это солёные помидоры. А вот это — кислая капуста.
САРА.	А что вкуснее?
ИРИНА ВАДИМОВНА.	А вы попробуйте.
САРА.	Помидоры очень вкусные, но кислая капуста ещё вкуснее.

Now read and repeat aloud in the pause after each phrase. [...]
Now read the lines for Irina Vadimovna aloud. [...]
Now read the lines for Sara aloud. Begin now. [...]

АУДИРОВАНИЕ

ВВ. Listen to the message left on Sasha's answering machine and fill in the message slip. You will not necessarily be given information for all the blanks. Replay the text as necessary to complete the exercise. Let's begin.

С праздником, Саша! Это Света говорит. Сегодня среда, 30 декабря. Мы будем праздновать Новый год не у Лены, а у нас. Не забудь, что ты должен принести с собой минеральную воду и помидоры. Если хочешь, пригласи своего друга Игоря. Позвони мне вечером. Пока.

ГГ. You will hear a series of statements comparing things in column **А** to things in column **Б**. In column **В** is a list of the qualities that are in question. Put the letter of the quality in the blank next to the items it refers to and then circle the item that has, according to the speaker, a greater degree of that quality.

Образец:	Зимой в Миннесоте холодно, а в Саскачеване ещё холоднее.
	You write: the letter **б**, "colder"
	You circle: Saskatchewan

Let's begin.

1. Мороженое вкусное, а торт ещё вкуснее.
2. Слушать музыку приятно, а смотреть фильм ещё приятнее.
3. Город Сан-Антонио интересный, а город Сан-Франциско ещё интереснее.
4. Мег Райан красивая, а Джулия Робертс ещё красивее.
5. Летняя погода в Колорадо тёплая, а в Аризоне ещё теплее.
6. Заниматься русским языком трудно, а японским языком ещё труднее.
7. Летом в 6 часов утра уже светло, а в 9 часов ещё светлее.

ДД. Listen as Natasha and Katya discuss the food plans for their upcoming party. Put a check by the items they already have and a plus sign by the items they still need to buy. The items not mentioned should remain blank. The first one has been done for you. Replay the dialogue as necessary to complete the exercise. Let's begin.

НАТАША. Что вы уже купили?
КАТЯ. Мы купили масло, сыр, грибы, помидоры, колбасу и минеральную воду. А чай всегда есть.
НАТАША. Пока ты делаешь салат, я пойду в магазин и куплю хлеб, фрукты, огурцы, вино и сок.

ГОВОРЕНИЕ

ЕЕ. You have a strange group of acquaintances who think a lot of themselves. Answer each of the questions you hear with an appropriate form of **себя (себе, собой)**.

Образец: *You hear:* О ком говорит Вася?
          You see: (about himself)
          You say: О себе.

Let's begin.

1. Где Маша была вчера вечером?
    У себя.
2. Кому Аля купила эту блузку?
    Себе.
3. С кем Федя там разговаривает?
    С собой.
4. О ком думает Марина?
    О себе.
5. Кого любит Антон?
    Себя.
6. Кому Лариса задаёт вопросы?
    Себе.

ЖЖ. Using perfective verbs, how would you say that the following people have not yet completed the given activity?

Образец: *You hear and see:* (Susan; return)
          You say: Сюзан ещё не вернулась.

Let's begin.

1. (Greg; eat breakfast)
    Грег ещё не позавтракал.
2. (Volodya; get up)
    Володя ещё не встал.
3. (Kristi; arrive from Tula)
    Кристи ещё не приехала из Тулы.
4. (children; open presents)
    Дети ещё не открыли подарки.
5. (Gena; receive the postcard)
    Гена ещё не получил открытку.
6. (Sam and Tina; get married)
    Сэм и Тина ещё не поженились.
7. (Natalya Alekseevna; rent out the room)
    Наталья Алексеевна ещё не сдала комнату.

33. You will be asked if certain things have specific qualities. Reply yes, but say that the item given in parentheses is even more so.

Образец: *You hear:*   В Нью-Йорке интересно?
            You see: (Chicago)
            You say: Да, но в Чикаго ещё интереснее.

Let's begin.

1. Изучать биологию трудно?
   Да, но изучать физику ещё труднее.
2. Французский хлеб вкусный?
   Да, но немецкий хлеб ещё вкуснее.
3. Зимой в Москве холодно?
   Да, но в Иркутске ещё холоднее.
4. Город Вашингтон красивый?
   Да, но Сиэтл ещё красивее.
5. Американцы и канадцы говорят быстро?
   Да, но русские говорят ещё быстрее.

ЧАСТЬ ТРЕТЬЯ – Скорее за стол!
РАБОТА В ЛАБОРАТОРИИ

ДИАЛОГИ

Диалог 1 Я чуть не опоздал (Explaining a late arrival)

АА. Follow along as you listen to the dialogue.

МАКСИМ.   Где вы встречали Новый год?
ВАДИМ.   У друзей. Я чуть не опоздал туда — не было такси.
МАКСИМ.   Это понятно. Таксистам тоже хочется встретить Новый год.
ВАДИМ.   Но я всё-таки не опоздал. Мне повезло; один таксист ехал на ту улицу, где живут мои друзья. Оказалось, что он тоже там живёт.

Now read and repeat aloud in the pause after each phrase. [...]
Now read the lines for Vadim aloud. [...]
Now read the lines for Maksim aloud. Begin now. [...]

Диалог 2 Пирожки! (Offering and accepting food)

ББ. Follow along as you listen to the dialogue.

ЕЛЕНА АНТОНОВНА.   Обязательно попробуйте пирожки.
         ГРЕГ.   А с чем они?
ЕЛЕНА АНТОНОВНА.   Эти — с грибами, эти — с мясом, эти — с капустой, а эти — с картошкой.
         ГРЕГ.   Положите мне один пирожок с грибами и один с капустой. И с картошкой тоже.

Now read and repeat aloud in the pause after each phrase. [...]
Now read the lines for Greg aloud. [...]
Now read the lines for Elena Antonovna aloud. Begin now. [...]

АУДИРОВАНИЕ

ВВ. You will hear a series of toasts and wishes. Match the toast or wish with the most appropriate situation from those listed below.

Образец: Желаю тебе удачи!
               You mark: number six, "a friend is opening a new business."

Let's begin.

а. За папу!
б. Ни пуха ни пера!
в. С Новым годом! С новым счастьем!
г. За нашу хозяйку!
д. Желаем приятно провести время!
е. Желаем вам здоровья и счастья!

ГГ. You will hear a series of sentences. Decide if the verbs are in the present or future tense and circle your choice.

Образец: Мы приглашаем Веру и Колю на Новый год.
               You circle: present

Let's begin.

1. Я положу письмо в ваш портфель.
2. Что ты скажешь родителям?
3. Я сейчас беру уроки вождения.
4. Завтра я закончу курсовую.
5. Ты открываешь вино или шампанское?
6. Андрей всегда говорит правду.
7. Куда ты кладёшь мои вещи?
8. Кого вы пригласите на день рождения?
9. Завтра мы едем в Петербург.

ДД. Circle the letter of the most appropriate response to the questions you hear.

Образец: Тебе хочется есть?
               You circle: letter **б**, "Нет, я поел в университете."

Let's begin.

1. Кто-нибудь звонил?
2. Что ты любишь петь?
3. Ты сама готовила пирожки?
4. Ты когда-нибудь был в Лондоне?
5. Что ты обычно пьёшь вечером?

ГОВОРЕНИЕ

ЕЕ. How would you express in a polite way that you want to do the following things?

Образец: *You hear and see:*   (You're thirsty.)
               You say: Мне хочется пить.

Let's begin.

1. (You want to see in the new year with friends.)
   Мне хочется встречать Новый год с друзьями.

Book 2 Audioscript 28

2. (You want to say good-bye to Natasha.)
   Мне хочется попрощаться с Наташей.
3. (You're hungry.)
   Мне хочется есть.
4. (You want to try the homemade sauerkraut.)
   Мне хочется попробовать домашнюю кислую капусту.
5. (You want to sing the song "Katyusha.")
   Мне хочется спеть песню «Катюша».
6. (You're tired.)
   Мне хочется спать.
7. (You want to go home.)
   Мне хочется пойти домой.

ЖЖ. You recently went to a conference and dinner where you met a number of celebrities. You were surprised to see that they acted like normal people—walked and talked on their own! How would you say that these people did the following things on their own? Use the correct form of the word **сам**.

Образец: *You hear and see:*   (Barbra Streisand prepared *pelmeni*.)
             You say: Барбра Страйсанд сама приготовила пельмени.

Let's begin.

1. (Brad Pitt poured champagne.)
   Брэд Питт сам налил шампанское.
2. (Julia Roberts ate two pizzas.)
   Джулия Робертс сама съела две пиццы.
3. (Kevin Spacey prepared a salad.)
   Кевин Спэйси сам приготовил салат.
4. (Hillary Clinton went to lectures.)
   Хиллари Клинтон сама ходила на лекции.
5. (Tiger Woods spoke about Russian history.)
   Тайгер Вудз сам говорил о русской истории.
6. (The president played the piano.)
   Президент сам играл на рояле.

33. You will be asked a series of questions with **-нибудь**. Answer the questions affirmatively using the same question word and **-то** to indicate a specific time, thing, and so on, but add that you don't know the details.

Образец: *You hear:*   Кто-нибудь звонил?
             You see: (кто-то)
             You say: Да, кто-то звонил, но я не знаю кто.

Let's begin.

1. Папа принёс нам что-нибудь вкусное?
   Да, он принёс что-то вкусное, но я не знаю что.
2. Мама купила какие-нибудь подарки?
   Да, она купила какие-то подарки, но я не знаю какие.
3. Твои родители когда-нибудь были в Африке?
   Да, они когда-то были, но я не знаю когда.
4. Студенты пойдут куда-нибудь сегодня вечером?
   Да, они пойдут куда-то, но я не знаю куда.
5. У кого-нибудь в группе есть лишний билет в театр?
   Да, у кого-то есть, но я не знаю у кого.

ЧАСТЬ ЧЕТВЁРТАЯ – Давайте споём!
РАБОТА В ЛАБОРАТОРИИ

ДИАЛОГИ

Диалог 1 Ты знаешь слова...? (Discussing music)

AA. Follow along as you listen to the dialogue.

ВАСЯ.	Тебе нравится песня «Калинка»?
ДЖОН.	Очень. Я очень люблю русские песни.
ВАСЯ.	Ты знаешь слова этой песни?
ДЖОН.	Нет, я знаю только мелодию.
ВАСЯ.	А играть «Калинку» ты умеешь?
ДЖОН.	Нет, но хочу научиться.
ВАСЯ.	Я обязательно напишу тебе слова.

Now read and repeat aloud in the pause after each phrase. [...]
Now read the lines for John aloud. [...]
Now read the lines for Vasya aloud. Begin now. [...]

Диалог 2 Только я! (Soliciting and giving opinions)

ББ. Follow along as you listen to the dialogue.

УЧИТЕЛЬНИЦА.	Серёжа, какой твой самый любимый праздник?
СЕРЁЖА.	Мой день рождения, потому что я получаю много подарков.
УЧИТЕЛЬНИЦА.	Но на Новый год ты тоже получаешь много подарков.
СЕРЁЖА.	Новый год — это праздник для всех. На Новый год все получают подарки, а на мой день рождения — только я!

Now read and repeat aloud in the pause after each phrase. [...]
Now read the lines for Seryozha aloud. [...]
Now read the lines for the teacher aloud. Begin now. [...]

АУДИРОВАНИЕ

BB. You are at a New Year's party and hear a number of questions and statements. From the list below, choose the most appropriate response.

Образец: Что вы будете пить?
             You mark: Минеральную воду, пожалуйста.

Let's begin.

а. Ты знаешь песню «В лесу родилась ёлочка»?
б. Садись сюда, на диван. Место есть.
в. Кстати, как у вас дома празднуют Новый год?
г. Давайте выйдем на улицу.
д. Неужели вы никогда не пробовали солёные помидоры?

ГГ. Does the action described refer to sitting in a particular location or the process of sitting down? Mark the appropriate column.

Образец: Вы были на концерте? Где вы сидели?
             You mark the column labeled "Где (*seated*)."

Let's begin.

1. Вера села на стул и начала писать письмо.
2. Гриша долго сидел на диване и вдруг встал и ушёл.
3. Почему вы стоите? Садитесь!
4. Мне хочется сесть. Я себя плохо чувствую.
5. На этих лекциях надо сидеть близко. Этот преподаватель говорит очень тихо.

ДД. You sat down on a park bench next to a woman who started telling you about her unusual life. In fact, you wondered if you were hearing things right. Match the age with what she claims to have done. She does not tell you the events in chronological order. The first one has been done for you.

Когда мне было 12 лет, я научилась говорить и писать по-японски.
You write: the letter **ж**, "learned to speak and write Japanese"

Let's begin.

2. Когда мне было 18 лет, я стала таксистом в Москве.
3. Когда мне было 40 лет, я купила себе самолёт.
4. Когда мне было 4 года, я научилась играть на саксофоне и гитаре.
5. Когда мне был 21 год, я закончила Московскую консерваторию.
6. Когда мне было 32 года, я вышла замуж за французского бизнесмена.
7. Когда мне было 25 лет, я ездила в Мексику.

ГОВОРЕНИЕ

ЕЕ. You want to be helpful. How would you tell your mother to let you do the following activities?

Образец: *You hear and see:*   (open the champagne)
             You say: Давай я открою шампанское.

Let's begin.

1. (sing an American song)
   Давай я спою американскую песню.
2. (go to the store)
   Давай я пойду в магазин.
3. (prepare the salad)
   Давай я приготовлю салат.
4. (write the invitation)
   Давай я напишу приглашение.
5. (call Aleksei and Tamara)
   Давай я позвоню Алексею и Тамаре.
6. (help Natalya Andreevna)
   Давай я помогу Наталье Андреевне.

ЖЖ. Use the subjectless **говорят** to express what you have heard.

Образец: *You hear and see:*   (the film is interesting)
             You say: Говорят, что фильм интересный.

Let's begin.

1. (there's going to be rain)
   Говорят, что будет дождь.
2. (Vanya often lies)
   Говорят, что Ваня часто врёт.

3. (New Year's is the favorite holiday in Russia)
   Говорят, что Новый год любимый праздник в России.
4. (there's always a line there)
   Говорят, что там всегда очередь.
5. (Gena always tells the truth)
   Говорят, что Гена всегда говорит правду.
6. (Mikhail Stepanovich is the only good instructor)
   Говорят, что Михаил Степанович единственный хороший преподаватель.

33. You will be asked what sport you played at a given age. Answer with the verb **заниматься** and the sport given in parentheses.

Образец: *You hear:* Каким видом спорта ты занималась, когда тебе было 4 года?
           You see: (swimming)
           You say: Когда мне было 4 года, я занималась плаванием.

Let's begin.

1. Каким видом спорта ты занималась, когда тебе было 6 лет?
   Когда мне было 6 лет, я занималась теннисом.
2. Каким видом спорта ты занималась, когда тебе было 8 лет?
   Когда мне было 8 лет, я занималась баскетболом.
3. Каким видом спорта ты занималась, когда тебе было 10 лет?
   Когда мне было 10 лет, я занималась волейболом.
4. Каким видом спорта ты занималась, когда тебе было 12 лет?
   Когда мне было 12 лет, я занималась футболом.
5. Каким видом спорта ты занималась, когда тебе было 14 лет?
   Когда мне было 14 лет, я занималась бейсболом.
6. Каким видом спорта ты занималась, когда тебе было 16 лет?
   Когда мне было 16 лет, я занималась американским футболом.

УРОК 11 – ЯЗЫК — ЭТО НЕ ВСЁ!

ЧАСТЬ ПЕРВАЯ – Вы знаете, как к нам ехать?
РАБОТА В ЛАБОРАТОРИИ

ДИАЛОГИ

Диалог 1 В котором часу? (Extending an invitation)

АА. Follow along as you listen to the dialogue.

ЛЮДА.   Катя, приходи ко мне завтра вечером. Придут мои друзья Миша и Игорь. Я давно хочу тебя с ними познакомить.
КАТЯ.   Спасибо, с удовольствием. В котором часу?
ЛЮДА.   Часов в семь.

Now read and repeat aloud in the pause after each phrase. [...]
Now read the lines for Katya aloud. [...]
Now read the lines for Lyuda aloud. Begin now. [...]

Диалог 2 Приходи завтра вечером. (Inviting someone to a social gathering)

ББ. Follow along as you listen to the dialogue.

ТИНА.	Завтра у меня в гостях будут русские студенты. Если ты хочешь поговорить по-русски, приходи завтра вечером.
ПЬЕР.	Обязательно приду. Что принести?
ТИНА.	Спасибо, ничего не нужно. Я сделаю пиццу и картофельный салат.
ПЬЕР.	Я принесу минеральную воду и пиво.

Now read and repeat aloud in the pause after each phrase. [...]
Now read the lines for Pierre aloud. [...]
Now read the lines for Tina aloud. Begin now. [...]

АУДИРОВАНИЕ

ВВ. You are doing an internship this year at a Russian school for English in Moscow. The director has invited individuals and groups from various English-speaking countries to visit the school and would like you to be present at several important meetings throughout the year. On the first day of school she gives you a series of dates and times to highlight in your day planner. Write down the dates and times proposed. The director will specify A.M. or P.M. only if the time of day is not obvious.

Образец: *You hear:* 5-ого сентября, в 8 часов утра
　　　　　　　You write: "5 September" under **число**, and "8 A.M." under **время**

Let's begin.

1. 16-ого октября, без четверти 3
2. 1-ого ноября, в половине десятого
3. 31-ого декабря, в 12 часов
4. 19-ого января, вечером, без четверти 7
5. 10-ого февраля, утром, в четверть девятого
6. 3-его марта, в четверть четвёртого
7. 12-ого апреля, вечером, в половине восьмого
8. 20-ого мая, в 9 часов

ГГ. You will hear a series of sentences with times, quantities, and amounts. Some are exact, others are approximate. Circle the correct translation.

Образец: *You hear:* Они приехали часов в восемь вечера.
　　　　　　　You circle: **б**, They arrived at about 8 o'clock in the evening.   Let's begin.

1. По-моему, Ирине Михайловне лет 50.
2. Я хожу в рестораны два раза в неделю, всегда в субботу и воскресенье.
3. У нас в городе музеев десять.
4. Я обычно работаю часов двадцать в неделю.
5. Моей бабушке 72 года.
6. Миша занимается два часа каждый вечер.

ДД. Match the commands that you hear with the most appropriate picture.

Образец: Молодой человек, у вас тяжёлый портфель? Поставьте его сюда.
　　　　　　　You mark: number three   Let's begin.

a. Вика, вставай! Уже восемь часов!
б. Тамара, садись, обед готов!
в. На понедельник приготовьте упражнение 7.
г. Спой нам какую-нибудь английскую песню.
д. Говорите громче, пожалуйста. Ничего не слышно.
е. Познакомьтесь, это Таня, моя сестра.

ГОВОРЕНИЕ

EE. How would you say the following times in a conversational manner?

Образец: *You hear and see:*   4:30 (four thirty)
          You say: половина пятого *or* полпятого

Let's begin.

1. 1:15 (one fifteen)
   четверть второго
2. 7:30 (seven thirty)
   половина восьмого
   or
   полвосьмого
3. 9:00 (nine o'clock)
   девять часов
4. 6:45 (six forty-five)
   без четверти семь

5. 10:45 (ten forty-five)
   без четверти одиннадцать
6. 3:15 (three fifteen)
   четверть четвёртого
7. 12:30 (twelve thirty)
   половина первого
   or
   полпервого
8. 2:00 (two o'clock)
   два часа

ЖЖ. You will hear several questions asking whom or what you brought or will bring to a certain event. Answer with the given person or item, according to the question you hear.

Образец: *You hear:*   Кого вы привели на новоселье у Лены?
          You see: (my brother / pizza)
          You say: Я привёл моего брата.
                      Я привела моего брата.

Let's begin.

1. Что вы принесёте в субботу к Алёше?
   Я принесу шампанское.
2. Что вы принесли на день рождения Гали?
   Я принёс шоколад.
   Я принесла шоколад.
3. Кого вы приведёте сегодня к Лизе?
   Я приведу мою подругу из Канады.
4. Что вы обычно приносите, когда вас приглашают в гости?
   Я приношу вино из Калифорнии.
5. Кого это вы привели к Виктору?
   Я привёл моего соседа Ваню.
   Я привела моего соседа Ваню.

33. How would you tell a fellow student to do the following things?

Образец: *You hear and see:*   (sit down on the couch)
          You say: Садись на диван!

1. (speak Russian)
   Говори по-русски!
2. (call me tonight)
   Позвони мне сегодня вечером.
3. (answer my question, please)
   Ответь на мой вопрос, пожалуйста!

4. (bring a salad on Tuesday)
   Принеси салат во вторник.
5. (write me a letter from Washington)
   Напиши мне письмо из Вашингтона.
6. (forget about it)
   Забудь об этом.

ДИАЛОГИ

Диалог 1 Вы знаете, как туда ехать? (Getting/giving directions)

АА. Follow along as you listen to the dialogue.

СЭМ.	Мне нужно завтра поехать в телецентр.
БОРИС СТЕПАНОВИЧ.	Вы знаете, как туда ехать?
СЭМ.	Не уверен.
БОРИС СТЕПАНОВИЧ.	Сначала на метро до станции «Ботанический сад», а потом на девятнадцатом автобусе.
СЭМ.	А где остановка автобуса?
БОРИС СТЕПАНОВИЧ.	Около станции метро, совсем рядом.

Now read and repeat aloud in the pause after each phrase. [...]
Now read the lines for Boris Stepanovich aloud. [...]
Now read the lines for Sam aloud. Begin now. [...]

Диалог 2 Он едет к нам в первый раз (Problem solving: A lost person)

ББ. Follow along as you listen to the dialogue.

МАМА.	Дядя Миша должен был приехать час назад.
ОЛЯ.	Он знает, как к нам ехать? Ведь он едет к нам в первый раз.
МАМА.	Да. И ещё я сказала ему, чтобы он позвонил с нашей автобусной остановки.
ОЛЯ.	Может быть, он заблудился? Ведь в нашем микрорайоне все дома одинаковые.
МАМА.	А, может быть, телефон-автомат не работает. Наверно, нужно пойти на остановку и встретить его.

Now read and repeat aloud in the pause after each phrase. [...]
Now read the lines for Olya aloud. [...]
Now read the lines for the mother aloud. Begin now. [...]

АУДИРОВАНИЕ

ВВ. What would be the best English rendition of the sentences that you hear? Circle your choice.

Образец: Я попросила Люду, чтобы она привела брата на день рождения.
You circle: **6**, I asked Lyuda to bring her brother to the birthday celebration.

Let's begin.

1. Я хочу, чтобы родители подарили мне новую машину.
2. Скажи Диме, чтобы он позвонил мне сегодня вечером.
3. Ты хочешь, чтобы я встретила Машу у метро?
4. Василий просит, чтобы мы познакомили его с Ларой.
5. Антон Викторович хочет, чтобы мы передали письма нашему преподавателю.

ГГ. You will hear a short text about Tamara and Sara. Mark **в (верно)** next to the sentences that are true, **н (неверно)** next to those that are false. To the side write out the corrections in English. The text will be read twice. The first one has been done for you. Replay the text as necessary to complete the exercise. Let's begin.

Тамара пригласила Сару в гости в субботу. Без четверти шесть Сара села на двенадцатый автобус и вышла на девятой остановке. Там на углу была стоянка такси, а рядом был большой магазин электроники. И ещё была длинная очередь, где продавали мороженое. Всё было точно так, как объяснила Тамара. Но Сара не могла найти улицу, где живёт Тамара. Когда Сара позвонила Тамаре, оказалось, что она должна была сесть на девятнадцатый автобус.

ДД. A series of numbers will be read to you. Check the column of the number that you hear. The first one has been done for you.

Образец: *You hear:*   десять
             You mark: "ten"

Let's begin.

1. двенадцать
2. девять
3. двадцать
4. девятнадцать
5. девять
6. девятнадцать
7. десять
8. двенадцать
9. двадцать

ЕЕ. You will hear a series of statements. Choose the most appropriate response from the list below and write the letter of the statement next to it.

Образец: *You hear:* Лида идёт с тобой в кино?
             You mark: number five, Нет, она не свободна.

Let's begin.

а. Вадим сейчас уходит с тобой?
б. Куда ты идёшь? В библиотеку?
в. Здесь жарко. Откройте окно, пожалуйста.
г. Вася сказал, что поезд уходит в половине восьмого.
д. В августе Ира поедет в Италию.

ГОВОРЕНИЕ

ЖЖ. How would you say what these people needed?

Образец: *You hear and see:* (Linda / stamps)
             You say: Линде нужны были марки.

Let's begin.

1. (Todd / coffee)
   Тодду нужен был кофе.
2. (Kelly / map of the metro)
   Келли нужна была схема метро.
3. (Bill / radio)
   Биллу нужно было радио.
4. (Susanna / taxi)
   Сусанне нужно было такси.
5. (Angela / cabbage)
   Анджеле нужна была капуста.
6. (Mark / butter)
   Марку нужно было масло.
7. (Brad / advice)
   Брэду нужен был совет.
8. (Emily / earphones)
   Эмили нужны были наушники.

33. The Russian «д» numbers cause English speakers many problems, both in understanding and speaking. Try saying the given number and compare your pronunciation to that of the native speakers.

Образец: *You hear and see:*   ten
          You say: десять

Let's begin.

1. (nineteen)
   девятнадцать
2. (twenty)
   двадцать
3. (twelve)
   двенадцать
4. (two)
   два
5. (nine)
   девять
6. (two hundred two)
   двести два

7. (two hundred twenty)
   двести двадцать
8. (two hundred ten)
   двести десять
9. (two hundred nineteen)
   двести девятнадцать
10. (two hundred twelve)
    двести двенадцать
11. (two hundred nine)
    двести девять

ИИ. How would you say that the following people were supposed to do certain things?

Образец: *You hear and see:*   (Fred / call his parents)
          You say: Фред должен был позвонить своим родителям.

Let's begin.

1. (Dasha / buy tickets to the concert)
   Даша должна была купить билеты на концерт.
2. (Brandy / write postcards home)
   Брэнди должна была написать открытки домой.
3. (Maksim / check his e-mail)
   Максим должен был проверить свою электронную почту.
4. (Tom / wish his grandmother a happy birthday)
   Том должен был поздравить свою бабушку с днём рождения.
5. (Anya / meet friends on Red Square)
   Аня должна была встретить друзей на Красной площади.
6. (Seryozha / write a letter to his sister)
   Серёжа должен был написать письмо своей сестре.

ЧАСТЬ ТРЕТЬЯ – Вы так хорошо выучили язык за один год?
РАБОТА В ЛАБОРАТОРИИ

ДИАЛОГИ

Диалог 1 Какой язык ты учила в школе? (Discussing language study)

AA. Follow along as you listen to the dialogue.

ЛЮДА.   Какой иностранный язык ты учила в школе?
МАША.   Французский.
ЛЮДА.   А в университете?
МАША.   Английский.
ЛЮДА.   Значит, ты свободно говоришь на двух языках?
МАША.   К сожалению, я не говорю на этих языках, а только читаю.

Now read and repeat aloud in the pause after each phrase. [...]
Now read the lines for Masha aloud. [...]
Now read the lines for Lyuda aloud. Begin now. [...]

Диалог 2 Сколько лет вы изучали русский язык?
(Discussing language study)

ББ. Follow along as you listen to the dialogue.

СЕРГЕЙ БОРИСОВИЧ.	Вы давно в России?
КАРЕН.	Я приехала три месяца назад.
СЕРГЕЙ БОРИСОВИЧ.	Вы очень хорошо говорите по-русски. Сколько лет вы изучали русский язык?
КАРЕН.	Я изучала русский язык пять лет — два года в школе и три года в университете. Здесь у меня много практики — я говорю со своими русскими друзьями только по-русски.

Now read and repeat aloud in the pause after each phrase. [...]
Now read the lines for Karen aloud. [...]
Now read the lines for Sergei Borisovich aloud. Begin now. [...]

АУДИРОВАНИЕ

ВВ. Your favorite instructor is a **сверхчеловек**, a superwoman. Listen carefully to see how long it took her to complete certain tasks and fill in the times. The first one has been done for you. Replay the text as necessary to complete the exercise. Let's begin.

Ваша любимая преподавательница научилась ходить в 3 месяца и говорить по-английски в 4 месяца. Она начала ходить в школу, когда ей было 3 года, и закончила её за 6 лет. В университете она изучала иностранные языки. По-французски она научилась говорить за 6 месяцев, по-немецки за 8 месяцев, а по-русски за год. Она написала диссертацию за 5 месяцев и закончила университет за 2 года. И ещё она выучила всего «Евгения Онегина» за 3 дня.

ГГ. In contrast, your English literature instructor is very slow about things and often doesn't finish what he starts. Listen carefully and write down how much time he spent on each activity. The first one has been done for you. Replay the text as necessary to complete the exercise. Let's begin.

Ваш преподаватель английской литературы научился правильно говорить по-английски, когда ему было 5 лет. Поэтому 5 лет никто его не понимал. Он начал ходить в школу, когда ему было 6 лет, и учился в школе 14 лет. В университете он начал изучать французский язык. Он его изучал 4 года, но так и не научился ни писать, ни говорить по-французски. Тогда он передумал и начал изучать английскую литературу. Он читал «Моби Дика» 2 года, но так и не закончил. Он начал писать диссертацию 10 лет назад и всё ещё пишет. Он учится уже 16 лет в университете. Непонятно, как это он стал преподавателем в университете?

ДД. Reviewing directions. You will hear a short dialogue in which a woman gives directions to her house. The man has made notes, but there is one mistake in everything he jotted down. Cross out the incorrect word and write the correct one to the side (in English). The first one has been done for you. Replay the text as necessary to complete the exercise. Let's begin.

ЖЕНЩИНА.	Приезжайте к нам завтра вечером.
МУЖЧИНА.	С удовольствием. Как к вам ехать?

ЖЕНЩИНА. Вам нужно сесть на четвёртый троллейбус и проехать шесть остановок. Троллейбус останавливается на углу Лесной и Пушкинского проспекта. Когда вы выйдете из троллейбуса, вы увидите около остановки высокий дом, двенадцать этажей. Это наш дом, дом 5. Первый подъезд, квартира № 29.

МУЖЧИНА. Значит, второй этаж?

ЖЕНЩИНА. Это у вас в Америке квартира № 29 на втором этаже, № 39 на третьем и так далее. А у нас не так. Наша квартира на первом этаже.

ГОВОРЕНИЕ

EE. You will hear a series of questions asking you *whom, to whom, with whom,* etc. Listen carefully and answer with the names below.

Образец: *You hear:*   Кому вы передали письмо?
                You see: (Reid)
                You say: Риду.

Let's begin.

1. Кого вы привели к Наташе?
   Сандру.
2. С кем вы познакомили Алёшу?
   С Биллом.
3. Кому вы написали письмо?
   Эрику.
4. С кем вы ходили в кино?
   С Амбер.
5. Кого вы видели на футбольном матче?
   Джеффри.
6. Кому вы обещали купить русские журналы?
   Джессике.
7. Кого вы пригласили в гости?
   Салли.

ЖЖ. Just what are you trying? As stated in your textbook, the meaning of the verbs **пробовать / попробовать** and **пытаться / попытаться** overlaps. For this exercise, however, use a past-tense *perfective* form of the verb **пробовать / попробовать** to say that you tried (sampled) a certain item and **пытаться / попытаться** to say that you tried (attempted) to do a certain activity.

Образец: *You hear and see:* (caviar)
                You say: Я попробовала икру.
                                  Я попробовал икру.

Let's begin.

1. (crepes with chocolate)
   Я попробовала блины с шоколадом.
   Я попробовал блины с шоколадом.
2. (to speak only Russian yesterday)
   Вчера я попыталась говорить только по-русски.
   Вчера я попытался говорить только по-русски.
3. (to study 3 hours on Monday)
   В понедельник я попыталась заниматься три часа.
   В понедельник я попытался заниматься три часа.

4. (pickled mushrooms)
   Я попробовала солёные грибы.
   Я попробовал солёные грибы.
5. (to prepare Russian pelmeni)
   Я попыталась приготовить русские пельмени.
   Я попытался приготовить русские пельмени.
6. (to repair the printer)
   Я попыталась починить принтер.
   Я попытался починить принтер.
7. (vinegret)
   Я попробовала винегрет.
   Я попробовал винегрет.

33. How long did it take for you to do the following activities?

Образец:　　　*You hear and see:*　(answer all the questions / 30 minutes)
　　　　　　　　You say:　　Я ответил на все вопросы за тридцать минут.
　　　　　　　　　　　　　　　Я ответила на все вопросы за тридцать минут.

1. (learn the words of the song / 3 hours)
   Я выучил слова песни за три часа.
   Я выучила слова песни за три часа.
2. (eat all the chocolate / 15 minutes)
   Я съел весь шоколад за пятнадцать минут.
   Я съела весь шоколад за пятнадцать минут.
3. (drink a bottle of mineral water / 4 minutes)
   Я выпил бутылку минеральной воды за четыре минуты.
   Я выпила бутылку минеральной воды за четыре минуты.
4. (sell your car / 2 days)
   Я продал машину за два дня.
   Я продала машину за два дня.
5. (make the pirozhki / 2 hours)
   Я сделал пирожки за два часа.
   Я сделала пирожки за два часа.
6. (become a well-known musician / 5 years)
   Я стал известным музыкантом за пять лет.
   Я стала известным музыкантом за пять лет.

ЧАСТЬ ЧЕТВЁРТАЯ – Им нас не понять!
РАБОТА В ЛАБОРАТОРИИ

ДИАЛОГИ

Диалог 1 Что вы можете мне посоветовать?　(Asking for advice)

AA. Follow along as you listen to the dialogue.

КИРСТИН.　　　Вам было трудно, когда вы в первый раз приехали в Москву?
БРЭНДИ.　　　　Очень трудно, потому что я плохо знала русский язык. Кроме
　　　　　　　　того, я мало знала о России, поэтому я делала ошибки не только в языке.
КИРСТИН.　　　.Я вас хорошо понимаю, потому что я здесь в первый раз и
　　　　　　　　мне очень трудно. Что вы мне можете посоветовать?
БРЭНДИ.　　　　Я советую вам смотреть русские фильмы и телепередачи,
　　　　　　　　слушать радио и разговаривать с друзьями только по-русски.

Now read and repeat aloud in the pause after each phrase. [...]
Now read the lines for Brandy aloud. [...]
Now read the lines for Kirstin aloud. Begin now. [...]

Диалог 2 Где вы работаете в Москве? (Getting acquainted)

ББ. Follow along as you listen to the dialogue.

ЛЕОНИД НИКИТИЧ.	Где вы работаете в Москве?
ДЖОРДЖ.	В телекомпании CNN.
ЛЕОНИД НИКИТИЧ.	Вы здесь с семьёй?
ДЖОРДЖ.	Да, моя жена работает в русско-американской фирме, а дети учатся в русской школе.
ЛЕОНИД НИКИТИЧ.	Ваши дети будут очень хорошо говорить по-русски.
ДЖОРДЖ.	Почему «будут»? Они уже прекрасно говорят.

Now read and repeat aloud in the pause after each phrase. [...]
Now read the lines for George aloud. [...]
Now read the lines for Leonid Nikitich aloud. Begin now. [...]

АУДИРОВАНИЕ

ВВ. You're at a party and you overhear various questions and statements with dates in them. Circle the year that you hear.

Образец: *You hear:* Я родился в тысяча девятьсот шестьдесят седьмом (1967) году.
            You see: The speaker was born
            You circle: **б**, in 1967.

Let's begin.

1. Мы приехали сюда в 1919-ом году.
2. Она умерла в 1850-ом году.
3. А что случилось в 1812-ом году?
4. Они уехали из Москвы в 1906-ом году.
5. Какой русский поэт родился в 1799-ом году?
6. Мы купили наш дом в 2000-ом году.

ГГ. If you heard that a woman was a certain height in centimeters, would you have an image of her as short, medium, or tall? Use the following scale for your orientation: Short: five feet two inches or one hundred sixty centimeters. Tall: five feet six inches or one hundred seventy centimeters. Heights midway between the two would be considered medium.

Образец: сто пятьдесят семь сантиметров (157 см)
            You mark: short

Let's begin.

1. 180 см.	4. 152 см.
2. 165 см.	5. 169 см.
3. 175 см.	

ДД. If you heard that a man was a certain height in centimeters, would you have an image of him as short, medium, or tall? Use the following scale for your orientation: Short: five feet six inches or one hundred seventy centimetersTall: five feet ten inches or one hundred eighty centimeters. Heights midway between the two would be condsidered medium.

Образец: сто семьдесят восемь сантиметров (178 см)
            You mark: medium

Let's begin.

1. 167 см.
2. 190 см.
3. 183 см.
4. 173 см.
5. 163 см.

EE. More practice with directions! People frequently give you directions on the telephone, telling you how to get here or there from your dorm, marked with an asterisk on the map. Follow along on the map below as you hear the directions and put the correct letter next to the destination. Metro stations are written in capital letters. Each step of the directions will be given twice before the next step is given. The compass points are also given on the map to help you.

Образец: Нужно проехать на метро две остановки — до станции Северная, потом сесть
                 на четырнадцатый автобус и проехать три остановки. Там на углу будет _____.
                 You mark: number four, drugstore

Let's begin.

а. Нужно сесть на сорок пятый троллейбус и выйти на последней
     остановке. Там на углу будет _____.
б. Около общежития остановка двенадцатого автобуса. Тебе нужно проехать три
     остановки и сесть на углу на седьмой троллейбус на север. Третья остановка твоя.
     Там будет _____.
в. Тебе надо сесть на двенадцатый автобус и выйти на третьей остановке. Там будет
     _____.
г. Тебе нужно сесть на сорок пятый троллейбус и выйти на последней остановке. Там
     ходит шестой автобус, надо сесть на него и проехать ещё одну остановку. Там будет
     _____.
д. Сначала надо ехать на метро до станции Северная. Там надо сесть на четырнадцатый
     автобус на север, выйти на следующей остановке и сесть на одиннадцатый
     троллейбус на восток. Тебе нужна вторая остановка. Там будет _____.

ГОВОРЕНИЕ

ЖЖ. How would you read the following years?

Образец: *You hear and see:*   (in nineteen thirty-six)
                 You say: в тясяча девятьсот тридцать шестом году

Let's begin.

1. (in 1983)
   в тысяча девятьсот восемьдесят третьем году
2. (in 1765)
   в тысяча семьсот шестьдесят пятом году
3. (in 1819)
   в тысяча восемьсот девятнадцатом году
4. (in 2001)
   в две тысячи первом году
5. (in 1847)
   в тысяча восемьсот сорок седьмом году
6. (in 1622)
   в тысяча шестьсот двадцать втором году
7. (in 1994)
   в тысяча девятьсот девяносто четвёртом году

33. Which of the various "class" words would you use to respond to the questions you hear?

Образец: *You hear:*   Куда ты идёшь?
          You see: (To classes.)
          You say: На занятия.

Let's begin.

1. Ты идёшь на занятия?
   Да, на семинар по русской истории.
2. Анна Николаевна, вы не знаете, где Лара Иванова? Она сегодня в школе?
   Да, она на уроке истории.
3. Ирина Васильевна, вы не читаете лекцию сейчас?
   Нет, сегодня занятий нет.
4. Ты уходишь? Куда?
   На урок музыки.
5. Вова, почему ты не в школе?
   Сегодня уроков нет.

ИИ. How would you say that these people have already gotten used to the indicated item?

Образец: *You hear and see:* (Lori / Moscow weather)
          You say: Лори уже привыкла к московской погоде.

Let's begin.

1. (Don / lectures in Russian)
   Дон уже привык к лекциям по-русски.
2. (Jeannette / Russian markets)
   Джаннет уже привыкла к русским рынкам.
3. (Betsy / our family's traditions)
   Бетси уже привыкла к традициям нашей семьи.
4. (Bob / caviar for dinner)
   Боб уже привык к икре на обед.
5. (Cindy / Russian TV broadcasts)
   Синди уже привыкла к русским телепередачам.
6. (Brad / the public transportation in Moscow)
   Брэд уже привык к городскому транспорту в Москве.
7. (Tom / the pay phones)
   Том уже привык к телефонам-автоматам.

УРОК 12 – СКОРЕЕ ВЫЗДОРАВЛИВАЙТЕ!

ЧАСТЬ ПЕРВАЯ – Домашний доктор
РАБОТА В ЛАБОРАТОРИИ

ДИАЛОГИ

Диалог 1 Что с тобой? (Inquiring about health)

АА. Follow along as you listen to the dialogue.

СОНЯ.   Что с тобой?
ВАСЯ.   Я заболел. Наверно, у меня грипп.
СОНЯ.   Ты мерил температуру?
ВАСЯ.   Утром температура была нормальная, а сейчас — не знаю.

СОНЯ.   Надо измерить температуру ещё раз. У тебя дома есть аспирин?
ВАСЯ.   Не уверен.
СОНЯ.   Хорошо. Иди домой, а я пойду в аптеку и куплю тебе аспирин.
ВАСЯ.   Большое спасибо.

Now read and repeat aloud in the pause after each phrase. [...]
Now read the lines for Vasya aloud. [...]
Now read the lines for Sonya aloud. Begin now. [...]

Диалог 2 Как ты себя чувствуешь сегодня? (Inquiring about health)

ББ. Follow along as you listen to the dialogue.

OЛЯ.   Алиса, где ты была вчера?
АЛИСА. Дома. Я простудилась и весь день сидела дома.
OЛЯ.   А ты не ходила к врачу?
АЛИСА. Да нет. Я принимала аспирин и пила чай с мёдом.
OЛЯ.   А как ты себя чувствуешь сегодня?
АЛИСА. Спасибо, намного лучше.

Now read and repeat aloud in the pause after each phrase. [...]
Now read the lines for Alisa aloud. [...]
Now read the lines for Olya aloud. Begin now. [...]

АУДИРОВАНИЕ

ВВ. Listen to the dialogue and check the correct answer to each question. The first one has been done for you. Replay the text as necessary to complete the exercise. Let's begin.

ЖЕНЩИНА. Что с вами?
МУЖЧИНА. Я, кажется, заболел. Наверно, у меня грипп.
ЖЕНЩИНА. Что у вас болит?
МУЖЧИНА. Голова болит, и спина, ноги.
ЖЕНЩИНА. Вы мерили температуру?
МУЖЧИНА. Утром температура была нормальная.
ЖЕНЩИНА. По-моему, температура у вас сейчас высокая.
          Обязательно принимайте аспирин.

ГГ. What would be the most appropriate response to the questions that you hear?

Образец: Чем ты обычно пишешь контрольную?
             You circle: **а**, ручкой

Let's begin.

1. С чем ты ешь суп?
2. Чем ты ешь пирожки?
3. Как Иван едет на работу?
4. С кем Даша поедет в Петербург?
5. Чем бабушка лечит тебя?
6. С кем Игорь познакомился на семинаре?

ДД. A group of Russians is visiting your town and you are relaying messages to the American group director about their aches and pains. Place the letter of the person's name in the blank next to the part of the body that ails him or her. Not all blanks will be used. The first one has been done for you.

You hear: a. У Жени болит голова.
You write: **a**, Женя, next to number one

Let's begin.

б. У Коли болит нога.
в. У Гали болит плечо.
г. У Нади болит рука.
д. У Кости болит ухо.
е. У Феди болят пальцы.
ж. У Сони болит горло.
з. У Димы болят глаза.

ГОВОРЕНИЕ

EE. How would you answer the following questions, all asking *with what* or *with whom* you do something?

Образец: *You hear:*   С чем ты пьёшь чай?
            You see: (With lemon.)
            You say: С лимоном.

Let's begin.

1. С чем ты пьёшь кофе?
   С молоком.
2. Чем ты лечишься?
   Аспирином.
3. С кем ты ходила в кино?
   С Андреем.
4. Чем ты лечишься, когда ты простужаешься?
   Чаем.
5. С кем ты познакомился на рынке?
   С группой туристов.
6. Чем ты обычно пишешь?
   Карандашом.
7. Чем ты ешь пиццу?
   Руками.

ЖЖ. Use the words in parentheses to tell what part of your body hurts. Remember to change **болит** to **болят** for plural nouns.

Образец: *You hear and see:* (nose)
            You say: У меня болит нос.

Let's begin.

1. (head)
   У меня болит голова.
2. (legs)
   У меня болят ноги.
3. (shoulder)
   У меня болит плечо.
4. (ear)
   У меня болит ухо.

5. (arms)
   У меня болят руки.
6. (fingers)
   У меня болят пальцы.
7. (throat)
   У меня болит горло.
8. (eye)
   У меня болит глаз.

33. Below is a series of statements. Read through the statements silently right now. You will then hear the speaker say something. Choose the appropriate response and read it aloud. Check off your answer as you hear the correct response read to you. The first one is marked for you.

Образец: *You hear:*   У тебя дома есть аспирин?
             You see and say: Нет, я сейчас пойду в аптеку.

Let's begin.

а. Что у тебя болит?
   Голова и спина.
б. [*A young man sneezes.*]
   Будь здоров.
в. Ты давно болеешь?
   Уже три дня.
г. [*A young woman sneezes.*]
   Будь здорова.
д. Как ты себя чувствуешь?
   Плохо. Я простудился.
е. Я заболел. Наверно, у меня грипп.
   Вы температуру мерили?

ЧАСТЬ ВТОРАЯ – Ура, у нас эпидемия!
РАБОТА В ЛАБОРАТОРИИ

ДИАЛОГИ

Диалог 1 Уроков не будет! (Making plans; asking permission)

AA. Follow along as you listen to the dialogue.

МАМА. Ваня, пора вставать, в школу опоздаешь.
ВАНЯ. Мама, сегодня уроков не будет!
МАМА. Это почему?
ВАНЯ. Потому что в городе эпидемия гриппа и школы закрыты!
МАМА. Откуда ты знаешь?
ВАНЯ. По телевизору сказали!
МАМА. Что же ты будешь делать целый день?
ВАНЯ. Пойду сначала в кино, а потом на каток. Можно?
МАМА. На каток можно, а в кино нельзя. Ты ведь сам сказал, что в городе эпидемия гриппа.

Now read and repeat aloud in the pause after each phrase. [...]
Now read the lines for Vanya aloud. [...]
Now read the lines for the mother aloud. Begin now. [...]

Диалог 2 Дай мне чаю с лимоном! (Requesting and offering assistance)

ББ. Follow along as you listen to the dialogue.

НАТАЛЬЯ ВИКТОРОВНА. Миша, отнеси, пожалуйста, эту записку в поликлинику.
           МИША. А кто у вас заболел?
НАТАЛЬЯ ВИКТОРОВНА. Николай Иванович. Вот видишь — я здесь написал его фамилию, имя и отчество, год рождения и наш адрес.
           МИША. Хорошо, сейчас побегу в поликлинику. Может, вам нужно что-нибудь купить?

НАТАЛЬЯ ВИКТОРОВНА.	Да, вот тебе деньги, купи мне десять лимонов, пожалуйста.
МИША.	Так много?
НАТАЛЬЯ ВИКТОРОВНА.	Николаю Ивановичу всё время хочется пить, он всё время просит: «Дай мне чаю с лимоном!»

Now read and repeat aloud in the pause after each phrase. [...]
Now read the lines for Misha aloud. [...]
Now read the lines for Natalya Viktorovna aloud. Begin now. [...]

АУДИРОВАНИЕ

ВВ. You are sick and a doctor is examining you. Read through the sentences below, then choose the most appropriate response to the doctor's questions and statements. The first one has been done for you.

You hear: а. Как вы себя чувствуете?
You mark: number four, Очень плохо.

Let's begin.

б. Что у вас болит?
в. Какая у вас температура?
г. Какие лекарства вы сейчас принимаете?
д. Принимайте это лекарство два раза в день.
е. Вы не должны выходить на улицу.

ГГ. All of your host family and neighbors have disappeared. Where did they all go? Listen to the sentences and match the person with the destination. The first one has been done for you.

You hear: 1. Серёжа пошёл в университет на лекцию.
You mark: ж, to a lecture at the university, next to Seryozha

Let's begin.

2. Леонид Антонович поехал в школу на работу.
3. Андрей Дмитриевич поехал в Петербург в командировку.
4. Лиза пошла в университет в столовую.
5. Инна Михайловна пошла в поликлинику на работу.
6. Люда поехала в Петербург на конференцию.
7. Паша пошёл в университет в лабораторию.
8. Светлана Викторовна поехала в библиотеку на работу.

ДД. Listen to the statements of your friends and rate (1, 2, 3) the people, things, or places that you see. Which one is bigger than which? Who is older than who? Use the number one to indicate the largest, oldest, etc. You will hear each statement twice.

Образец: Стёпа старше Игоря, а Федя старше Стёпы.
You mark: "one" next to Федя, "three" next to Игорь, and "two" next to Стёпа.

Let's begin.

а. Виктор Васильевич богаче Антона Михайловича, а Антон Михайлович богаче Сергея Дмитриевича.
б. Иркутск больше Костромы, а Петербург больше Иркутска.
в. «Мерседес» дороже, чем «БМВ», а «БМВ» дороже «фольксвагена».
г. Марина моложе Нины, а Нина моложе Зины.
д. Немецкий язык легче русского языка, а французский язык легче немецкого языка.

ГОВОРЕНИЕ

EE. You run around with a bunch of space cadets! They invite you to events, but sometimes they tell you only when the event begins and sometimes they tell you only when it ends. Write down the time they give you. Then ask for the time they have not given you.

Образец: *You hear:*   Сеанс начинается в четверть пятого.
             You see: (film showing)
             You write: 4.15
             You say: А когда кончается?

Let's begin.

1. Балет «Лебединое озеро» кончается в половине одиннадцатого.
   А когда начинается?
2. Пьеса «Три сестры» кончается без четверти десять.
   А когда начинается?
3. В это воскресенье концерт русской симфонической музыки начинается в полпятого.
   А когда кончается?
4. Телепередача о канадских гусях начинается в четверть шестого.
   А когда кончается?
5. Хоккейный матч кончается без четверти пять.
   А когда начинается?
6. Лекция о Пушкине кончается в четверть четвёртого.
   А когда начинается?

ЖЖ. Your classmates are making comparisons that you disagree with. Tell them that you think the opposite is true. Use the comparative construction without **чем**.

Образец: *You hear:*   По-моему, президент США богаче, чем Билл Гейтс.
             You see: (president of the USA; Bill Gates)
             You say: А по-моему, Билл Гейтс богаче президента США.

Let's begin.

1. По-моему, «форд» дороже, чем «кадиллак».
   А по-моему, «кадиллак» дороже «форда».
2. По-моему, математика легче, чем физика.
   А по-моему, физика легче математики.
3. По-моему, Бостон старше, чем Филадельфия.
   А по-моему, Филадельфия старше Бостона.
4. По-моему, Мел Гибсон моложе, чем Том Хэнкс.
   А по-моему, Том Хэнкс моложе Мела Гибсона.
5. По-моему, Хьюстон чище, чем Лос-Анджелес.
   А по-моему, Лос-Анджелес чище Хьюстона.
6. По-моему, Альберта больше, чем Саскачеван.
   А по-моему, Саскачеван больше Альберты.

33. How would you ask your hostess to give or pour you some of the following items?

Образец: *You hear and see:* (bread)
                You say: Положите мне хлеба, пожалуйста.

    or   *You hear and see:* (juice)
                You say: Налейте мне сока, пожалуйста.

Let's begin.

1. (potatoes)
   Положите мне картошки, пожалуйста.
2. (milk)
   Налейте мне молока, пожалуйста.
3. (cheese)
   Положите мне сыру, пожалуйста.
4. (tea)
   Налейте мне чаю, пожалуйста.
5. (mushrooms)
   Положите мне грибов, пожалуйста.
6. (mineral water)
   Налейте мне минеральной воды, пожалуйста.
7. (salad)
   Положите мне салата, пожалуйста.
8. (wine)
   Налейте мне вина, пожалуйста.

ИИ. Tell somebody where you are going using the cued destination.

Образец: *You see and hear:* (to a meeting at the institute)
           You say: Я иду в институт на собрание.

Let's begin.

1. (to a seminar at the university)
   Я иду в университет на семинар.
2. (on an excursion to Red Square)
   Я иду на Красную площадь на экскурсию.
3. (on a business trip to France)
   Я еду во Францию в командировку.
4. (to a conference in Japan)
   Я еду в Японию на конференцию.
5. (to Dr. Pavlov at the clinic)
   Я иду в поликлинику к доктору Павлову.
6. (to a basketball game at the gym)
   Я иду в спортзал на баскетбольный матч.

ЧАСТЬ ТРЕТЬЯ – Картошка — лучшее лекарство
РАБОТА В ЛАБОРАТОРИИ

ДИАЛОГИ

Диалог 1 У неё насморк и кашель (Discussing health and treatment)

AA. Follow along as you listen to the dialogue.

НИНА.   Алло?
ВЕРА.   Нина, привет, это я. Сергей сказал, что мама больна. Что с ней?
НИНА.   Она простудилась. Вчера она всё время чихала. У неё насморк, кашель, ей
         трудно говорить.
ВЕРА.   Вы вызвали врача?
НИНА.   Нет, она не хочет вызывать врача.
ВЕРА.   Тогда, лечите её домашними средствами: давайте ей куриный бульон и
         чай с лимоном. И пусть полежит день или два.

Now read and repeat aloud in the pause after each phrase. [...]
Now read the lines for Vera aloud. [...]
Now read the lines for Nina aloud. Begin now. [...]

Диалог 2 Не бойтесь, это не опасно (Discussing medicine)

ББ. Follow along as you listen to the dialogue.

ИРИНА ВАДИМОВНА.	Джордж, вы больны. Я буду вас лечить домашними средствами.
ДЖОРДЖ.	Спасибо, но я не хочу лечиться домашними средствами. Я боюсь.
ИРИНА ВАДИМОВНА.	Не бойтесь, это не опасно. Многие врачи считают, что молоко с содой и мёдом — очень хорошее средство от простуды.
ДЖОРДЖ.	Нет, я лучше буду принимать аспирин.
ИРИНА ВАДИМОВНА.	Когда у вас был насморк, вы принимали аспирин. Когда у вас был грипп, вы тоже принимали аспирин. Вы, наверно, думаете, что аспирн — это лекарство от всех болезней.
ДЖОРДЖ.	В Америке многие так думают.

Now read and repeat aloud in the pause after each phrase. [...]
Now read the lines for George aloud. [...]
Now read the lines for Irina Vadimovna aloud. Begin now. [...]

АУДИРОВАНИЕ

ВВ. Listen to the dialogue and circle the most appropriate answer to each question. The first one has been done for you. The dialogue will be read twice. Replay the text as necessary to complete the exercise. Let's begin.

— Александра Николаевна, мне сказали, что ваш муж болен. Что с ним?
— Да, он уже несколько дней плохо себя чувствует. Я уверена, что у него грипп. Сейчас ведь в городе эпидемия гриппа.
— А врач у него был?
— Ему врач не нужен, я его лечу сама. Домашними средствами. [*Чихает.*]
— Будьте здоровы.
— Спасибо. [*Опять чихает.*]
— Я вижу, лечить нужно не только вашего мужа, но и вас тоже.

ГГ. Mark the most appropriate continuation to the statements that you hear.

Образец:　　　Здесь очень жарко.
　　　　　　　You mark: number seven, Откройте окно, пожалуйста.

Let's begin.

а. Этот журнал такой плохой.
б. Тебе нравится букет?
в. Это наш секрет.
г. Ты не хочешь идти на занятия?
д. Тебе жарко?
е. Вы в России, не в Америке.

ДД. Listen carefully to the following statements, and determine whether or not the times listed below are correct. Write **в (верно)** for those that are correct, or **н (неверно)** for those that are wrong. The times will not necessarily be given to you in a logical order. The first one has been done for you.

1. Магазин электроники открывается в 6 часов утра, а закрывается в 10 часов вечера.
You mark: **н** for **неверно** next to **магазин электроники.**

Let's begin.

2. Аптека закрывается в 7 часов вечера, а открывается в 9 часов утра.
3. Почта закрывается в 8 часов утра, а открывается в 11 часов вечера.
4. Поликлиника открывается в 7 часов утра, а закрывается в 7 часов вечера.
5. Балет кончается в 8 часов вечера, а начинается в половине одиннадцатого вечера.
6. Лекция начинается без четверти двенадцать, а кончается в половине одиннадцатого утра.
7. Футбольный матч кончается в 5 часов дня, а начинается в 2 часа дня.
8. Сеанс начинается в 6 часов вечера, а кончается в четверть девятого.

ГОВОРЕНИЕ

ЕЕ. Change the positive commands that you hear to the negative. Remember that you will need to change the verb to the imperfective. (None of these will be warning commands.)

Образец: *You hear and see:* Напишите объявление.
           You say: Не пишите объявление.

Let's begin.

1. Позвони мне сегодня вечером.
   Не звони мне сегодня вечером.
2. Расскажите ему об этом.
   Не рассказывайте ему об этом.
3. Сними кроссовки.
   Не снимай кроссовки.
4. Закройте глаза.
   Не закрывайте глаза.
5. Купите гвоздики.
   Не покупайте гвоздики.
6. Спроси преподавателя об этом.
   Не спрашивай преподавателя об этом.

ЖЖ. How would you change the following active sentences to the passive voice?

Образец: *You hear and see:* Преподаватель начал лекцию в 3 часа.
           You say: Лекция началась в 3 часа.

Let's begin.

1. Учитель всегда кончает урок в 11 часов.
   Урок всегда кончается в 11 часов.
2. Мы открываем киоск в 7 часов утра.
   Киоск открывается в 7 часов утра.
3. Продавец там продаёт помидоры и грибы.
   Там продаются помидоры и грибы.
4. Я пишу эту букву не так.
   Эта буква пишется не так.
5. Почтальон вернул бандероль.
   Бандероль вернулась.
6. Мама лечит меня домашними средствами.
   Я лечусь домашними средствами.

33. All of your American classmates are sick, and your Russian host parents are asking you what is wrong with them. Answer with the cued response.

Образец: *You hear:* Что с Бобом?
            You see: (caught a bad cold)
            You say: Он сильно простудился.

Let's begin.

1. Что с Ванессой?
   У неё насморк.
2. Что с Марилин?
   Она всё время кашляет.
3. Что с Аланом?
   Он всё время чихает.

4. Что с Бонни?
   У неё высокая температура.
5. Что с Джефом?
   У него болит голова.
6. Что с Анитой?
   Она заболела гриппом.

ЧАСТЬ ЧЕТВЁРТАЯ – Какая у вас температура?
РАБОТА В ЛАБОРАТОРИИ

ДИАЛОГИ

Диалог 1 У меня всё болит (Telling symptoms to a doctor)

АА. Follow along as you listen to the dialogue.

ЖЕНЯ.	Доктор, я себя плохо чувствую.
ВРАЧ.	Что у вас болит?
ЖЕНЯ.	У меня болит голова, болит спина. У меня всё болит.
ВРАЧ.	Когда вы заболели?
ЖЕНЯ.	Я уже несколько дней плохо себя чувствую.
ВРАЧ.	Снимите рубашку, я вас послушаю.

Now read and repeat aloud in the pause after each phrase. [...]
Now read the lines for the doctor aloud. [...]
Now read the lines for Zhenya aloud. Begin now. [...]

Диалог 2 Вот вам рецепт (Getting a medical examination and prescription)

ББ. Follow along as you listen to the dialogue.

ВРАЧ.	Какая у вас температура?
ИННА.	Тридцать восемь и три.
ВРАЧ.	Я должна вас послушать. Снимите рубашку. Дышите. Ещё. Не дышите.
ИННА.	Что у меня, доктор?
ВРАЧ.	У вас грипп. Вот вам рецепт, принимайте по две таблетки три раза в день.
ИННА.	Спасибо, доктор.
ВРАЧ.	Кроме того, вам нужно много пить. Пейте молоко с содой и мёдом и чай с лимоном.

Now read and repeat aloud in the pause after each phrase. [...]
Now read the lines for Inna aloud. [...]
Now read the lines for the doctor aloud. Begin now. [...]

АУДИРОВАНИЕ

ВВ. What would be the most appropriate response to the sentences that you hear?

Образец: Ты часто ходишь в рестораны?
You mark: number six, Нет, к сожалению, у нас в городе не хватает хороших ресторанов.

Let's begin.

а. Женя никогда не смеётся.
б. Ты завтра поедешь на экскурсию?
в. Ты не хочешь купить этот стол?
г. Почему ты не поехала с группой в Ялту?
д. Ты часто ходишь в театр на пьесы Чехова?

ГГ. Read the statements below. Then listen to the conversation between the sick man and the doctor. Change the statements so that they correctly reflect the conversation. The first one has been done for you. You will hear the conversation twice. Let's begin.

ВРАЧ. У вас грипп, вам нельзя ходить на работу.
МУЖЧИНА. Доктор, мне нужен больничный лист.
ВРАЧ. Не беспокойтесь, я вам выпишу больничный на три дня. Через три дня придёте в поликлинику. Если вы будете хорошо себя чувствовать, я выпишу вас на работу.
МУЖЧИНА. Я уверен, что через четыре дня я буду чувствовать себя прекрасно!

Now listen to the conversation a second time. [...]

ДД. You will hear a series of questions asking you **Где? Куда?** or **Откуда?** Check the blank next to the correct response to each question.

Образец: Куда ты спешишь?
You mark: **в**, к дочери.

Let's begin.

1. Где ты была?
2. Откуда ты шёл вчера вечером?
3. Откуда ты сейчас идёшь?
4. Куда вы едете?
5. Откуда ты приехала вчера?
6. Где вы познакомились?
7. Где ты встречаешь Нину?
8. Куда ты шёл сегодня утром?

ГОВОРЕНИЕ

ЕЕ. Everything in your life depends on something else. If this, then that. Respond to the questions you hear with an appropriate *if* clause. Remember to use the future tense.

Образец: *You hear:* Вы купите новый компьютер?
You see: (If I have the money.)
You say: Если у меня будут деньги.

Let's begin.

1. Вы поедете на экскурсию в Сергиев Посад?
Если я буду хорошо себя чувствовать.

2. Вы приготовите пиццу на обед?
   Если Юля придёт в гости.
3. Вы завтра посмотрите новый американский фильм?
   Если будут билеты.
4. Вы пойдёте днём в парк?
   Если будет хорошая погода.
5. Вы пригласите Ваню на новоселье?
   Если я его увижу на концерте.
6. Вы будете петь песни сегодня вечером?
   Если Анди принесёт гитару.

ЖЖ. You just aren't in the mood to be told what to do. How would you suggest that others do the things that you are asked to do? Use perfective verbs.

Образец: *You hear:*   Купи мёда и сахара.
            You see: (Grisha)
            You say: Пусть Гриша купит мёда и сахара.

Let's begin.

1. Позвони преподавателю.
   Пусть Аля позвонит преподавателю.
2. Открой шампанское.
   Пусть Витя откроет шампанское.
3. Погуляй с собакой.
   Пусть Женя и Паша погуляют с собакой.
4. Познакомь меня с Кристиной.
   Пусть Эмили и Тина познакомят тебя с Кристиной.
5. Спой нам американскую песню.
   Пусть Джордж споёт вам американскую песню.
6. Принеси сегодня вечером кассеты.
   Пусть Брад и Джустин принесут кассеты.
7. Поставь цветы на стол.
   Пусть Келли поставит цветы на стол.

33. Everybody is arriving at your house at once from all different directions. Tell where they are coming from.

Образец: *You hear and see:* (Nikita; the instructor's)
            You say: Никита идёт от преподавателя.

Let's begin.

1. (Ira; clinic)
   Ира идёт из поликлиники.
2. (Kolya; soccer game)
   Коля идёт с футбольного матча.
3. (Alik and Lyonya; movie theater)
   Алик и Лёня идут из кинотеатра.
4. (Dasha and Vera; [female] friends)
   Даша и Вера идут от подруг.
5. (Kostya; train station)
   Костя идёт с вокзала.
6. (Olya; parents)
   Оля идёт от родителей.
7. (Petya and Rita; pharmacy)
   Петя и Рита идут из аптеки.
8. (Galya; concert)
   Галя идёт с концерта.

ЧАСТЬ ПЕРВАЯ – Один из самых лучших праздников
РАБОТА В ЛАБОРАТОРИИ

ДИАЛОГИ

Диалог 1 У вас в Америке празднуют...? (Discussing cultural differences)

АА. Follow along as you listen to the dialogue.

ИГОРЬ.	Скажи, Тед, у вас в Америке празднуют 8 Марта?
ТЕД.	Нет. У нас такого праздника нет.
ИГОРЬ.	Жаль. А у вас есть какой-нибудь праздник, когда дети поздравляют своих мам?
ТЕД.	Да, конечно. У нас есть праздник День Матери.
ИГОРЬ.	А когда его празднуют?
ТЕД.	Во второе воскресенье мая.

Now read and repeat aloud in the pause after each phrase. [...]
Now read the lines for Ted aloud. [...]
Now read the lines for Igor aloud. Begin now. [...]

Диалог 2 Подарите ей... (Asking for advice on presents)

ББ. Follow along as you listen to the dialogue.

МУЖЧИНА.	Мне очень нужен хороший подарок к 8-ому Марта. Что вы посоветуете?
ПРОДАВЩИЦА.	Для какого возраста?
МУЖЧИНА.	Как вам сказать? Я думаю, что ей лет сорок пять, но она говорит, что ей тридцать шесть.
ПРОДАВЩИЦА.	А что она говорила в прошлом году?
МУЖЧИНА.	Она говорила, что ей тридцать шесть. Она уже несколько лет говорит, что ей тридцать шесть.
ПРОДАВЩИЦА.	Тогда подарите ей вот эту книгу. У неё хорошее название: «Женщина без возраста».

Now read and repeat aloud in the pause after each phrase. [...]
Now read the lines for the sales clerk aloud. [...]
Now read the lines for the man aloud. Begin now. [...]

АУДИРОВАНИЕ

ВВ. You will hear a short conversation between two people. Listen carefully and answer the questions below. Replay the text as necessary to complete the exercise. Let's begin.

— Вы любите этот праздник — 8 Марта?
— Очень люблю. В этот день все мужчины говорят нам комплименты, а получать комплименты всегда приятно.
— А на работе вас поздравляют с Женским днём?
— Конечно. Даже наш бюрократ-директор дарит нам в этот день цветы.

ГГ. Your Russian classmate has been working on his family's genealogy. As he tells you some of his most recent birthdate entries, match the person with the corresponding date. Replay the text as necessary to complete the exercise. Let's begin.

Моя бабушка, мать мамы, родилась 2 апреля, 1943 года, а дедушка, её муж, родился 9 февраля, 1939 года. Тётя Дуся, сестра бабушки, родилась 2 февраля, 1941 года, а дядя Саша, её брат, родился 15 марта, 1938 года. Тётя Зина, сестра дедушки, родилась 8 августа, 1937 года, а дядя Алёша, его брат, родился 25 марта, 1941 года. Мать папы родилась 21 июля, 1937 года, а её муж, мой дедушка, родился 17 сентября, 1936 года. У бабушки нет ни братьев, ни сестёр. У дедушки один брат, дядя Ваня. Он родился 2 апреля, 1931 года.

ДД. Vera Nikolaevna is the director of a Russian school. Listen as she tells about the many things that she is doing or helping organize. Match the given times with the corresponding activities. The first one has been done for you. Replay the text as necessary to complete the exercise. Let's begin.

Я, как всегда, очень занята. В среду у нас общее собрание учителей, а в четверг я еду в Петербург на конференцию. Через неделю, в пятницу, будет вечер для школьников. 12 марта, через две недели, приезжает группа школьников из Германии. 15 марта мы с ними поедем во Владимир, а 20 марта поедем в Петербург. Они уедут 30 марта, а в начале апреля приедет четыре учителя из Италии на месяц. В мае наш десятый класс уезжает в Архангельск. А в июне, когда начнутся летние каникулы, я поеду в Америку в Чикаго, где я буду работать с группой американских учителей русского языка. А когда у меня самой будут каникулы — не знаю!

ГОВОРЕНИЕ

EE. How would you say when these famous people were born?

Образец: *You hear and see:* Александр Сергеевич Пушкин – seventeen hundred
                                              ninety-nine
                  You say: Александр Сергеевич Пушкин родился в тысяча семьсот
                                  девяносто девятом году.

Let's begin.

1. Екатерина II (Вторая) – seventeen twenty-nine
   Екатерина II (Вторая) родилась в 1729-ом году.
2. Джордж Вашингтон – 22nd of February, seventeen thirty-two
   Джордж Вашингтон родился 22-ого февраля 1732-ого года.
3. Флоренс Найтингейл – eighteen twenty
   Флоренс Найтингейл родилась в 1820-ом году.
4. Авраам Линкольн – 12th of February, eighteen o nine
   Авраам Линкольн родился 12-ого февраля 1809-ого года.
5. Фёдор Михайлович Достоевский – eighteen twenty-one
   Фёдор Михайлович Достоевский родился в 1821-ом году.
6. Лев Николаевич Толстой – 28th of August, eighteen twenty-eight
   Лев Николаевич Толстой родился 28-ого августа 1828-ого года.
7. Индира Ганди – nineteen seventeen
   Индира Ганди родилась в 1917-ом году.
8. Джон Кеннеди – 29th of May, nineteen seventeen
   Джон Кеннеди родился 29-ого мая 1917-ого года.

ЖЖ. Answer each of the questions you hear by saying that one of your sisters, brothers, friends, etc. does or did the activity in question.

Образец: *You hear:*   Твои братья были в России?
          You see: (one of your brothers)
          You say: Один из моих братьев был в России.

Let's begin.

1. Твои соседи — студенты?
   Один из моих соседей — студент.
2. Твои сёстры уже приехали?
   Одна из моих сестёр уже приехала.
3. Твои собаки большие?
   Одна из моих собак большая.
4. Ваши преподаватели хорошо читают лекции?
   Один из наших преподавателей хорошо читает лекции.
5. Твои друзья верят в чёрных кошек?
   Один из моих друзей верит в чёрных кошек.

33. Your Russian classmates often ask you when you did or are doing certain activities. How would you express the following times to them in Russian?

Образец: *You hear and see:* (On Tuesday, September 3rd.)
          You say: Во вторник, третьего сентября.

Let's begin.

1. (On Friday, November 20th.)
   в пятницу, 20-ого ноября.
2. (On May 27th, 1993.)
   27-ого мая 1993-его года.
3. (In August 1997.)
   В августе 1997-ого года.
4. (On January 1st, 2004.)
   1-ого января 2004-ого года.
5. (On Sunday, April 6th.)
   В воскресенье, 6-ого апреля.
6. (On July 4th, 1989.)
   4-ого июля 1989-ого года.
7. (In March 1975.)
   В марте 1975-ого года.
8. (On December 16th, 2001.)
   16-ого декабря 2001-ого года.

ЧАСТЬ ВТОРАЯ – Подарок к 8 Марта
РАБОТА В ЛАБОРАТОРИИ

ДИАЛОГИ

Диалог 1 Купить хороший подарок трудно (Planning for shopping)

AA. Follow along as you listen to the dialogue.

ОЛЕГ.   Пётр, ты уже купил подарок Кате к 8 (восьмому) Марта?
ПЁТР.   Ещё нет. Я никак не могу решить, что ей купить.
ОЛЕГ.   Но до 8 (восьмого) Марта остался только один день!

ПЁТР.　　Ничего. Сегодня я буду ходить по магазинам. Может быть, я куплю ей
　　　　французские духи. А завтра утром я пойду на рынок и куплю ей цветы.
ОЛЕГ.　　Но французские духи — это дорого!
ПЁТР.　　Но ведь это для Кати!

Now read and repeat aloud in the pause after each phrase. [...]
Now read the lines for Pyotr aloud. [...]
Now read the lines for Oleg aloud. Begin now. [...]

Диалог 2 Интересно, где Дима (Planning for shopping)

ББ. Follow along as you listen to the dialogue.

МАША.　　Интересно, где Дима. Он должен был вернуться два часа назад.
ВАЛЯ.　　Зачем он тебе нужен?
МАША.　　Он обещал, что мы будем ходить по магазинам сегодня днём. Мне надо
　　　　купить подарки.
ВАЛЯ.　　Вы будете стоять в очереди в каждом магазине, потому что сегодня все
　　　　покупают подарки к 8 (восьмому) Марта.

Now read and repeat aloud in the pause after each phrase. [...]
Now read the lines for Valya aloud. [...]
Now read the lines for Masha aloud. Begin now. [...]

АУДИРОВАНИЕ

ВВ. You will hear a short dialogue between a husband and a wife. Listen to it and answer the
questions below. Replay the text as necessary to complete the exercise. Let's begin.

МУЖ.　　Где ты была так долго?
ЖЕНА.　　Покупала Саше подарок.
МУЖ.　　Нашему сыну Саше? Не понимаю. Ведь 8 Марта — женский день!
ЖЕНА.　　Да не нашему Саше, а твоей сестре Саше! Это будет твой подарок твоей
　　　　сестре Саше. Ты ведь вспомнишь об этом только в последнюю минуту, когда
　　　　ничего уже купить нельзя.
МУЖ.　　А вот тут ты неправа. У меня уже есть подарки и для тебя, и для моей сестры.

ГГ. For each question that you hear, choose the most appropriate response. The first one has
been done for you.

а. Где вы были летом?
You mark: number five, Мы три недели ездили по Франции.

Let's begin.

б. Кому ты подарил кофейный набор?
в. Что тебе сейчас хочется делать?
г. Куда ты пойдёшь завтра утром?
д. Это ты Ане купила цветы?
е. Знаешь, Степан нашёл пятьдесят долларов.
ж. Ты пойдёшь к Ире на день рождения?

ДД. Marina has been snooping around to see what presents her friends will be receiving from
their boyfriends for March 8. As she tells her mother what she found out, match each girl's
name with the present she will be receiving. The first one has been done for you. Replay the
text as necessary to complete the exercise. Let's begin.

Мам, знаешь, к 8 марта Лёня купил Вике очень красивый чайный сервиз, а Миша купил Тане кофейный набор. Зина получит от Димы дорогие серьги. Она очень любит серьги. А Соня получит от Алика новый французский платок. У неё только один платок, и тот старый. Даша сказала, что ей хочется новый зонтик, и Серёжа ей купил очень красивый, импортный. А самое интересное — Боря купил Наташе кольцо. Интересно, что это значит?

ГОВОРЕНИЕ

EE. Answer the questions you hear with the cued response.

Образец: *You hear:*   Где твои родители?
             You see: (In the dining room.)
             You say: В столовой.

Let's begin.

1. Что ты пишешь?
   Курсовую.
2. Что ты закажешь? Бутылку вина?
   Нет, бутылку шампанского.
3. Кто это? Твоя подруга?
   Нет, просто знакомая.
4. На новоселье было много вкусных салатов.
   И много вкусных пирожных.
5. Твой друг Виктор — американец?
   Нет, он русский.

ЖЖ. Using the verbs **ходить** and **ездить**, how would you say that the given people or animals were walking or driving around the following locations for the given amount of time?

Образец: *You hear and see:* бабушка с внуком — целый час — улица
             You say: Бабушка с внуком целый час ходили по улице.

Let's begin.

1. мы — пять часов — магазины
   Мы пять часов ходили по магазинам.
2. собака — двадцать минут — кухня
   Собака двадцать минут ходила по кухне.
3. туристы — три часа — музей
   Туристы три часа ходили по музею.
4. мы с друзьями — два месяца — Европа
   Мы с друзьями два месяца ездили по Европе.
5. наша семья — три недели — Германия
   Наша семья три недели ездила по Германии.

33. Your classmate really doesn't know what she is talking about. For every situation she mentions, you disagree about the person involved.

Образец: *You hear:*   Вере хочется поехать в Америку.
             You see: (Алла)
             You say: Нет, не Вере, а Алле.

Let's begin.

1. Максиму интересно изучать английский язык.
   Нет, не Максиму, а Сергею.

2. Марине Ивановне нужен новый зонтик.
   Нет, не Марине Ивановне, а Наталье Борисовне.
3. Василию Дмитриевичу очень нравится Лос-Анджелес.
   Нет, не Василию Дмитриевичу, а Анатолию Владимировичу.
4. Коле очень трудно понимать по-французски.
   Нет, не Коле, а Мише.
5. Ирине нельзя пить вино и пиво дома.
   Нет, не Ирине, а Галине.

ЧАСТЬ ТРЕТЬЯ – Подарок купить всегда нелегко
РАБОТА В ЛАБОРАТОРИИ

ДИАЛОГИ

Диалог 1 Цветы можно купить возле метро
          (Asking for advice about where to buy something)

АА. Follow along as you listen to the dialogue.

АЛЁША.	Какие красивые цветы! Где ты их купил?
ТОЛЯ.	На рынке.
АЛЁША.	Мне тоже нужно купить цветы, но я не могу поехать на рынок. Нет времени. Что делать?
ТОЛЯ.	Цветы можно купить возле метро. Возле нашей станции метро всегда продают цветы. Но это дорого — дороже, чем на рынке.
АЛЁША.	Зато быстро.

Now read and repeat aloud in the pause after each phrase. [...]
Now read the lines for Tolya aloud. [...]
Now read the lines for Alyosha aloud. Begin now. [...]

Диалог 2 Это тебе цветы (Extending holiday greetings)

ББ. Follow along as you listen to the dialogue.

СЕРЁЖА.	Здравствуй, Галя! С праздником! Это тебе цветы.
ГАЛЯ.	Спасибо, Серёжа. Какие красивые! Я их сразу поставлю в воду. Если бы я знала, что ты придёшь, я приготовила бы торт. Проходи в кухню, мы будем пить чай.
СЕРЁЖА.	Спасибо, с удовольствием. Слушай, Галя, тебе нравятся итальянские фильмы?
ГАЛЯ.	Очень. А что?
СЕРЁЖА.	В «России» идёт новый итальянский фильм. Я очень хочу посмотреть его. Хочешь пойти?
ГАЛЯ.	С удовольствием. Когда ты хочешь пойти? К сожалению, я сегодня и завтра очень занята.
СЕРЁЖА.	Может быть, в следующую субботу?
ГАЛЯ.	Отлично!

Now read and repeat aloud in the pause after each phrase. [...]
Now read the lines for Galya aloud. [...]
Now read the lines for Seryozha aloud. Begin now. [...]

АУДИРОВАНИЕ

ВВ. You will hear a short dialogue. Listen to it and answer the questions below. Replay the dialogue as necessary to complete the exercise. Let's begin.

ЖЕНЩИНА.   Почему ты такой грустный?
МУЖЧИНА.   Мне нужно купить маме и сестре подарки к 8 Марта. Вчера я целый день ходил по магазинам. Купил хороший подарок маме, но не нашёл ничего хорошего для сестры.
ЖЕНЩИНА.   Но это было вчера, а ты грустный сегодня.
МУЖЧИНА.   Сегодня я тоже целый день хожу по магазинам, но мне не везёт. Сейчас я иду в магазин подарков. Может быть, я там найду что-нибудь хорошее для сестры.
ЖЕНЩИНА.   У меня идея! Подари ей подписку на журнал «Всё для женщин».
МУЖЧИНА.   Отличная идея!

ГГ. Your friends have come to you for help. Choose the most appropriate advice for each of them from the list below.

Образец: Скоро будет 8 Марта. Что мне купить Гале?
            You mark: number five, Тебе надо купить ей шоколад и цветы. Она очень любит маргаритки.

Let's begin.

а. Я пойду к Тамаре Ивановне в гости. Что мне принести?
б. Я заболел, у меня болит голова, спина. Что мне делать?
в. Я забыл, какое у нас домашнее задание на завтра по физике. Что мне делать?
г. Завтра мы поедем к дедушке на день рождения. Что мне подарить ему?
д. Мне надо приготовить пиццу на новоселье. Что мне делать?
е. Погода сегодня очень плохая. Не будет футбольного матча. Что мне делать?

ДД. You will hear a series of *if* clauses, for example: "If I have the time"; "If I spoke Italian." For each clause that you hear, choose the most appropriate completion.

Образец: Если Валерий мне подарит теннисную ракетку,
            You mark: number five, мы с ним будем играть в теннис каждое утро.
Let's begin.

а. Если бы у меня был хороший зонтик,
б. Если у меня будут деньги,
в. Если бы у нас было больше времени,
г. Если в городе мы увидим Татьяну Ивановну,
д. Если бы я лучше знал математику,
е. Если бы у нас были осенние каникулы,

ГОВОРЕНИЕ

ЕЕ. Don't many of us often wish we had something we don't? How would you express that about each of the given items?

Образец: *You hear and see:*   (a greeting card)
            You say: Если бы у меня была поздравительная открытка!

Let's begin.

1. (a new tennis racket)
   Если бы у меня была новая теннисная ракетка!

2. (a gold ring)
   Если бы у меня было золотое кольцо!
3. (a good coffee set)
   Если бы у меня был хороший кофейный набор!
4. (a credit card)
   Если бы у меня была кредитная карточка!
5. (Russian candy)
   Если бы у меня были русские конфеты!
6. (a new teapot)
   Если бы у меня был новый чайник!

ЖЖ. Use <Dative case + infinitive> to express the following questions. All but the first two will use the perfective aspect of the verb.

Образец: *You hear and see:*   (What should I buy?)
             You say: Что мне купить?

Let's begin.

1. (What should I do?)   5. (Where should we go?)
   Что мне делать?   Куда нам поехать?
2. (Why should I worry?)   6. (What should I prepare?)
   Зачем мне волноваться?   Что мне приготовить?
3. (Where should we eat lunch?) 7. (What should we bring?)
   Где нам пообедать?   Что нам принести?
4. (What should I say?)
   Что мне сказать?

33. How would you say that the given person often uses the indicated item?

Образец: *You hear:*   моя сестра
             You see: (makeup)
             You say: Моя сестра часто пользуется косметикой.

Let's begin.

1. мои родители
   Мои родители часто пользуются автобусом.
2. мой брат
   Мой брат часто пользуется стиральной машиной.
3. студенты
   Студенты часто пользуются библиотекой.
4. наш профессор экономики
   Наш профессор экономики часто пользуется очками.
5. немцы
   Немцы часто пользуются зонтиком.
6. мы
   Мы часто пользуемся городским транспортом.

ЧАСТЬ ЧЕТВЁРТАЯ – С праздником!
РАБОТА В ЛАБОРАТОРИИ

ДИАЛОГИ

Диалог 1 С 8 (восьмым) Марта! (Giving holiday greetings)

AA. Follow along as you listen to the dialogue.

ИВАН ПЕТРОВИЧ.	Здравствуйте, Светлана! Поздравляю вас с 8 (восьмым) Марта и с днём рождения!
СВЕТЛАНА.	Спасибо, Иван Петрович! Вы всегда так внимательны! Какие чудесные розы! Сейчас я поставлю их в воду.
ИВАН ПЕТРОВИЧ.	А это вам подарки.
СВЕТЛАНА.	Спасибо, но зачем же два подарка?
ИВАН ПЕТРОВИЧ.	Один — ко дню рождения и один — к 8 (восьмому) Марта.
СВЕТЛАНА.	Два подарка — это много.
ИВАН ПЕТРОВИЧ.	Нет, для самой лучшей секретарши в мире это совсем немного!

Now read and repeat aloud in the pause after each phrase. [...]
Now read the lines for Svetlana aloud. [...]
Now read the lines for Ivan Petrovich aloud. Begin now. [...]

Диалог 2 Мне нужен ваш совет (Asking for advice)

ББ. Follow along as you listen to the dialogue.

ПЁТР СТЕПАНОВИЧ.	Вера Павловна, спасибо вам за совет. Я купил Нине фотоальбом «Америка», она была очень рада.
ВЕРА ПАВЛОВНА.	И я рада, что ей альбом понравился. Пётр Степанович, а мне нужен ваш совет. У меня будут гости из Америки, журналисты. Мне хочется подарить им что-нибудь на память. Как вы думаете, что им может понравиться?
ПЁТР СТЕПАНОВИЧ.	Подарите им что-нибудь русское. Я даже знаю что! Я видел в Доме книги красивые карты старой Москвы! Это замечательный подарок, особенно для журналистов! Ваши журналисты будут смотреть на них и вспоминать Россию и вас.
ВЕРА ПАВЛОВНА.	Спасибо, Пётр Степанович. Прекрасный совет!

Now read and repeat aloud in the pause after each phrase. [...]
Now read the lines for Vera Pavlovna aloud. [...]
Now read the lines for Pyotr Stepanovich aloud. Begin now. [...]

АУДИРОВАНИЕ

ВВ. You will hear a conversation between two boys and their uncle who has just arrived at their home. Listen to the conversation and answer the following questions. Replay the dialogue as necessary to complete the exercise. Let's begin.

ДЯДЯ.	Где мама? Я хочу поздравить её с 8 Марта.
МАЛЬЧИК А.	Она на кухне. Заканчивает готовить закуски.
ДЯДЯ.	То есть как это — готовить закуски? Как это — мама на кухне в Женский день? Мальчики, как вам не стыдно! Вы ведь обещали всё приготовить!
МАЛЬЧИК Б.	Мы приготовили...
МАЛЬЧИК А.	Мы приготовили салат и паштет, но их нельзя есть...
МАЛЬЧИК Б.	Невкусно...
МАЛЬЧИК А.	А скоро придут гости.
ДЯДЯ.	В прошлом году было так же. Когда же вы научитесь готовить?

ГГ. Vanya is feeling a bit mischievous as he sets the table for his mother. Which picture best represents where he has placed things? The first one has been done for you.

Образец: Он поставил вилку в бокал.
You mark: letter **ж**

Let's begin.

1. Он положил нож на чашку.
2. Он повесил салфетку на бокал.
3. Он поставил бокал на тарелку.
4. Он положил вилку на нож.
5. Он поставил нож в бокал, а на нож повесил салфетку.
6. Он поставил чашку на тарелку, а на чашку положил вилку.
7. Он положил нож на тарелку, а на нож поставил бокал.

ДД. Which of the following statements uses the most appropriate neutral word order for the questions that you hear?

Образец: Где вы жили в прошлом году?
You mark: В прошлом году мы жили в Германии.

Let's begin.

1. Кто получил такой красивый чайный сервиз?
2. Что ты подарил Маше к 8 Марта?
3. Куда мне поставить чайник?
4. Что ты сказала, кто слишком много пользуется косметикой?
5. Ты послал бандероль Жене или Саше?
6. Когда ты пойдёшь на рынок?

ГОВОРЕНИЕ

ЕЕ. Larisa has just been shopping and is comparing what she bought with the things her friend bought. How would she say that she bought the same things?

Образец: *You hear and see:* (perfume)
You say: Я купила такие же духи.

Let's begin.

1. (ring)
   Я купила такое же кольцо.
2. (makeup)
   Я купила такую же косметику.
3. (kerchief)
   Я купила такой же платок.
4. (earrings)
   Я купила такие же серьги.
5. (greeting card)
   Я купила такую же поздравительную открытку.
6. (coffee set)
   Я купила такой же кофейный набор.
7. (gloves)
   Я купила такие же перчатки.

ЖЖ. A Russian student just spent two weeks at your university. She is compiling some information about the American students she met through you. Answer her questions with the cued information. Remember that new or important information comes at the end of the sentence.

Образец: *You hear:* Кто родился в апреле?
You see: (Spencer)
You say: В апреле родился Спенсер.

Let's begin.

1. Откуда Алекс?
   Алекс из Денвера.
2. Кто из Сан-Антонио?
   Из Сан-Антонио Молли.
3. Когда день рождения Джона?
   День рождения Джона 12 мая.
4. Кому 19 лет?
   19 лет Марку.

5. Сколько лет Мариссе?
   Мариссе 20 лет.
6. Что изучает Тодд?
   Тодд изучает немецкий язык.
7. Кто изучает физику?
   Физику изучают Рашель и Николь.

33. How would you say that your friends did the following things, one after the other?

Образец: *You hear and see:* (John / did homework / read the newspaper / called the friend)
You say: Джон сделал домашнее задание, прочитал газету, а потом позвонил другу.

Let's begin.

1. (Tim and Bob / fixed dinner / ate dinner / drank a cup of tea)
   Тим и Боб приготовили обед, пообедали, а потом выпили чашку чая.
2. (Donna / listened to music / watched TV / read the magazine «Итоги»)
   Донна послушала музыку, посмотрела телевизор, а потом прочитала журнал «Итоги».
3. (Sara and Tina / got up / ate breakfast / left for classes)
   Сара и Тина встали, позавтракали, а потом пошли на занятия.
4. (Jim / put the mail on the table / put the umbrella in the corner / hung up his jacket)
   Джим положил почту на стол, поставил зонтик в угол, а потом повесил куртку.
5. (Lara / went up to the instructor / asked him a question / left for home)
   Лара подошла к преподавателю, задала ему вопрос, а потом пошла домой.

УРОК 14 – МЫ ИДЁМ В БОЛЬШОЙ ТЕАТР!

ЧАСТЬ ПЕРВАЯ – Я оперу не очень люблю; Договорились!
РАБОТА В ЛАБОРАТОРИИ

ДИАЛОГИ

Диалог 1 У меня есть билеты на хоккей... (Discussing preferences: sports)

AA. Follow along as you listen to the dialogue.

ТОЛЯ. У меня есть билеты на хоккей на эту субботу. Хочешь пойти?
ВИТЯ. Спасибо, но я не очень люблю хоккей.
ТОЛЯ. А какие виды спорта ты любишь?
ВИТЯ. Гимнастику и теннис.
ТОЛЯ. Но ведь смотреть хоккей намного интереснее, чем смотреть гимнастику.
ВИТЯ. О вкусах не спорят!

Now read and repeat aloud in the pause after each phrase. [...]
Now read the lines for Vitya aloud. [...]
Now read the lines for Tolya aloud. Begin now. [...]

Диалог 2 Не знаю, что делать (Giving advice on dating)

ББ. Follow along as you listen to the dialogue.

МИТЯ.   Не знаю, что делать. Я пригласил Ирину на футбольный матч, но она сказала, что футбол её не интересует.
ВАНЯ.   Пригласи её на балет или в театр.
МИТЯ.   Вчера я пригласил её в театр, но она сказала, что её и театр не интересует.
ВАНЯ.   Всё понятно. Можно дать тебе совет? Пригласи не Ирину, а Катю. Мне кажется, что её интересует всё, что интересует тебя.

Now read and repeat aloud in the pause after each phrase. [...]
Now read the lines for Vanya aloud. [...]
Now read the lines for Mitya aloud. Begin now. [...]

АУДИРОВАНИЕ

ВВ. You will hear two people discussing the performing arts. Listen carefully to the dialogue and answer the questions about it. Replay the text as necessary to complete the exercise. Let's begin.

МУЖЧИНА.   Вы любите оперу?
ЖЕНЩИНА.   Не очень. Я предпочитаю балет.
МУЖЧИНА.   А вы когда-нибудь смотрели оперу «Кармен»?
ЖЕНЩИНА.   Только по телевизору.
МУЖЧИНА.   Приглашаю вас в Большой театр на «Кармен». После этого вы обязательно полюбите оперу!

ГГ. Circle the letter of the correct response to the questions you hear.

Образец: Ты интересуешься оперой?
                   You circle: **в**, Нет, балетом.

Let's begin.

1. У кого ты взял интервью?
2. Какой вид спорта тебя интересует?
3. За чем ты заехал в магазин?
4. Что ты читала летом?
5. Какой музыкой ты интересуешься?
6. Ты долго занимался вчера?

ДД. You and your friends have tickets for a show at the Bolshoi Theater for Saturday evening. Since you waited till the last minute to buy the tickets, most of your seats will not be together. Write down where the seats are located. Then identify the only three who will be sitting together. The first one has been done for you.

1. Я сижу в десятом ряду, место 37.
You write: Row ten, seat thirty-seven

Let's begin.

2. А я в пятнадцатом ряду, место 28.
3. У меня двадцатый ряд, место 35.
4. У меня двадцать четвёртый ряд, место 19.
5. А у меня пятнадцатый ряд, место 30.
6. Я буду в двадцать девятом ряду, место 9.
7. Я буду в пятнадцатом ряду, место 29.
8. А у меня седьмой ряд, место 12.

ГОВОРЕНИЕ

EE. Change the sentences you hear to express interest with the verb <интересоваться + Instrumental>.

Образец: *You hear:*   Виктора интересует плавание.
            You see: (swimming)
            You say: Виктор интересуется плаванием.

Let's begin.

1. Вику интересует гимнастика.
   Вика интересуется гимнастикой.
2. Меня интересует хоккей.
   Я интересуюсь хоккеем.
3. Сергея интересует рок-музыка.
   Сергей интересуется рок-музыкой.
4. Валю интересует балет.
   Валя интересуется балетом.
5. Нас интересует аэробика.
   Мы интересуемся аэробикой.
6. Бориса интересуют шахматы.
   Борис интересуется шахматами.
7. Марину и Таню интересует опера.
   Марина и Таня интересуются оперой.
8. Максима интересует бейсбол.
   Максим интересуется бейсболом.

ЖЖ. A Russian classmate is asking about you and the members of your study-abroad group. In order to avoid worrying about changing endings on individual names, you decide to focus on one word only. Answer all the questions with a form of **все** (*everybody, all*). Sentences beginning with a preposition will keep the preposition in the short answer.

Образец: *You hear and see:* У каких музыкантов ты хочешь взять интервью?
            You say: У всех.

Let's begin.

1. Кому в группе нравятся русские фильмы?
   Всем.
2. Каких футболистов в команде знает Майк?
   Всех.
3. Кто в группе любит пиццу?
   Все.
4. Кого Ваня приглашает на день рождения?
   Всех.
5. С кем Бобби любит разговаривать?
   Со всеми.
6. На сколько вопросов ты ответишь «все»?
   На все!

33. How would you say that the given person will manage to do the following things?

Образец: *You hear and see:*   (Bob; change clothes before the performance)
            You say: Боб успеет переодеться перед спектаклем.

Let's begin.

1. (the children; eat lunch before the soccer game)
   Дети успеют пообедать перед футбольным матчем.
2. (we; get to the lecture on time)
   Мы успеем на лекцию.
3. (I; finish the term paper this evening)
   Я успею закончить курсовую сегодня вечером.
4. (Volodya; watch a movie this week)
   Володя успеет посмотреть фильм на этой неделе.
5. (Vera; call her parents on Sunday)
   Вера успеет позвонить родителям в воскресенье.
6. (Marissa; do everything)
   Марисса всё успеет.
7. (Trent; do nothing)
   Трэнт ничего не успеет.

ЧАСТЬ ВТОРАЯ – Мир тесен!
РАБОТА В ЛАБОРАТОРИИ

ДИАЛОГИ

Диалог 1 Давай закажем... (Selecting something from a menu)

AA. Follow along as you listen to the dialogue.

ВИКА.   Какой красивый ресторан! Я в таком ресторане первый раз.
ГРИША.   Я тут один раз был, и мне понравилось.
ВИКА.   Посмотри, тут одних салатов больше двадцати! Что ты закажешь?
ГРИША.   Салат «Летняя фантазия».
ВИКА.   А что, если окажется, что это обычный салат из огурцов?
ГРИША.   Ты, как всегда, права: это действительно обычный салат из огурцов.

Now read and repeat aloud in the pause after each phrase. [...]
Now read the lines for Grisha aloud. [...]
Now read the lines for Vika aloud. Begin now. [...]

Диалог 2 Слишком много калорий! (Selecting something from a menu)

ББ. Follow along as you listen to the dialogue.

АНТОН.   Ты будешь заказывать десерт?
ЛАРА.   Наверно, нет. Слишком много калорий. А что?
АНТОН.   В этом ресторане очень вкусный «наполеон». Ты так редко ешь сладкое. В
          конце концов, ты имеешь право раз в год съесть десерт, в котором много
          калорий. Может быть, закажешь?
ЛАРА.   Хорошо, но потом давай пойдём домой пешком.
АНТОН.   Но это очень далеко — километров десять!
ЛАРА.   Очень хорошо! Значит, у меня будет право съесть десерт и завтра.

Now read and repeat aloud in the pause after each phrase. [...]
Now read the lines for Lara aloud. [...]
Now read the lines for Anton aloud. Begin now. [...]

АУДИРОВАНИЕ

ВВ. You're waiting tables in a Russian restaurant. Put an X by all of the items on the menu that the customers order. The first one has been marked for you. Replay the dialogue as necessary to complete the exercise. Let's begin.

ОФИЦИАНТ.	Вы уже выбрали, что будете заказывать?
ОН.	Да, мы уже выбрали.
ОФИЦИАНТ.	Слушаю.
ОН.	Сначала минеральную воду. Одну бутылку. И вино. Бутылку «Зинфанделя», пожалуйста.
ОФИЦИАНТ.	Белый «Зинфандель» или красный?
ОН.	Красный.
ОФИЦИАНТ.	Что из закусок?
ОН.	Да — салат «Весна» и... Какую икру ты хочешь?
ОНА.	Красную.
ОН.	...и одну порцию красной икры. Ты решила, что ещё?
ОНА.	Котлету по-киевски.
ОН.	Котлету по-киевски, а мне бифштекс по-польски, пожалуйста. А десерт мы закажем потом.

ГГ. Marina has planned a big Russian-American cooking party, but several people who were supposed to bring some of the key ingredients now can't come. She calls other students who offer to stop by their friends' homes on the way and pick up these items. Listen as the students tell her to whose house they are going (middle column) and for which ingredient (right-hand column). Place the corresponding letters next to the name of the person who volunteers to go there. The names to the left are in the order that the people speak. The first one has been done for you.

1. Я заеду к Соне за грибами.
You write: **е**, Sonya, and **дд**, mushrooms

Let's begin.

2. А я зайду к Ларе за уксусом.
3. Я зайду к Линде за сыром.
4. А я к Тейлору за ветчиной.
5. Я заеду к Анджеле за картошкой.
6. А я заеду к Тому за луком.
7. Я зайду к Лёне за яйцами.
8. А я к Мите за майонезом.

ДД. Using the menu in Exercise **ВВ**, decide which food items you would order in response to each question you hear. Write your choices in the spaces provided. Let's begin.

1. Что ты выбрал на первое?
2. Что ты хочешь на десерт?
3. Что ты будешь заказывать на второе?
4. Какие закуски ты хочешь?
5. Что ты будешь пить?

ГОВОРЕНИЕ

EE. Below is a list of locations and people or items that need to be picked up from there. How would you say you're going to stop by to get them? The pictured person or car indicates whether you should use **зайти** or **заехать**.

Образец: *You hear:*   аптека / аспирин
                   You see: (person / аптека / аспирин)
                   You say: Я зайду в аптеку за аспирином.

1. почта / конверты
   Я заеду на почту за конвертами.
2. школа / дочка
   Я зайду в школу за дочкой.
3. банк / деньги
   Я зайду в банк за деньгами.
4. парк / дети
   Я зайду в парк за детьми.
5. тётя Даша / фотографии
   Я заеду к тёте Даше за фотографиями.
6. магазин / масло и минеральная вода
   Я заеду в магазин за маслом и минеральной водой.
7. друг / компакт-диск американской рок-группы
   Я заеду к другу за компакт-диском американской рок-группы.

ЖЖ. How would you say that you are going to order a table or a cab for the following number of people or times?

Образец: *You hear and see:* (table for four)
              You say: Я закажу столик на четверых.

Let's begin.

1. (table for seven o'clock)
   Я закажу столик на семь часов.
2. (taxi for four in the morning)
   Я закажу такси на четыре часа утра.
3. (table for three)
   Я закажу столик на троих.
4. (taxi for half-past one)
   Я закажу такси на полвторого.
5. (table for two)
   Я закажу столик на двоих.
6. (taxi for nine in the morning)
   Я закажу такси на девять часов утра.
7. (table for half-past five)
   Я закажу столик на половину шестого.

33. How would you say that you got a certain number of tickets to a musical performance, sports event, or movie?

Образец: *You hear and see:*   (three tickets to the soccer game)
              You say: Я достал три билета на футбольный матч.

Let's begin.

1. (two tickets to *Romeo and Juliet*)
   Я достала два билета на «Ромео и Джульетту».

2. (four tickets to the hockey game)
   Я достал четыре билета на хоккейный матч.
3. (five tickets to the ballet "Carmen")
   Я достала пять билетов на балет «Кармен».
4. (ten tickets to the basketball game)
   Я достал десять билетов на баскетбольный матч.
5. (seven tickets to the conservatory)
   Я достала семь билетов в консерваторию.
6. (six tickets to Spielberg's new film)
   Я достал шесть билетов на новый фильм Спилберга.
7. (only one ticket to a rock concert)
   Я достала только один билет на рок-концерт.

ЧАСТЬ ТРЕТЬЯ – Век живи, век учись
РАБОТА В ЛАБОРАТОРИИ

ДИАЛОГИ

Диалог 1 Ты ведь по субботам не ходишь в университет
(Asking where someone is going)

АА. Follow along as you listen to the dialogue.

ВЕРА.	Марта, куда ты идёшь?
МАРТА.	Сейчас я иду в магазин. Потом я вернусь домой, переоденусь и пойду на занятия.
ВЕРА.	Но сегодня суббота. Ты ведь по субботам обычно не ходишь в университет.
МАРТА.	Я не сказала, что пойду в университет. Я сказала, что пойду на занятия.
ВЕРА.	Не понимаю.
МАРТА.	Ну почему ты не понимаешь? По субботам я хожу на занятия по английскому языку.

Now read and repeat aloud in the pause after each phrase. [...]
Now read the lines for Marta aloud. [...]
Now read the lines for Vera aloud. Begin now. [...]

Диалог 2 Хочешь пойти? (Arranging a theater date)

ББ. Follow along as you listen to the dialogue.

АЛЁША.	Ты часто ходишь в театр?
СОНЯ.	Не очень. Последний раз я была в театре год назад. А почему ты спрашиваешь?
АЛЁША.	Моя сестра работает в театре «Современник». Она дала мне билеты на «Гамлета» на завтра. Хочешь пойти?
СОНЯ.	Спасибо, с удовольствием. Все говорят, что это очень хороший спектакль.
АЛЁША.	Встретимся около театра за полчаса до начала, хорошо?
СОНЯ.	Хорошо. У главного входа.

Now read and repeat aloud in the pause after each phrase. [...]
Now read the lines for Sonya aloud. [...]
Now read the lines for Alyosha aloud. Begin now. [...]

АУДИРОВАНИЕ

BB. You will hear a dialogue between two women discussing their plans to go to the theater. Listen to the dialogue and answer the questions. Replay the text as necessary to complete the exercise. Let's begin.

— Вы идёте завтра в Большой театр?
— Да.
— Мы тоже. Давайте встретимся там в антракте.
— Хорошо. Где вы сидите?
— В амфитеатре. А вы?
— Мы на балконе. Скажите, какие у вас места, и мы в начале антракта на йдём вас.
— Девятнадцатый ряд, десятое и одиннадцатое места.

ГГ. Такие некультурные американцы! Nick and Sandi went to the opera, but it was their first time, and they did everything in a strange order. Listen to what they did and number the sentences below in the order that they did them. The first one has been done for you. Replay the text as necessary to complete the exercise. Let's begin.

Ник и Санди приехали в театр и купили лишние билеты у кого-то у входа. Они вместе погуляли в фойе театра, но ни Ник, ни Санди не могли вспомнить, как называется опера и кто композитор. Поэтому Санди пошла купить программку. Они потом хотели сесть на свои места в амфитеатре, но какая-то женщина им сказала, что сначала надо сдать пальто в гардероб. Они сдали пальто и сели на места. Ник заметил, что у соседа в их ряду был бинокль. Он спросил его, где их можно взять, и пошёл в гардероб. Ник только вернулся, как началась увертюра.

ДД. You called on the phone to talk to a Russian classmate and were told that the person *went* someplace—to the library, the train station, St. Petersburg, etc. What might you infer from the Russian person's statement? Has your classmate already returned from this place or probably not?

Образец: Вера сегодня утром пошла в библиотеку.
              You mark: has left for there, but probably has not returned

Let's begin.

1. Дима в субботу поехал в Сибирь, в Иркутск.
2. На этой неделе Света ездила к бабушке в Новгород.
3. Настя сегодня утром ходила на рынок за продуктами.
4. Женя сегодня днём пошёл на стадион, на футбольный матч.
5. После обеда Таня ходила на занятия, на урок французского языка.
6. Сегодня утром Федя ездил на вокзал купить билеты.

ГОВОРЕНИЕ

EE. Would you use a multidirectional (**ходить [пешком], ездить**) or unidirectional (**идти, ехать**) verb of motion to express the following ideas?

Образец: *You hear and see:*   (He's a cab driver and drives around town a lot.)
              You say: Он водитель такси и много ездит по городу.

Let's begin.

1. (I do a lot of walking.)
   Я много хожу пешком.

2. (Vova, where are you going?)
   Вова, куда ты идёшь?
3. (In June the Orlovs are going to France.)
   В июне Орловы едут во Францию.
4. (We often walk to that cafe.)
   Мы часто ходим в это кафе.
5. (I often ride that bus to work.)
   Я часто езжу на этом автобусе на работу.
6. (Nina and I are going to the movies.)
   Мы с Ниной идём в кино.

ЖЖ. How would you complete the sentences that you hear? As a reminder, theater-related words are given in the box below.

Образец: *You hear:*   Я хочу купить...
           You see: (I want to buy a program.)
           You say: Я хочу купить программку.

Let's begin.

1. Моё место...
   Моё место в партере.
2. Встретимся...
   Встретимся в антракте.
3. Нам нужно сдать пальто...
   Нам нужно сдать пальто в гардероб.
4. У меня...
   У меня двадцать второй ряд, место девятнадцать.
5. Давайте встретимся...
   Давайте встретимся в фойе.
6. Играет знаменитый...
   Играет знаменитый оркестр из Петербурга.
7. Моя подруга ушла после...
   Моя подруга ушла после первого действия.

33. Use the cued words to tell that Martin met or saw a certain person as he was going somewhere. The pictured pedestrian or automobile tells you whether to use the past tense of **идти** or **ехать**.

Образец: *You hear:*   (университет / встретить Марину)
           You see: (person / университет / встретить Марину)
           You say: Когда Мартин шёл в университет, он встретил Марину.

Let's begin.

1. (кино / встретить родителей Алексея)
   Когда Мартин шёл в кино, он встретил родителей Алексея.
2. (вокзал / видеть Степана в новом мерседесе)
   Когда Мартин ехал на вокзал, он видел Степана в новом мерседесе.
3. (дядя Лёва / видеть профессора Дубровского в длинной очереди у кино)
   Когда Мартин ехал к дяде Лёве, он видел профессора Дубровского в длинной очереди у кино.
4. (концерт / встретить Любу и Женю)
   Когда Мартин шёл на концерт, он встретил Любу и Женю.
5. (рынок / видеть Наталью Михайловну с новым мужем)
   Когда Мартин ехал на рынок, он видел Наталью Михайловну с новым мужем.
6. (театр / встретить новых студентов из Аргентины)
   Когда Мартин шёл в театр, он встретил новых студентов из Аргентины.

7. (аэропорт / видеть соседа около рынка)
   Когда Мартин ехал в аэропорт, он видел соседа около рынка.
8. (дедушка / встретить брата Марианны)
   Когда Мартин шёл к дедушке, он встретил брата Марианны.

ЧАСТЬ ЧЕТВЁРТАЯ – Лучше поздно, чем никогда
РАБОТА В ЛАБОРАТОРИИ

ДИАЛОГИ

Диалог 1 Плохой день (Making excuses)

АА. Follow along as you listen to the dialogue.

СЕРЁЖА.	У меня сегодня был такой плохой день.
ЮРА.	Плохой? Почему?
СЕРЁЖА.	Утром я проспал, не успел на автобус и из-за этого опоздал на работу.
ЮРА.	Но ты и вчера опоздал на работу.
СЕРЁЖА.	У тебя слишком хорошая память.

Now read and repeat aloud in the pause after each phrase. [...]
Now read the lines for Yura aloud. [...]
Now read the lines for Seryozha aloud. Begin now. [...]

Диалог 2 У входа в Большой театр (Selling and buying extra tickets)

ББ. Follow along as you listen to the dialogue.

ЖЕНЩИНА.	У кого есть лишний билетик? Простите, у вас нет лишнего билетика?
МУЖЧИНА.	У меня есть один лишний билет. Балкон, первый ряд.
ЖЕНЩИНА.	Сколько я вам должна?
МУЖЧИНА.	Билет стоит триста рублей.
ЖЕНЩИНА.	Вот, пожалуйста, деньги. И большое вам спасибо.

Now read and repeat aloud in the pause after each phrase. [...]
Now read the lines for the man aloud. [...]
Now read the lines for the woman aloud. Begin now. [...]

АУДИРОВАНИЕ

ВВ. You will hear a dialogue between two people discussing a potential problem with tickets.
Listen to the dialogue and answer the questions. The dialogue will be read twice. Let's begin.

ВЕРА.	Привет, Саша! Что, у тебя нет билета?
САША.	Нет, я жду моего друга Мишу. Он сказал, что заедет после работы домой и приедет к театру за полчаса до начала спектакля.
ВЕРА.	А билеты у тебя или у него?
САША.	У него. А что?
ВЕРА.	А если он опоздает? Что ты тогда будешь делать?
САША.	Не опоздает! Миша — самый пунктуальный человек на свете.

Now listen again. [...]

ГГ. You will hear a series of statements telling you how much time remains before certain events. Match the event in the left-hand column with the correct time on the right. The first one has been done for you.

1. До конца семестра осталось только шесть дней.
You write: **г**, six days, next to number one

Let's begin.

2. До Нового года осталось ещё три месяца.
3. До конца лекции осталось только семь минут.
4. До дня рождения Лары остался целый месяц.
5. До начала семестра осталась только неделя.
6. До начала фильма осталось ещё тридцать минут.
7. До 8 марта осталось две недели.
8. До конца урока осталось семнадцать минут.

ДД. You will hear a series of sentences, each with more than one action. Decide whether the actions are simultaneous, sequential, or interrupted and mark the appropriate category.

Образец: Вчера вечером мы играли в карты, когда вдруг позвонил наш сосед.
               You mark: single action occurs while another is ongoing or in progress

Let's begin.

1. Лида вчера очень плохо себя чувствовала. Она весь день чихала и кашляла.
2. Боря пошёл в магазин, купил картошку и вернулся домой.
3. Когда Лёня был в Италии, ему подарили красивую куртку.
4. Оля пришла домой с работы, приготовила себе ужин и посмотрела любимую телепередачу.
5. В новогодний вечер дети играют в новые игрушки, женщины накрывают на стол, а мужчины разговаривают о спорте и о политике.

ГОВОРЕНИЕ

ЕЕ. How would you say that you have only these things left?

Образец: *You hear and see:*   (one lemon)
               You say: У меня остался один лимон.

Let's begin.

1. (fifteen rubles)
   У меня осталось пятнадцать рублей.
2. (one postcard)
   У меня осталась одна открытка.
3. (three tomatoes)
   У меня осталось три помидора.
4. (two envelopes)
   У меня осталось два конверта.
5. (five stamps)
   У меня осталось пять марок.
6. (one exam)
   У меня остался один экзамен.

ЖЖ. You will hear a series of questions, each asking *who, whom, with whom,* etc. Answer the questions with the name provided. Pay attention to the case needed.

Образец: *You hear:*   Кому вы подарили серьги?
            You see: (Тамара Величкина)
            You say: Тамаре Величкиной.

1. У кого вы взяли интервью?
   У Николая Покровского.
2. С кем вы разговаривали по телефону?
   С Виктором Нечаевым.
3. Кого вы видели вчера вечером на концерте?
   Ирину Ильинскую.
4. Кому вы звоните?
   Алексею Радзиевскому.
5. О ком вы говорите?
   О Валентине Богдановой.

33. How would you say that the following people prefer to do these things by themselves?

Образец: *You hear and see:*   (Sveta / go to the movies)
            You say: Света предпочитает ходить в кино одна.

Let's begin.

1. (Alik / watch television)
   Алик предпочитает смотреть телевизор один.
2. (Nastya / prepare dinner)
   Настя предпочитает готовить обед одна.
3. (Dasha / go shopping)
   Даша предпочитает ходить по магазинам одна.
4. (Fedya / study new English words)
   Федя предпочитает учить новые английские слова один.
5. (Oleg / fix the car)
   Олег предпочитает чинить машину один.
6. (Yulya / go to the theater)
   Юля предпочитает ходить в театр одна.

EPILOGUE – ДО СВИДАНИЯ, МОСКВА, ДО СВИДАНИЯ!

SCENE A – Когда вы уезжаете?
РАБОТА В ЛАБОРАТОРИИ

ДИАЛОГ

У меня большие планы (Discussing summer plans)

AA. Follow along as you listen to the dialogue.

СОНЯ.   Скоро каникулы. Что ты будешь делать летом?
САНДРА.   У меня большие планы. После экзаменов я поеду в Атланту к бабушке. Я
           всегда езжу к ней во время летних каникул и на Рождество.
СОНЯ.   А кто платит за билеты?
САНДРА.   Конечно, бабушка!
СОНЯ.   Ты долго будешь у бабушки?

САНДРА.	Две недели. Потом я полечу на Гавайи. К тёте.
СОНЯ.	Интересно, кто на этот раз платит за билет — неужели ты сама?
САНДРА.	Ну что ты! Откуда у бедной студентки такие деньги?

Now read and repeat aloud in the pause after each phrase. [...]
Now read the lines for Sandra aloud. [...]
Now read the lines for Sonya aloud. Begin now. [...]

АУДИРОВАНИЕ

ББ. Сколько времени ещё осталось? You will hear a series of short dialogues. Fill in the event mentioned and the amount of time remaining until that event. Replay the dialogue as necessary to complete the exercise. Let's begin.

1.
АНТОН.	Когда вы уезжаете в Петербург?
ВАНЯ.	Я уезжаю через три недели.
АНТОН.	Счастливого пути.

2.
АННА.	Сколько осталось до Нового года?
ЛЕНА.	Ещё двенадцать дней.
АННА.	Это долго.

3.
| АНДРЕЙ. | Когда у тебя начнётся семестр? |
| ИГОРЬ. | Через два месяца. |

4.
ПАВЕЛ.	Хочешь поехать со мной в Петербург во время каникул?
ПЕТЯ.	Хочу, но не могу. Я уезжаю через неделю на юг.
ПАВЕЛ.	Жаль!

5.
САША.	Я уезжаю в Нью-Йорк в воскресенье.
ТАНЯ.	Но у тебя впереди ещё шесть дней — почти неделя.
САША.	Верно, но на всё мне времени не хватит.

SCENE B – Нам пора!
РАБОТА В ЛАБОРАТОРИИ

ДИАЛОГ

Могу я заказать такси...? (Ordering a cab)

AA. Follow along as you listen to the dialogue.

ЖЕНЩИНА.	[*On the phone.*] Алло! Диспетчер? Могу я заказать такси на завтра на 8 утра?
ДИСПЕТЧЕР.	Куда ехать?
ЖЕНЩИНА.	На Курский вокзал.
ДИСПЕТЧЕР.	Ваш адрес?
ЖЕНЩИНА.	Лесная, дом 3, квартира 35.
ДИСПЕТЧЕР.	Какой подъезд?
ЖЕНЩИНА.	Второй.

ДИСПЕТЧЕР.	Телефон?
ЖЕНЩИНА.	238-12-19.
ДИСПЕТЧЕР.	Заказ принят. Номер заказа 35-90. Мы вам утром позвоним.

Now read and repeat aloud in the pause after each phrase. [...]
Now read the lines for the dispatcher aloud. [...]
Now read the lines for the woman aloud. Begin now. [...]

АУДИРОВАНИЕ

ББ. You will hear a dialogue of a person ordering a taxi from a dispatcher's office. Listen to the dialogue and answer the questions. Replay the dialogue as necessary to complete the exercise. Let's begin.

ЖЕНЩИНА.	Алло.
МУЖЧИНА.	Добрый день. Я хочу заказать такси на завтра.
ЖЕНЩИНА.	На какое время?
МУЖЧИНА.	На шесть часов утра.
ЖЕНЩИНА.	Куда вам нужно ехать?
МУЖЧИНА.	В Шереметьево.
ЖЕНЩИНА.	Ваш адрес?
МУЖЧИНА.	Улица Моховая, дом 25, первый подъезд.
ЖЕНЩИНА.	Такси будет без десяти шесть. Номер заказа 31-92.
МУЖЧИНА.	Спасибо. До свидания.
ЖЕНЩИНА.	До свидания.

SCENE C – Всё хорошо, что хорошо кончается
РАБОТА В ЛАБОРАТОРИИ

ДИАЛОГ

Такси опаздывает (Checking on a late cab)

АА. Follow along as you listen to the dialogue.

МУЖЧИНА.	[*On the phone.*] Диспетчер? Алло! Диспетчер?
ДИСПЕТЧЕР.	Диспетчер слушает.
МУЖЧИНА.	Я заказал машину на 8 утра. Уже 8 часов. Машины нет. А мне нужно на вокзал.
ДИСПЕТЧЕР.	Минуточку. [*Pause.*] Такси 35-90 выехало десять минут назад. Мы пытались вам позвонить, но у вас было занято.
МУЖЧИНА.	Извините! Моя собака...
ДИСПЕТЧЕР.	Что, собака по телефону разговаривала?
МУЖЧИНА.	Да нет, это ветеринар звонил.
ДИСПЕТЧЕР.	А что, собака тоже едет на вокзал? В такси с собакой нельзя.
МУЖЧИНА.	Не волнуйтесь, собака никуда не едет. Спасибо вам. Иду встречать такси.

Now read and repeat aloud in the pause after each phrase. [...]
Now read the lines for the dispatcher aloud. [...]
Now read the lines for the man aloud. Begin now. [...]

АУДИРОВАНИЕ

ББ. In a Moscow train station you hear the following boarding announcements. Which trains (number and destination) will be boarding when (in how many minutes) and from which tracks? You will hear each announcement twice. Let's begin.

1. Внимание! Скорый поезд № 52 Москва — Санкт-Петербург отправляется через 15 минут с седьмого пути.
2. Внимание! Скорый поезд № 9 Москва — Архангельск отправляется через 10 минут с десятого пути.
3. Внимание! Скорый поезд № 10 Москва — Киев отправляется через 5 минут с шестого пути.
4. Внимание! Скорый поезд № 20 Москва — Харьков отправляется через 3 минуты с восьмого пути.
5. Внимание! Скорый поезд № 12 Москва — Новосибирск отправляется через 15 минут с третьего пути.
6. Внимание! Скорый поезд № 19 Москва — Минск отправляется через 10 минут с двенадцатого пути.

Answer Key

to

Workbook/Laboratory Manual

УРОК 8: МОСКОВСКАЯ ЖИЗНЬ

Часть первая

А.
1. Лена говорит по телефону.
2. Наталья Ивановна спрашивает, куда идёт Лена.
3. Лене только (уже) двадцать лет.
4. Лена и Наталья Ивановна опять ссорятся.
5. Сергей Петрович не знает, куда идёт Лена.
6. Вова думает, что Лена идёт на свидание с Джимом.
7. Белка уже второй день ничего не ест.
8. Вова не верит Лене (Вова и Белка не верят Лене).

Б.
1. задают
2. спросили
3. сросила
4. спросил
5. спрашивают
6. задали
7. задаёте
8. спросите
9. зададут

В.
1. Можно задать вам (тебе) вопрос?
2. Таня спросила, узнал (узнала) ли я её вчера.
3. Мои родители спросили, иду ли я на свидание.
4. Кристина задала интересный вопрос.
5. Маша, спроси его, когда он уходит (уйдёт).

Г.
1. элегантность—в
2. логичность—ж
3. молодость—л
4. популярность—г
5. реальность—м
6. специальность—а
7. субъективность—к
8. тривиальность—б
9. трудность—з
10. фатальность—д
11. формальность—и

Д.
1. д
2. в
3. е
4. г
5. а
6. м
7. з
8. ж
9. и
10. л

Е.
Answers will vary. Be sure to match gender of subject and verb ending; also note preposition (**в** or **на**) and case ending for destination:

. . .поехал (поехала)	в Кострому
	в Ярославль
	в Тулу
. . .пошёл (пошла)	в кино
	в зоопарк
	на футбольный матч
	на свидание
	в Исторический музей

Ж.
1. Боря был у сестры.
2. Ира и Оля ходили к соседу.
3. Таня ходила к дяде Пете.
4. Соня была у нового американского студента.
5. Надя и Алёша были у Ирины Петровны.
6. Серёжа ходил к немецкой аспирантке.
7. Ваня и Толя ходили к Борису Викторовичу.
8. Марина была у тёти Нины.

З.

1. в	4. в	7. У	10. к	13. У
2. на	5. В	8. на	11. в	14. на
3. в	6. к	9. на	12. к	15. на

И.
1. В 9.30 профессор Сидоров пойдёт в университет.
2. В 11 он пойдёт к Ольге Алексеевне.
3. В 12 он пойдёт в кафе.
4. В час он пойдёт на почту.
5. В 2.30 он пойдёт к врачу.
6. В 4 он пойдёт в библиотеку.
7. В 5 он пойдёт к матери.
8. В 6.30 он пойдёт к японскому аспиранту.
9. В 8 он пойдёт на концерт.

К.

1. откроет	4. продаст	6. починю
2. получу	5. сдаст	7. выпьешь
3. заплатишь, заплачу		

Л.
— Вера, куда ты идёшь?
— [Я иду] к Олегу.
— Вы идёте в кино?
— Почему ты всегда задаёшь мне такие вопросы? Какое твоё дело?

М.

1. свидание	4. задавать	7. пойдут
2. спрашивает	5. право	8. просит
3. идёт	6. секреты	9. принести

Н.
1. Мой преподаватель истории спросил [меня] почему я учусь (учился *or* училась) в России.
2. Не задавай мне этот вопрос.
3. Вы сегодня вечером идёте (пойдёте) в Большой театр?
4. Мой сосед поехал (ездил) в аэропорт. *or* Моя соседка поехала (ездила) в аэропорт.
5. Мой отец пошёл к врачу, а потом на работу.
6. Ты сегодня был у Степана?
7. Я иду к Ане.
8. Летом я еду (поеду) в Германию.

О.
Personalized responses.

П.
Personalized responses.

АА.
1. к бабушке.   2. в кино.

ББ.
К Ивану, потом на футбольный матч, а потом на дискотеку.

ВВ.
1. д   2. г   3. б   4. е   5. Об.   6. в   7. а

ГГ.
1. г (Об.)   2. ж   3. а   4. е   5. в   6. б   7. д

ДД.
а. 5   б. 7   в. 6   г. 1 (Об.)   д. 3   е. 8   ж. 2   з. 4

ЕЕ-ЗЗ.
Answers given on student audio program.

Часть вторая

А.
а. 4   б. 1   в. 3   г. 9 (8)   д. 8   е. 2   ж. 5   з. 6   и. 2   к. 1
л. 7

Б.
1. В декабре   4. В феврале   6. В марте
2. В январе   5. В июне   7-11. *Personalized responses.*
3. В июле

В.
1. а. приходишь   б. уходишь   в. прихожу   г. ухожу
2. уходишь, ухожу, придёшь, приду
3. ушёл, придёт, пришёл

Г.
1. Андрей обычно приходит в университет в 9 часов, а уходит домой в 3 часа.
2. Рита обычно приходит в университет в 11 часов, а уходит домой в 4.30.
3. Наталья Степановна обычно приходит в университет в 8 часов, а уходит домой в 7 часов.
4. Николай Михайлович обычно приходит в университет в 7 часов, а уходит домой в 5 часов.
5. Алексей Леонович обычно приходит в университет в 8.30, а уходит домой в 6 часов.

Д.
1. Завтра Андрей придёт в университет в час ночи, а уйдёт домой в 2 часа дня.
2. Завтра Рита придёт в университет в 6 часов утра, а уйдёт домой в 9 часов вечера.
3. Завтра Наталья Степановна придёт в университет в 3 часа ночи, а уйдёт домой в час дня.
4. Завтра Николай Михайлович придёт в университет в 2 часа ночи, а уйдёт домой в 8 часов вечера.
5. Завтра Алексей Леонидович придёт в университет в 11 часов утра, а уйдёт домой в 7 часов вечера.

Е.
1. Мартин женился на очень богатой женщине.
2. Сандра вышла замуж за красивого хоккеиста.
3. Стив женился на русской балерине.
4. Анджела вышла замуж за французского брокера.
5. Алан женился на немецкой актрисе.
6. Сара вышла замуж за молодого врача.

Ж.
1. ж (Об.)   2. л   3. е   4. н   5. и   6. м   7. д   8. а   9. з   10. в
11. б

З.
1. м (Об.)   2. г   3. и   4. з   5. л   6. б   7. н   8. а   9. к   10. е
11. в   12. д   13. ж

И.
1. Michael, Christopher, Liza, and Maria.
2. They have the surnames of their respective fathers.
3. They always had a home and never a day passed when their mother didn't kiss them good night.
4. благодарен
5. а. В сорок девятом году, она вышла замуж за Ника Хилтона.
   б. В пятьдесят втором году она вышла замуж за Майкла Уайлдинга.
   в. В пятьдесят седьмом году она вышла замуж за Майка Тодда.
6. Она вышла замуж за Бартона в шестьдесят четвёртом году и опять в семьдесят пятом году.

К.
— Вера, ты уходишь? Куда ты идёшь?
— В аптеку. Мне надо купить аспирин.
— А потом куда ты пойдёшь?
— К моей подруге Свете. Она недавно вышла замуж.
— За кого?
— За Мишу Медведевя. [Ты] Помнишь его? *or* Ты его помнишь?
— Конечно! Мы вместе учились в институте.

Л.
1. соседке
2. назад
3. поехала
4. познакомилась
5. вышла
6. ноябре
7. поедет
8. замуж
9. интересует

М.
1. Ты уходишь в университет?
2. Когда ты обычно приходишь домой?
3. В каком месяце ты родилась?
4. Моя тётя вышла замуж за русского музыканта.
5. Мой дядя женился на французской журналистке.
6. Мой брат родился в августе.
7. Я начал (начала) учиться водить машину в девяносто восьмом году.
8. Вы были в Германии в восемьдесят девятом году?

Н.
Personalized responses.

О.
Personalized responses.

АА.
Боже мой, уже семь часов! Мы опаздываем!

ББ.
СЛАВА:	— Привет, Оля! Как я рад тебя видеть!
ОЛЯ:	— Слава! Какой приятный сюрприз! Что у тебя нового?
СЛАВА:	— Знаешь, я женился.
ОЛЯ:	— Что ты говоришь? На ком?
СЛАВА:	— На Ирине Королевой. Сейчас мы живём в Петербурге, недавно у нас родился сын.
ОЛЯ:	— Поздравляю! Рада за тебя!

ВВ.
1. а, б
2. г, е, с, и
3. в
4. д
5. р, о, н
6. м
7. з
8. п
9. л, к
10. т
11. ж
12. ---

ГГ.

	Arrival	Departure
1.	6.00	10.00 (Об.)
2.	6.00	7.30
3.	6.15	Ву 7.15
4.	6.30	8.00
5.	6.45	8.00
6.	6.45	9.00
7.	7.00	8.30
8.	7.15	10.00
9.	7.15	8.30
10.	7.30	10.00
11.	7.30	9.30

ДД.
1. 57   2. 59   3. 61   4. 64   5. 85   6. 87   7. 92   8. 93

ЕЕ-ЗЗ.
Answers given on student audio program.

Часть третья

А.
1. Илье Ильичу было стыдно, потому что он не знает, как работает электронная почта.
2. Компьютер у Ильи Ильича уже лет восемь.
3. Для электронной почты нужен новый компьютер и модем.
4. Большой выбор комьютеров и принтеров в новом магазине электроники около автобусной остановки Ильи Ильича.
5. Друг Джима познакомился по Интернету с девушкой и скоро будет свадьба.
6. Илья Ильич даёт продавцу не деньги, а кредитную карточку.
7. Илья Ильич покупает компьютер и принтер.

Б.
1. Давайте организуем экскурсию в Кремль.
2. Давай сегодня уйдём в три часа.
3. Давайте пригласим Марину Михайловну на обед.
4. Давайте говорить только по-русски сегодня вечером.
5. Давай купим билеты на рок-концерт.
6. Давайте заниматься в библиотеке.
7. Давай позвоним нашему преподавателю русского языка в Чикаго.

В.
1. две тысячи девятьсот пятьдесят один
2. четыре тысячи сто шестьдесят девять
3. семь тысяч триста семьдесят два
4. тысяча пятьсот тридцать шесть
5. девять тысяч двести восемьдесят
6. три тысячи сорок пять
7. восемь тысяч восемьсот восемьнадцать
8. пять тысяч семьсот девяносто четыре

Г.
1. — Сколько стоят эти розы? — Шестьсот рублей.
2. — Сколько стоит чашка кофе? — Двадцать четыре рубля.
3. — Сколько стоит билет в кино? — Семьдесят пять рублей.
4. — Сколько стоит журнал? — Сорок два рубля.
5. — Сколько стоит газета? — Шесть рублей.
6. — Сколько стоит карта метро? — Двести рублей.
7. — Сколько стоит мороженое? — Три доллара, семьдесят три цента.
8. — Сколько стоит гитара? —Сто семьдесят шесть долларов, девяносто девять центов.
9. — Сколько стоит эта книга? — Двадцать один доллар, сорок один цент.

Д.
1. У него семь машин.
2. У него пятнадцать книг
3. У него восемь компьютеров
4. У него десять телефонов
5. У него девять кроватей.
6. У него шесть собак.
7. У него семь автобусов.
8. У него одиннадцать карандашей.
9. У него пять ламп и пять диванов.

Е.
1. У него четыре машины.
2. У него шесть книг.
3. У него два компьютера.
4. У него пять телефонов.
5. У него три кровати.
6. У него две собаки.
7. У него три автобуса.
8. У него четыре карандаша.
9. У него две лампы и два дивана.

Ж.
1. У него пять сестёр.
2. У него шесть сыновей.
3. У него восемь дочерей.
4. У него семь соседей.
5. У него девять друзей.
6. У него восемь кошек.
7. У него четырнадцать писем.
8. У него одиннадцать подарков.
9. У него много денег.

З.
1. У него две сестры.
2. У него пять сыновей.
3. У него четыре дочери.
4. У него четыре соседа.
5. У него пять друзей.
6. У него три кошки.
7. У него два письма.
8. У него четыре подарка.
9. У него мало денег.

И.

	COUNT	NON-COUNT
1.	x	
2.		x
3.	x	
4.	x	
5.		x
6.	x	
7.		x
8.		x
9.	x	
10.	x	

К.
1. а. собаки   б. собак   в. собак   г. семь (7) собак
2. а. кошки   б. кошек   в. кошек   г. девять (9) кошек
3. а. писем   б. письма   в. писем   г. восемь (8) писем;
4. а. марок   б. марки   в. марок   г. двенадцать (12) марок
5. а. часа   б. часов   в. часов   г. семь (7) часов
6. а. преподавателя   б. преподаватель   в. преподавателей   г. семьдесят пять (75) преподавателей
7. а. книг   б. книги   в. книг   г. пятнадцать (15) книг
8. а. упражнений   б. упражнения   в. упражнений   г. триста двадцать семь (327) упражнений

Л.
1. музея
2. друзей
3. подруги
4. писем
5. газеты
6. журналов
7. фотографий
8. слов

М.

— У тебя (вас) большая семья?
— Да. У меня пять братьев и пять сестёр.
— Боже мой! Они все живут дома? Где они спят?
— Это не проблема. Одна сестра учится в Нью-Йорке. Одна сестра работает в Денвере. А один брат работает в Германии.
— Так (Значит) четыре брата и три сестры живут дома?
— У нас большой дом.

Н.

1. просит
2. электронная почта
3. электроники
4. компьютеров
5. принтеров
6. людей
7. кредитную карточку
8. познакомился
9. свадьба

О.

1. Давай поженимся!
2. Машина, которую я хочу, стоит девятнадцать тысяч восемьсот семьдесят девять долларов.
3. Билеты на футбольный матч стоят восемьдесят рублей.
4. Сколько у вас детей?
5. Сколько у тебя собак и кошек?
6. У нас три машины, четыре пылесоса, пять холодильников, семь кресел, девять диванов, десять кроватей, двенадцать телевизоров и двадцать ламп.
7. Я ем много шоколада и пью много молока.

П.

Personalized responses.

Р.

Personalized responses.

АА.

ВЫ:	Скажите, у вас есть американская газета (американские газеты)?
ПРОДАВЕЦ:	Американская газета (Американские газеты)? Есть.
ВЫ:	Сколько она стоит? *or* Сколько они стоят?
ПРОДАВЕЦ:	Есть газета (газеты) за 17 долларов и есть за 29 долларов.
ВЫ:	Покажите, пожалуйста, за 29.

ББ.

Я беру её.

ВВ.

1. г   2. е   3. д   4. б   5. в   6 а

ГГ.

а. 6   б. 6   в. 5   г. 4   д. 6   е. 3   ж. 1

ДД.

1. 112 р.   2. $8.34   3. 219 р.   4. 520 р.   5. $3.89   6. $15.60   7. 494 р.

ЕЕ. –ЗЗ.

Answers given on student audio program.

Часть четвёртая

А.
1. Фреду (своему профессору)
2. Что люди любят читать
3. гуляет по городу
4. карту Москвы
5. медленно
6. потому, что он шёл медленно
7. там живут его друзья
8. остановил прохожего
9. Таня проверила его
10. потому, что Джим называет своего профессора по имени.

Б.
1. Я попрошу (Марину) заплатить за кофе.
2. Я попрошу (Таню) показать свою машину
3. Я попрошу (Наташу) ответить на вопрос.
4. Я попрошу (Антона) остановиться
5. Я попрошу (Дженни) назвать кошку "Спот."
6. Я попрошу (Костю) продать футболку.
7. Я попрошу (бабушку) прислать деньги.
8. Я попрошу (детей) выпить молоко.

В.
1. спросил	3. спрашивает	5. спросил	7. попросила
2. спросил	4. прошу	6. просит	

Г.
1. красивых улиц
2. интересных фильмов
3. прекрасных театров
4. хороших магазинов
5. талантливых профессоров *or* отличных преподавателей
6. талантливых профессоров *or* отличных преподавателей
7. симпатичных студентов

Д.
Sample answers.

Я видел (видела)   симпатичных собак.
Я слышал (слышала)   счастливых детей.
                     вкусные пирожки
                     молодых музыкантов
                     московские парки

Е.
1. её 2. свои 3. свою 4. их 5. своей 6. её

Ж.
1. ж (Об.) 2. и 3. з 4. е 5. к 6. б 7. г 8. в 9. а 10. д

З.
— Ты пишешь [твоей] матери (маме) по электронной почте?
— Иногда. Но я предпочитаю говорить по телефону.
— Электронная почта дешевле.
— Да, но по-моему, говорить по телефону лучше.

И.
1. своему
2. газетных
3. дешевле
4. городу
5. берёт
6. называет
7. прислать
8. электронной
9. ошибок
10. попросил

К.
1. Я попросил [своих] друзей позвонить мне сегодня вечером.
2. Попроси преподавателя объяснить вопрос.
3. Недалеко есть магазин электроники, где (в котором) много хороших (отличных) и недорогих компьютеров и принтеров.
4. В нашем университете учится много иностранных студентов.
5. Ты понимала русских продавцов в магазине?
6. Алексей Петрович нашёл [свою] кредитную карточку?
7. Мы с Крисом по очереди задаём преподавателю вопросы, когда [мы] не понимаем.
8. Я называю своих американских профессоров по имени, а Тони называет своих профессоров по фамилии.

Л.
Personalized responses.

М.
Personalized responses.

H.

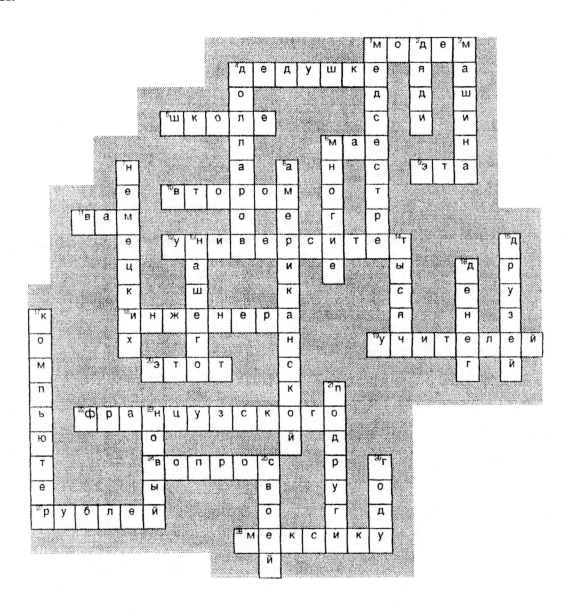

AA.
Метро? Метро недалеко. Видите большой магазин электроники? Рядом телефон-автомат, а слева — метро.

ББ.
Как американские студенты называют своих преподавателей?

BB.

	PERSON MENTIONED	SOMEBODY ELSE
1.	x	x
2.		x
3.		x
4.	x	
5.	x	
6.		x
7.	x	
8.		x

ГГ.
1. to give him a pen (Об.)
2. to check his letter for grammatical errors
3. to give him some nice stamps
6. to take the letter to the post office
4. to give him an envelope
5. to find the address

ДД.
1. ж 2. е 3. г 4. в 5. д 6. а 7. б

EE-33.
Answers given on student audio program.

УРОК 9 ЕДЕМ ИЛИ ИДЁМ?

Часть первая

А.
1. а   2. в   3. б   4. в   5. б   6. б   7. а   8. в

Б.
1. Мишель из штата Флорида.
2. Брайан из провинции Саскачеван.
3. Грег из города Гонолулу.
4. Лиза из города Ванкувер.
5. Брианна из горда Санта-Барбара.
6. Фрэнк из города города Чикаго.
7. Эмили из города Южная Дакота
8. Билл из города Денвер.

В.
1. Я из Мексики.   4. Я из Италии.   7. Я из Швеции.
2. Я из Франции.   5. Я из Германии.   8. Я из Канады.
3. Я из России.   6. Я из Кореи.

Г.
Sample answers.

Борщ с мясом	сосиски с горчицей	торт с мороженым
суп с вермишелью	бутерброд с колбасой	чай с лимоном
салат с артшоками		

Д.
1. Куплю/Продаю японский телевизор с видеомагнитофоном.
2. Куплю/Продаю квартиру с большим балконом.
3. Куплю/Продаю японский компьютер с американским принтером.
4. Куплю/Продаю атлас с историческими картами.
5. Куплю/Продаю кассеты с классической музыкой.
6. Куплю/Продаю детские книги с хорошими иллюстрациями.
7. Куплю/Продаю учебник английского языка с кассетами и видеофильмами.

Е.
1. другом   5. ними   9. Жанной
2. большим портфелем   6. голубыми глазами   10. иностранцами
3. внуком и внучкой   7. небольшим акцентом   11. иностранками
4. дочерью   8. родителями

Ж.
1. За оперным театром   4. За домом
2. за магазином   5. между стадионом и старой почтой
3. между магазином и моим домом

З.
1. ним   2. ними   3. за мной   4. ними   5. ней

И.
Answers will vary.

К.
— Аня, привет. Как дела?
— Неплохо, спасибо. Это твой брат там, за женщиной с детьми? Что он делает в Москве?
— Он приехал вчера вечером с другом из Петербурга. Они приехали по делу.
— Где они работают?
— В магазине электроники. Это самый большой магазин электроники в Петербурге.

Л.
1. станции
2. русскими
3. настоящий
4. узнаёт
5. иностранцами
6. откуда
7. иностранцев
8. самое
9. мире

М.
1. Откуда вы (ты)?
2. Моя бабушка из России.
3. Она очень хорошо говорит по-английски, но с небольшим акцентом.
4. Моё общежитие находится за библиотекой.
5. Кто [это] стоит между киоском и входом в метро?
6. Вы [сейчас] выходите? *or* Ты [сейчас] выходишь?
7. Какой город, по-вашему (по-твоему), самый красивый в России?
8. Наш (Мой) дом самый старый в нашем городе.

Н.
Personalized responses

О.
Personalized responses.

АА.
1. He has been told that it's very beautiful and wants to have a look.
2. Мои преподаватели сказали мне, что это самая старая станция.
3. Из Германии, из Берлина.

ББ.
Я тоже хочу пойти на Красную площадь. Я очень хочу посмотреть Ленинский мавзолей.

ВВ.

BACK OF THE CLASS

Вера	Фёдор	Марина	Наталья
Алексей	Софья	Галина	Пётр
Лариса	Борис	Евгений	Иван
Антон	Михаил	Ольга	Анна

FRONT OF THE CLASS

ГГ.
1. в (Об)   2. в   3. г   4. а   5. ж   6. б   7. е   8. з   9. д

ДД.

Call for:	Anna Jones
Day/Date:	Friday/February 16
Time:	1:00 pm (13.00)
Caller:	Sergei Petrovich Danilov
Representing:	Bank of Moscow
Phone no.	226-85-71
Message:	please call

ЕЕ-ЗЗ.
Answers given on student audio program.

Часть вторая

А.
1. <u>Бабушка</u> смотрит в окно на улицу.   *Дедушка.*
2. По радио сказали, что завтра будет <u>плохой</u> день.   *хороший*
3. Вова вышел на улицу с <u>другом</u>.   *с собакой Белкой*
4. <u>Бабушка</u> любит читать газеты.   *Дедушка*
5. Мимо дома бежит <u>Джим</u>.   *Николай Иванович.*
6. Николай Иванович живёт в двадцать <u>второй</u> квартире.   *четвёртой*
7. Друг Саши Игорь играет на <u>рояле</u>, как и Саша.   *на виолончели*

Б.
1. уезжаю
2. а уезжает   б. приедет   в. приедет
3. приехал [на машине]
4. а. приезжают   б. уехали

В.
1. а. ухожу   б. приду
2. а. ухожу   б. прихожу   в. ушёл   г. пришёл
3. а. придёт   б. пришли
4. а. ушёл   б. придёт

Г.
1. уйду
2. а. уехала   б. уедет   в. приедет
3. а. ушёл   б. придёт

Д.
1. Пётр играет на гитаре хуже, чем Иван. Петру нужно больше играть
2. Мой отец спит меньше, чем мой брат. Отцу нужно больше спать.
3. Гриша читает по-немецки лучше, чем я. Мне нужно больше читать по-немецки.
4. Тамара работает больше, чем Лида. Лиде нужно меньше работать.
5. Наш сын занимается меньше, чем наша дочь. Сыну нужно больше заниматься.

Е.
1. ещё хуже
2. гораздо (намного) больше, чем
3. гораздо (намного) лучше, чем
4. гораздо (намного) лучше, чем

Ж.
1. Нет, наш сын читает больше, чем дочь. *or* Нет, наша дочь читатет меньше, чем сын.
2. Нет, наша полка больше и лучше, чем та. *or* Нет, эта полка меньше и хуже, чем наша.
3. Нет, у нас квартира меньше, чем у соседей. И кухня хуже. *or* Нет, у соседей квартира больше, чем у нас. И кухня лучше.
4. Нет, эта машина больше, чем наша. *or* Нет, наша машина меньше, чем эта.
5. Нет, твоя мама готовит хуже, чем я. *or* Нет, я готовлю лучше, чем твоя мама.

З.
1. в новых, удобных общежитиях
2. в очень хороших университетах
3. о моих братьях
4. о наших программах
5. об экзаменах
6. о своих дочерях
7. о ваших немецких друзьях

И.
Answers will vary.

К.
Answers will vary.

Л.
1 ушёл
2. выхожу/выйду
3. ухожу
4. вышла
5. ушёл
6. ушёл, уходит

М.
1. писать / написать
2. учить / выучить
3. делать / сделать
4. смотреть / посмотреть
5. звонить / позвонить

Н.
— Здравствуйте, Наталья Ивановна. Это [говорит] Джим. Лена дома?
— Нет, Джим. Её здесь нет.
— Вы не знаете, когда она придёт?
— Она сказала, что придёт в девять часов.
— Попросите её, пожалуйста, позвонить мне. Я завтра утром уезжаю в Санкт-Петербург.
— Хорошо, Джим. У неё есть ваш номер телефона?
— Да, конечно. Спасибо большое. До свидания.

О.
1. меньше
2. соседях
3. соседями
4. приезжает
5. женой
6. выходит
7. четвёртой
8. наушниках
9. возвращается
10. другом Игорем

П.
1. Ты сейчас уходишь?
2. Алла уже ушла (пошла)в кино и придёт (вернётся) в десять часов вечера.
3. Слава уже уехал в аэропорт?
4. Я приеду в Москву в четверг в восемь тридцать утра в половине девятого утра).
5. Я больше занимаюсь, чем Билл, но он говорит по-русски лучше, чем я.
6. Я плохо (не очень хорошо) играю на саксофоне, а мой брат играет [ещё] хуже, чем я.
7. Вчера вечером мой преподаватель русского языка был в старых синих джинсах, оранжевой рубашке, красных носках и лиловых (фиолетовых) кроссовках.
8. Я люблю (Мне нравится) заниматься в наушниках.
9. Во сколько (Когда *or* В котором часу) ты обычно встаёшь?
10. Я принимаю душ и чищу зубы каждое утро.

Р.
Personalized responses.

С.
Personalized responses.

АА.
МУЖ: Посмотри в окно. Кто это бежит?
ЖЕНА: Это <u>наша соседка Светлана, аспирантка</u> университета.
МУЖ: А почему <u>она</u> в наушниках?
ЖЕНА: Она всегда в наушниках — слушает <u>японские</u> тексты, у неё скоро экзамен по <u>японскому</u> языку.

ББ.
Vera Nikolaevna and her husband see each other only on weekends because her husband works nights and she works days.

ВВ.

1. 16.45	3. 23.15	5. 22.10	7. 12.30
2. 18.45	4. 13.15	6. 21.30	8. 17.30

ГГ.

1. лучше	3. больше	5. хуже	7. лучше
2. меньше	4. меньше	6. больше	8. хуже

ДД.
1. г (Об.)   2. ж   3. е   4. а   5. з   6. в   7. д   8. б

ЕЕ-ЗЗ.
Answers given on student audio program.

Часть третья

А.
1. в   2. б   3. е   4. и   5. ж   6. г   7. д   8. з   9. а

Б.
1. читатель
2. собиратель
3. житель
4. руководитель
5. производитель

6. носитель
7. победитель
8. строитель
9. мучитель
10. наблюдитель

В.
1. а. маленьким мальчиком   б. футболистом   в. преподавателем
2. а. маленькой девочкой   б. космонавтом   в. экономистом
3. а. маленьким мальчиком   б. актёром   в. переводчиком
4. а. маленькой девочкой   б. медсестрой   в. врачом
5. а. маленькой девочкой   б. учительницей   в. директором школы
6. а. маленьким мальчиком   б. милиционером   в. юристом

Г.
1. мы с дочерью
2. мы с нашим новым студентом Джеком
3. Мы с Таней из второй квартиры

4. мы с родителями
5. Мы с Машей
6. Мы с тобой

Д.
1. Лучше заниматься бизнесом, чем музыкои. *or* Лучше занматься музыкой, чем бизнесом.
2. Лучше заниматься иностранными языками, чем спортом. *or* Лучше заниматься спортом, чем иностранными языками.
3. Лучше заниматься лингвистикой, чем литературой. *or* Лучше заниматься литературой, чем лингвистикой.
4. Лучше заниматься биологией,чем экономикой. *or* Лучше заниматься экономикой, чем биологией.
5. Лучше заниматься психологией, чем психиатрией *or* Лучше заниматься психиатрией, чем психологией.
6. Лучше заниматься баскетболом, чем шахматами. *or* Лушче заниматься шахматами, чем баскетболом.
7. Лучше заниматься историей, чем политикой. *or* Лучше заниматься политикой, чем историей.

Е.
1. Я занимаюсь спортом.
2. Я занимался физикой.
3. Она занимается импортом продуктов.

4. Она занимается шахматами.
5. Они занимаются футболом и теннисо
6. Она занимается итальянским языком

Ж.
1. Он занимается гимнастикой.
2. Он играет в баскетбол.
3. Она бегает.
4. Она играет в воллейбол.

5. Он играет в гольф.
6. Она занимается аэробикой.
7. Он играет в футбол.
8. Она плавает.

З.
1. Мы будем в Нью-Йорке через неделю.
2. Через два месяца Валя купит машину.
3. Через год Андрей закончит университет.
4. Через неделю Лидия Сергеевна начнёт учиться водить машину.
5. Сергей позвонит Ларисе через десять минут.
6. Отец выйдет из дома через пятнадцать минут.
7. Смирновы приедут в наш город через год.
8. Я возьму эту книгу в библиотеке через три дня.

И.
Answers will vary.

К.
1. [Он играет в футбол] три раза в неделю.
2. [Они гуляют в парке] два раза в день.
3. [Мы смотрим эту программу] четыре раза в месяц.
4. [Она готовит пиццу] раз в неделю.
5. [Он приезжает в Москву] пять раз в год.
6. [Мы играем в карты] два раза в месяц.
7. [Ко мне приезжают родители] три раза в год.
8. [Я беру уроки вождения] три раза в неделю.

Л.
1. три раза в неделю (каждый понедельник, каждую среду, и каждую пятницу)
2. пять раз в неделю
3. каждое воскресенье (раз в неделю)
4. два раза в неделю, (каждую пятницу и каждую субботу)
5. каждый день (семь раз в неделю), (каждое утро)
6. два раза в неделю
7. раз в неделю (каждую субботу)

М.
1. T (Об.)   2. L 3.   4. L T   5. T 6.   T   7. L   8. L

Н.
1. Мои сёстры научили меня готовить.
2. Я научилась готовить много лет назад.
3. Он научился водить машину, когда он был маленьким мальчиком.
4. Его отец научил его водить трактор.
5. Она хочет научиться играть в теннис.
6. Её брат научит её играть в теннис.

О.
— Я хочу научиться играть на рояле.
— Мой брат очень хорошо играет на рояле. Он учился в консерватории.
— Он даёт уроки музыки?
— [Я] не знаю. Я могу его спросить. Два года назад он давал уроки музыки, но сейчас он много занимается. Я не знаю, есть ли у него сейчас время давать уроки.

П.
1. занимается
2. бизнесом
3. автошколе
4. неделю
5. бизнесов
6. научиться
7. научить
8. Через
9. водителем
10. бесплатно

Р.
1. В субботу мы с Тамарой будем заниматься (занимаемся) аэробикой.
2. Каким видом спорта ты занимаешься?
3. Я хочу стать преподавателем (преподавательницей) русской литературы.
4. Мы с мамой уходим в магазин через двадцать минут.
5. В школе мой брат занимался гимнастикой.
6. Пять лет назад моя семья жила в Европе.
7. Я завтракаю каждый день, но я ужинаю только три или четыре раза в неделю.
8. Мы с Деннисом учимся играть в теннис. Наш сосед (наша соседка) нас учит.

С.
Personalized responses.

Т.
Personalized responses.

АА.
Они тебя (вас) научат очень хорошо петь.

ББ.
Tanya was studying history in the library because she has a test tomorrow.

ВВ.
1. б (Об.)   2. в   3. а   4. в   5. г   6. а   7. г   8. б

ГГ.
1. ж   2. в   3. д   4. з (Об.)   5. е   6. б   7. г   8. а

ДД.
1. д (Об.)   2. в   3. и   4. к   5. а   6. л   7. е   8. б   9. г   10. ж
11. з

ЕЕ-ЗЗ.
Answers given on student audio program.

Часть четвёртая

А.
а. 2/Н   б. 2/Н   в. 1/С   г. 2/С   д. 2/С?   е. 1/С   ж. 2/С   з. 2/С?
и. 2   к. 1   л. 1   м. 2

Б.
1. г   2. д   3. е   4. а   5. а   6. в   7. в   8. б   9. в

В.
1. поедут на Чёрное море, по-моему на автобусе.
2. поеду в Хельсинки, по-моему, на поезде.
3. поедем на кинофестиваль на автобусе.
4. поедет в Альпы, по-моему, на поезде.
5. поедет во Францию, по-моему, на машине.
6. поедет в Вену, по-моему, на машине.

Г.
1. кто-нибудь
2. что-нибудь
3. что-нибудь
4. когда-нибудь
5. что-нибудь
6. когда-нибудь
7. кто-нибудь, что-нибудь

Д.
1. Спортсменам нравится новый спортзал.
2. Учителям нравятся хорошие школьники.
3. Маленьким детям нравится играть в парке.
4. Японским туристам нравится Красная площадь.
5. Студентам в консерватории нравится классическая музыка.
6. Молодым людям нравится танцевать на дискотеке.

Е.
1. своим новым аспирантам
2. своим друзьям
3. моим детям
4. нашим новым соседям
5. русским бизнесменам
6. этим статьям
7. нашим иностранным гостям
8. этим молодым людям

Ж.
1. детьми (*Instrumental*)
2. сыновья (*Nominative*), отцов (*Accusative*), дочери (*Nominative*), матерей (*Accusative*)
3. людьми (*Instrumental*)
4. сыновьям (*Dative*)
5. друзей (*Accusative*)
6. людей (*Genitive*)
7. братьям (*Dative*), сёстрам (*Dative*)
8. дочерях (*Prepositional*), сыновьях (*Prepositional*)

З.
1. hippy clothes
2. members of the group Rolling Stones
3. rappers
4. American fashion
5. jeans, underwear, simple white shirt
6. for its founder in 1920
7. Olympic games
8. Jesse James, should be Jessie Owens
9. Germany
10. hip-hop musicians

И.
1. Желаю вам удачи.
2. Желаю вам счастливого Нового года.
3. Желаю вам хорошо провести время.
4. Желаем вам счастья и здоровья.

К.
— Скажи, Ира, ты суеверная.
— Не очень, но я читаю свой гороскоп.
— Каждый день?
— Нет. Два или три раза в неделю.
— А Какой ты?
— Я _____ (знак зодиака).

Л.

1. встречают	5. машине	8. чёрных
2. выходят	6. неудача	9. дождь
3. экскурсию	7. иойдёт	10. проиграет
4. автобусом		

М.
1. Я еду в Кремль на автобусе (автобусом).
2. Ты идёшь пешком в университет?
3. Ты что-нибудь купила своим братьям, когда ты была в Петербурге?
4. Вы когда-нибудь были в Ялте?
5. Кто-нибудь звонил, когда я был (была) в магазине?
6. Русским туристам нравится Нью-Йорк больше, чем Чикаго?
7. Я звоню своим друзьям каждую неделю.
8. Ты веришь в астрологию?
9. Я _____ (знак зодиака).
10. Ни пуха, ни пера! *or* Желаю тебе удачи.

Н.
Answers will vary.

О.
Answers will vary.

II.

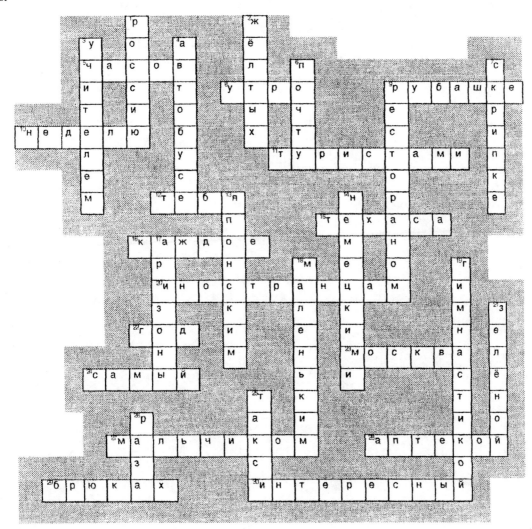

AA.
Думаю, что да.

ББ.

ВИКТОР МИХ:	Вы любите <u>хоккей</u>?
ПЁТР СТЕП:	Я больше люблю <u>баскетбол</u>.
ВИКТОР МИХ:	Жаль. У меня есть лишний билет на финальный матч, и я хотел вас пригласить.
ПЁТР СТЕП:	Я с удовольствием пойду! Я люблю <u>баскетбол</u> лучше, чем <u>хоккей</u>, но <u>хоккей</u> я тоже люблю.

ВВ.
1. б   2. г   3. а   4. в   5. б

ГГ.

	SINGULAR	PLURAL			SINGULAR	PLURAL
1.		x		5.	x	
2.	x			6.		x
3.		x		7.	x	
4.		x				

ДД.
1. в   2. б   3. б   4. а   5. в

ЕЕ-33.
Answers given on student audio program.

УРОК 10 С НОВЫМ ГОДОМ!

Часть первая

А.
1. Сергей Петрович поехал <u>за ёлкой</u>.
2. Дедом Морозом и Снегурочкой работали Саша <u>и Лена</u>.
3. Ёлку <u>подарила</u> Лене и Саше <u>фирма</u>, где они работали.
4. Вова уверен, что Сергей Петрович вернётся <u>без ёлки</u>.
5. Саша — настоящий джентльмен и отдаёт ёлку <u>Лене и Вове</u>.
6. Силин купил <u>маленькую</u> ёлку.
7. Когда Силин покупал ёлку, <u>какой-то молодой человек</u> тоже хотел купить ёлку.
8. Виктор купил ёлку Лене на Новый год.
9. Вове не понравилась ёлка <u>Силина</u>, но очень понравилась ёлка <u>Виктора</u>.

Б.
1. которую наш сын купил на базаре?
2. который принесла его подруга Алла?
3. на которой играл Вася?
4. с которым мы играли в карты?
5. о котором все говорили?
6. которому подарили на Новый год кошку?
7. которые принёс Дед Мороз?
8. которые приехали в 2 часа ночи?

В.
Sample answers.
1. с которым родители познакомились во Франции.
2. который занимается в библиотеке каждый вечер.
3. которому все девушки звонят.
4. который очень хорошо поёт и играет на гитаре.
5. которому очень нравится классическая музыка.
6. у которого дома везде его вещи.

Г.
Sample Answers.
1. за конвертами и марками
2. за рюкзаком и деньгами
3. за аспирином
4. за статьёй в новом журнале
5. за сыром и молоком
6. за билетами в Петербург
7. за открытами с видами Москвы
8. за инструментами

Д.
1. немецкого бизнесмена, Accusative
2. Людой и Игорем, Instrumental
3. билет, Accusative
4. компьютером и принтером, Instrumental
5. книжным магазином, Instrumental

Е.
1. приятно *or* интересно
2. трудно
3. нужно *or* надо *or* интересно
4. нужно *or* надо
5. скучно
6. стыдно
7. холодно
8. нельзя; надо *or* нужно

Ж.
1. Нам было приятно (*or* приятно было) тебя слушать.
2. Нам было очень трудно (*or* очень трудно было) понимать русские фильмы.
3. Моей сестре очень интересно (*or* нужно *or* надо) было учить французский язык.
4. Нам нужно (*or* надо) было много заниматься, чтобы выучить все слова.

З.
1. Нам будет приятно (*or* приятно будет) тебя слушать.
2. Нам будет очень трудно (*or* очень трудно будет) понимать русские фильмы.
3. Моей сестре очень интересно (*or* нужно *or* надо) будет учить французский язык.
4. Нам (нужно *or* надо) будет много заниматься, чтобы выучить все слова.

И.
1. профессора Никитина, Accusative; мне, Dative
2. своим родителям, Dative
3. ему; Dative
4. нам, Dative
5. бабушке, Dative

К.
— Соня, ты [не] знаешь, где папа?
— Он пошёл (поехал) за новогодней ёлкой.
— Хорошо. [Ты] Помнишь ёлку, которую мы купили в прошлом году?
— Да, она была высокая и красивая. Но погода в этот день была ужасная. Нам было очень холодно, когда мы наконец привезли её домой.

Л.
1. за
2. Белкой
3. которые
4. Дедом Морозом
5. которую
6. которой
7. просит
8. боится
9. приезжает
10. для

М.
1. Я купил (купила) принтер, о котором я читал (читала) в Интернете.
2. Я ходил (ходила) в кино с друзьями, с которыми я познакомился (познакомилась) у Пети. *or* Я ходил (ходила) в кино с друзьями, которых я встретил (встретила) у Пети.
3. Мне было стыдно, потому что я забыл (забыла) о новоселье у Даши.
4. Тебе было трудно понимать моих американских друзей вчера вечером?
5. Вчера вечером Ольга ходила в магазин за маслом и молоком.
6. Вы [не] хотите пойти за мороженым?
7. Я никогда не верю своему (моему) брату.
8. Я вам мешаю?

Н.
Personalized responses.

O.
Personalized responses.

AA.
Petya's father.

ББ.
1. Мне очень повезло: <u>завод, на котором</u> я работаю, <u>подарил</u> мне ёлку.
2. Я уезжаю на Новый год <u>в Торонто на конференцию</u>.

ВВ.
1. I hope [that] you were comfortable on the (commuter) train.
2. I hope [that] you weren't hot during the day.
3. I hope [that] you had a nice time (that it was pleasant for you) walking around the little Russian town.
4. I hope [that] it was interesting in the museum.
5. I hope [that] you weren't bored at grandmother's.

ГГ.
1. г   2. ж   3. е   4. б   5. а   6. д   7. Об.   8. в

ДД.
1. е; вв   3. в; бб   5. ж; зз   7. б; дд
2. з; жж   4. г; ее   6. а; аа   8. д; гг

ЕЕ.-ЗЗ.
Answers given on student audio program.

Часть вторая

А.
1. и   2. е   3. г   4. ж   5. з   6. а   7. б   8. в   9. д

Б.
Answers will vary. Add sample answers

В.
1. себе   4. себя   6. себе   8. собой
2. собой   5. себе   7. себя   9. себе
3. себя

Г.
1. уже не   3. уже не   5. ещё не
2. ещё не   4. уже не

Д.
1. лишнего   4. домашние   7. новогодняя
2. последняя   5. синих   8. лишняя
3. новогодние   6. последний   9. последнего

Е.
1. весенние цветы
2. весенняя погода
3. летний круиз
4. елетние туристы
5. осеннее утро
6. осенние месяцы
7. зимний снег
8. зимние песни

Ж.
1. Когда я начал (начала) заниматься русским языком, было интересно, а сейчас ещё интереснее.
2. Старая кровать удобная, а новая кровать ещё удобнее.
3. Мама готовит вкусно, а бабушка готовит ещё вкуснее.
4. Сосед в семнадцатой квартире симпатичный, а сосед в двадцатой квартире ещё симпатичнее.
5. Дядя Боря счастливый, а Дядя Витя ещё счастливее.
6. Слушать музыку Моцарта приятно, а слушать музыку Чайковского ещё приятнее.
7. Вчера лекция была скучная, а сегодня лекция была ещё скучнее.
8. Первый год учиться будет трудно, а последний год учиться будет ещё труднее.

З.
1. адашь
2. зотдаёт, задаёт
3. продаю
4. продам
5. преподаёт
6. будет преподавать
7. сдаёт
8. будет сдавать

И.
1. С наступающим!
2. С праздником!
3. С днём рождения!
4. С приездом!
5. С новосельем!

К.
— С [наступающим] Новым годом!
— С [наступающим] Новым годом, Алёша! Какая большая сумка (*or* Какой большой мешок)! Что ты принёс с собой?
— Пельмени и винегрет. Бабушка их приготовила и дала их мне.
— Я люблю винегрет.
— Винегрет вкусный, а (но) по-моему, пельмени ещё вкуснее.

Л.
1. декабря
2. салатов
3. подарил
4. новогодний
5. Приходит
6. вкусные
7. провожать
8. ещё

М.
1. Что ты купила себе в новом магазине?
2. У тебя есть лишняя марка?
3. Весенние вечера в _____ (a town) приятые, но (а) летние вечера еще приятнее.
4. Я больше не учусь; я работаю в большой фирме во Флориде.
5. Я купил (купила) новый компьютер и я продам тебе свой (мой) старый компьютер.
6. Джо всегда говорит о себе и говорить с ним ещё скучнее, чем говорить с его братом Джоном.
7. Я ещё не знаю, кто придёт завтра вечером.

Н.
Personalized responses.

O.
Personalized responses.

AA.
Answers will vary. Students should give the Russian names of at least five grocery items not mentioned in the dialogue.

ББ.

САРА:	Что это?
ИРИНА ВАДИМОВНА:	Это солёные <u>огурцы</u>. А вот это — <u>винегрет</u>.
САРА:	А что вкуснее?
ИРИНА ВАДИМОВНА:	А вы попробуйте.
САРА:	<u>Винегрет (огурцы)</u> очень вкусный (вкусные), но <u>огурцы (винегрет)</u> еще вкуснее.

ВВ.

Call for:	Sasha
Call from:	Sveta
Day/Date:	Wednesday/December 30th
Tel. number:	
Message:	They're celebrating New Year's at their place, not at Lena's. Bring mineral water and tomatoes. Invite your friend, Igor, if you want. Call this evening.

ГГ.
1. ж   cake
2. е   watching a movie
3. з   San Francisco
4. в   Julia Roberts
5. г   summer weather in Arizona
6. д   studying Japanese
7. а   summer at 9 A.M.

ДД.
Foods already purchased: butter, cheese, mushrooms, sausage, tomatoes
Foods they still need to purchase: bread, cucumbers, fruit
Drinks already purchased: mineral water, tea
Drinks they still need to buy: juice, wine

ЕЕ.-ЗЗ.
Answers given on student audio program.

Часть третья

А.
1. одиннадцать, пятьдесят
2. пирожки, солёные помидоры, минеральная вода (шампанское, вино)
3. попробовать пирожки
4. вино, шампанское
5. Виктор, не было такси (*or* (он) не мог найти такси)
6. Дед Мороз (Виктор)
7. Джим

Б.

Sample answers.

1. За мир и дружбу!   3. За дядю Вадима!   3. За дядю Вадима!
2. За тебя!   4. За наших гостей!   4. За наших гостей!

В.

1. г   2. е   3. з   4. а   5. б   6. в   7. д

Г.

1. нибудь, то, то
2. нибудь, то, нибудь, то, нибудь

Д.

1. Вале хочется встречать Новый год дома.
2. Нам очень хочется пойти на экскурсию.
3. Ростовым пригласили нас в гости, но нам не хочется к ним идти.
4. Мне кажется, что Лёня заболел. Ему всё время хочется спать.
5. Детям хочется пойти в зоопарк.
6. Мне хочется поехать в Калифорнию.

Е.

1. Мне хочется научиться готовить пирожки.
2. Мне хочется играть (*or* поиграть *or* сыграть) в шахматы с русскими школьниками.
3. Мне хочется встречать (*or* встретить) Новый год на Красной площади.
4. Мне хочется купить меховую шапку.
5. Мне хочется попробовать пельмени.
6. Мне хочется поехать в Санкт-Петербург.
7. Мне хочется посмотреть дом-музей Чайковского.

Ж.

1. сама   3. сами   5. сам (*or* сама)   7. сам
2. сам   4. сама   6. сами

З.

Я сама поведу машину.
Мы сами приготовим обед (*or* завтрак, *or* обед)
Мы сами нальём вино.
Я сама починю машину.
Я сам позвоню бабушке.

И.

1. ем   4. съест   6. поедим
2. поел; съел   5. едят   7. съела
3. будем есть

К.

— Вы [уже] ели (*or* поели)? *or* Ты уже ел (*or* поел)? *or* Ты уже ела (*or* поела)?
— Ещё нет. Я был (была) в университете и не было времени.
— Попробуйте (Попробуй) пирожки. Я сам (сама) их готовил (готовила) *or* Я сам (сама) их делал (делала).
— Спасибо. Они очень вкусные. Мне хочется научиться их готовить. Вы меня научите? (*or* Ты меня научишь?)
— С удовольствием.

Л.
1. провожают
2. домашние
3. сама
4. пьют
5. опоздал
6. было
7. бутылку
8. годом
9. счастьем

М.
1. Я приготовил (приготовила) пиццу и сам (сама) её съел (съела).
2. Мне хочется (*or* Я хочу) научиться играть на балалайке.
3. Тебе хочется что-нибудь пить?
4. Кто-нибудь мне звонил?
5. Мои друзья очень хорошо поют; они учатся в Московской Консерватории.
6. Чем-то очень вкусно пахнет.
7. Я ем рыбу два раза в неделю.
8. Лёня бежит по улице в оранжевых джинсах и лиловой рубашке, у него что-то в руках.

Н.
Personalized responses.

О.
Personalized responses.

АА.
1. He found a taxi driver going to the street where his friends live; it turns out that the taxi driver lives there, too.
2. Продавцам тоже хочется встретить Новый год.

ББ.
Винегрет — это салат с картошкой, с огурцами, луком, и со свёклой.

ВВ.
1. в   2. г   3. д   4. е   5. а   6. Об.   7. б

ГГ.
1. Future
2. Future
3. Present
4. Future
5. Present
6. Present
7. Present
8. Future
9. Present

ДД.
1. в   2. а   3. в   4. а   5. б

ЕЕ.-ЗЗ.
Answers given on student audio program.

Часть четвёртая

А.
1. Джим
2. Таня
3. Джим
4. Таня
5. Родители Джима
6. Таня
7. Джим
8. Все
9. Джим
10. Лена

Б.
1. этого (*masc. sing. Gen.*)
   того (*masc. sing. Gen.*)
2. этом (*neut. sing. Prep.*)
3. этими (*pl. Instr.*)
4. ту (*fem. sing. Acc.*)
   эту (*fem. sing. Acc.*)
5. Эти (*pl. Nom.*)
   те (*pl. Nom.*)
6. Эта (*fem. sing. Nom.*)
   та (*fem. sing. Nom.*)
7. этой (*fem. sing. Gen.*)
8. Этим (*pl. Dat.*)
   тем (*pl. Dat.*)

В.
1. один (*masc. sing. Nom.*)
2. одну (*fem. sing. Acc.*)
   одну (*fem. sing. Acc.*)
3. одного (*masc. sing. Acc.*)
4. одно (*neut. sing. Acc.*)
5. одним (*masc. sing. Instr.*)
6. Одному (*masc. sing. Dat.*)

Г.
1. всем (*pl. Dat.*)
2. Все (*pl. Nom.*)
3. весь (*masc. sing. Acc.*)
   всю (*fem. sing. Acc.*)
4. всех (*pl. Gen.*)
5. всё (*neut. sing. Acc.*)
6. Вся (*fem. sing. Nom.*)

Д.
1. было 8 лет, она жила в Италии.
2. было 12 лет, она начала играть в шахматы.
3. было 16 лет, она начала заниматься английским языком.
4. было 18 лет, она поступила в университет.
5. был 21 год, она закончила университет.
6. будет 28 лет, она начнёт работать в Канаде.
7. будет 32 года, она выйдет замуж.
8. будет 38 лет, переедет в Аргентину.
9. будет 44 года, она вернётся в Россию.

Е.
1. сидели
2. Садитесь
3. сидеть
4. садится
5. сидела
6. садись
7. сел
8. сидели
9. села
10. сидел

Ж.
1. Давай я налью шампанское.
2. Давай я встречу Аню и Таню в аэропорту.
3. Давай я тебя (вас) научу американскую песню.
4. Давай я заплачу за обед (ужин).
5. Давай я тебе (вам) покажу свои (мои) фотографии.
6. Давай я позвоню Никите Александровичу.

З.
1. смотрят
2. Едят
3. спешат, читают
4. покупают
5. уезжают

И.
1. actor
2. a figurine of Снегурочка
3. Lvov
4. his wife, Ксения
5. on the floor of one of the rooms
6. They took it to Moscow.
7. the most honored place—under the tree

К.
— Тони, добрый вечер!
— Привет, Лара. Я принёс тебе бутылку белого вина.
— Спасибо. Садись. Всё готово.
— Давай я открою вино.
— Ладно. Надеюсь, что ты голоден (*or* тебе хочется есть). Мы приготовили пирожки и много салатов.

Л.

1. сидят	3. сесть	5. этой	7. новогоднюю
2. сидит	4. чувствует	6. перевод	8. все

М.
1. Давай я принесу салат.
2. Все американские студенты будут провожать старый год на дискотеке.
3. Все хотят (по-)прощаться с Олей.
4. Садись на диван!
5. Какая-то студентка из Калифорнии попробовала пирожки, но я не знаю, какая,
6. Этот таксист очень хорошо водит машину, а тот плохо.
7. Мне было 16 лет, когда я научился (научилась) водить машину.

Н.
Personalized responses.

О.
Personalized responses.

П.

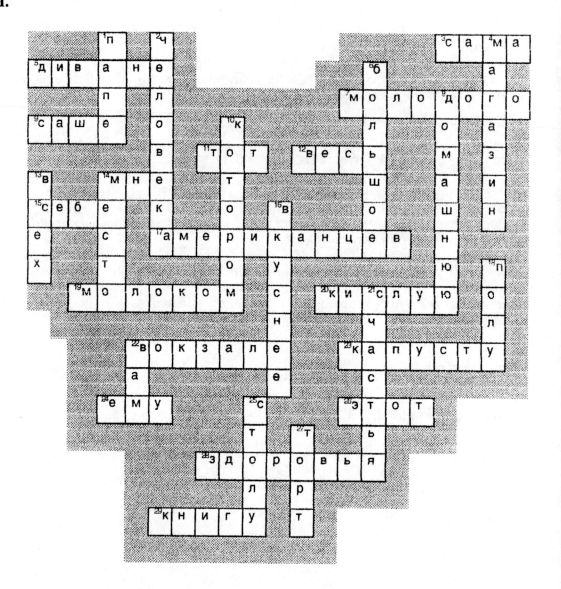

АА.

ДЖОН: Тебе нравится песня "It's a Small World"?
ВАСЯ: Очень. Я очень люблю <u>американские</u> песни.
ДЖОН: Ты знаешь <u>мелодию</u> этой песни?
ВАСЯ: Нет, я знаю только <u>слова</u>.
ДЖОН: А [ты] хочешь научиться петь эту песню?

ББ.

Because everyone gets presents at New Year's, but only he gets presents on his birthday.

ВВ.

1. в   2. д   3. Об.   4. б   5. г   6. а

ГГ.

	Где? (*Seated*)	Куда? (*Sitting down*)
1.		x
2.	x	
3.		x
4.		x
5.	x	

ДД.
1. ж (Об.)   2. г   3. а   4. д   5. б   6. е   7. в

ЕЕ.-33.
Answers given on student audio program.

УРОК 11 ЯЗЫК — ЭТО НЕ ВСЁ!

Часть первая

А.
1. з   2. е   3. ж   4. к   5. г   6. и   7. д   8. б   9. а   10. в

Б.
1. а. купи   б. приготовь
2. стойте
3. Поставьте
4. а. напиши   б. позвони,
5. а. Покажите   б. садитесь
6. а. Прочитайте   б. ответьте   в. забудьте
7. Попроси

В.
1. Было человек пятнадцать.
2. Ирина принесла [компакт-]дисков десять.
3. Часов в семь пришёл Сергей.
4. Мы пели часа два.
5. Потом я разговаривала с Ниной минут двадцать.
6. Часов в одиннадцать мы с Зиной ушли.

Г.
1. Половина седьмого.
2. Десять часов.
3. Четверть двенадцатого.
4. Половина второго.
5. Четверть третьего.
6. Три часа.
7. Без четверти десять.
8. Без четверти час.

Д.
1. Без четверти три ночи.
2. Без четверти девять утра.
3. В половине четвёртого (полчетвёртого) дня.
4. В четверть четвёртого дня.
5. Без четветри час дня.
6. а. В четверть седьмого вечера   б. В половине одиннадцатого (пол-одиннадцатого) вечера   в. В половине пятого (полпятого) утра.

Е.
1. привела
2. принёс
3. приносишь
4. Приведи
5. принесёт, приведёт

Ж.

Овен	10
Телец	7
Близнецы	1
Рак	6
Лев	2
Дева	11
Весы	9
Скорпион	12
Стрелец	8
Козерог	5
Водолей	3
Рыбы	4

З.

— Наташа, ты свободна завтра вечером? Ты можешь ко мне прийти? Я пригласил (пригласила) к себе французского аспиранта. Он изучает русскую историю.
— С удовольствием. Что [мне] [надо *or* нужно] принести?
— Ничего, спасибо. Кстати, он должен приехать на метро часов в шесть. Ты [не] можешь его встретить и привести [его] сюда?
— Конечно. Завтра я приду домой в четверть шестого.

И.

1.	приглашает	3.	гости	5.	принести	7.	привести	9.	седьмого
2.	которого	4.	приведут	6.	приезжает	8.	займёт	10.	ради

К.

1. Вставай! (Встань!) Мы должны выйти *(выходить or выезжать or выехать)* через двадцать минут.
2. Приготовь пиццу на день рождения (ко дню рождения) Володи.
3. Я купил (купила) открыток десять и конвертов пять.
4. Я уезжаю в Кострому в четверть восьмого вечера.
5. Моя сестра приезжает (приходит) часов в пять (около пяти).
6. Можно привести моего друга из Киева, который приезжает (приедет) в пятницу.
7. Я обычно ухожу (уезжаю) в университет без четверти девять.

Л.

Personalized responses.

М.

Personalized responses.

АА.

ЛЮДА: Катя, приходи ко мне сегодня вечером. Придёт мой друг Миша. Я давно хочу тебя с ним познакомить.
КАТЯ: Спасибо, с удовольствием. В котором часу?
ЛЮДА: Часов в шесть.

ББ.

В пятницу у меня в гостях будут немецкие студенты. Если ты хочешь поговорить по-немецки, приходи в пятницу вечером.

ВВ.

	число	время
1.	16 October	2:45
2.	1 November	9:30
3.	31 December	12:00
4.	19 January	6:45 PM
5.	10 February	8:15 AM
6.	3 March	3:15
7.	12 April	7:30 PM
8.	20 May	9:00

ГГ.

1. б   2. а   3. б   4. б   5. а   6. а

ДД.

1. д   2. в   3. Об.   4. е   5. а   6. г   7. б

ЕЕ.-ЗЗ.

Answers given on student audio program.

Часть вторая

А.

1. Карл звонит Лене в половине седьмого (полседьмого) .
2. Вова с Белкой уже давно ходят около телефона-автомата.
3. Около автобусной остановки [только] один телефон-автомат.
4. По телефону разговаривала какая-то толстая тётка.
5. Карл не видит ни собаки, ни мальчика.
6. Карл стоит около остановки двенадцатого автобуса.
7. Карл иногда ездит на двенадцатом автобусе к своим друзьям.
8. Рядом с автобусной остановкой высокий дом, 16 этажей.
9. Лена виновата, что Карл приехал в другой район.
10. Карл поедет к Лене на такси.

Б.

1. Я хочу, чтобы Катя погуляла с собакой.
2. Я хочу, чтобы Миша позвонил бабушке.
3. Я хочу, чтобы Слава и Толя встретили гостей у метро.
4. Я хочу, чтобы Марина помогла Мише с математикой.
5. Я хочу, чтобы Алёша и Таня принесли шоколад и цветы.
6. Я хочу, чтобы Гена пошёл за хлебом и маслом.

В.

1. Профессор сказал Васе, чтобы он позвонил ему сегодня вечером.
2. Мама сказала сыну, чтобы он купил молока.
3. Журналист сказал дедушке, чтобы он рассказал о себе.
4. Ирина Сергеевна сказала Кириллу, чтобы он не сидел на полу.
5. Соседи несколько раз просили Бориса, чтобы он не играл так громко.
6. Ты должен сказать брату, чтобы он принёс свой магнитофон.
7. Сева сказал Ане, чтобы она отдала эти книги своей сестре.
8. Витя сказал нам, чтобы мы взяли с собой деньги.

Г.
1. Она должна была записать адрес.
2. Он должен был выучить новые слова.
3. Он должен был позвонить.
4. Она должна была закрыть окно.
5. Они должны были купить карту города.
6. Она должна была ходить на лекции.

Д.
1. Ей нужна была картошка.
2. Ему нужны были грибы.
3. Ему нужны были огурцы.
4. Ей нужна была капуста.
5. Ей нужен был шоколад.
6. Ему нужен был хлеб.
7. Ей нужно было мясо.

Е.
1. Борису нужно было принести компакт-диски.
2. Оле нужно было купить цветы.
3. Дону нужно было приготовить пирожки.
4. Тане нужно было найти стулья.
5. Василию нужно было убрать квартиру.
6. Ларе нужно было купить сок и пиво.

Ж.
1. похожа
2. закрыты
3. виновата
4. рады
5. открыт
6. готова
7. а. уверены   б. уверена

З.
Sample answers—individual adjectives may vary, but pay attention to the gender of the adjectives in question.
1. а. чудесное   б. вкусный
2. Какое замечательное
3. красивая
4. Розовый
5. а. красивая   б. симпатичная

И.
1. езжу
2. ходили
3. ходить
4. ездили
5. ездил (ездила)
6. ходили
7. хожу
8. ходили

К.
— Ты думаешь, что магазин «Продукты» открыт?
— Не думаю. Я ходил (ходила) туда вчера в половине шестого (полшестого), и он был открыт, но сейчас без четверти восемь.
— Я должен был (должна была) купить хлеб и сыр сегодня утром.
— Они тебе нужны сегодня вечером? *or* Тебе они нужны сегодня вечером?
— Нет, завтра вечером. Но у меня завтра нет (небудет) времени.
— Попроси Петю купить их завтра утром. Он свободен.

Л.
1. пригласила
2. просит
3. пошёл
4. привёл
5. никакого
6. никого
7. приехал
8. сел
9. был
10. виновата
11. должна

М.
1. Я должен был (должна была) встретить Веру в кино (кинотеатре) в половине шестого (полшестого), но я забыл (забыла).
2. Я попросил (попросила) Наташу прислать (послать) мне компакт-диски современной русской рок-музыки (современных русских рок-групп).
3. Я хочу, чтобы Соня познакомила меня со своим братом.
4. Когда я приехал (приехала) в Москву, было холодно и мне нужно было купить свитер.
5. Когда я была маленькая (маленькой) (когда я был маленький *or* маленьким), я
   всегда ездила (ездил) со своей (с моей) мамой (матерью) в детский сад на метро.
6. Магазины закрыты, потому что сегодня праздник. Но завтра они будут открыты.
7. В аэропорт надо ехать на автобусе.

Н.
Personalized responses.

О.
Personalized responses.

АА.
Сначала на метро до станции "Парк Культуры" а потом на двенадцатом автобусе.

ББ.
1. а. He doesn't know the way; this is his first time coming to see them.
   б. Maybe he got lost; all the apartment buildings in the neighborhood are identical. Maybe the payphones aren't working.
2. Тётя Даша должна была приехать два часа назад.

ВВ.
1. в   2. а   3. б   4. б   5. в

ГГ.
2. н, 12   3. н, 9th   4. н, taxi stand   5. в   6. н, ice cream   7. в   8. н, 19

ДД.
1. 12   2. 9   3. 20   4. 19   5. 9   6. 19   7. 10   8. 12   9. 20

ЕЕ.
1. д   2. г   3. а   4. в;   5. Об.   6. б

ЗЗ. –ИИ.
Answers given on student audio program.

Часть третья

А.
1. известными музыкантами.
2. два студента из Индии, один из Вьетнама и один из Бразилии.
3. приехали в Россию.
4. русским языком.
5. в Америке *or* шесть лет.
6. шесть, шесть
7. в языке, много традиций.
8. он рассказал о своих первых месяцах в России.

Б.
1. Он выучил новые слова за 2 часа.
2. Он сделал домашнее задание за 3 часа.
3. Он научился водить машину за месяц.
4. Он написал курсовую за 2 месяца.
5. Он прочитал «Войну и мир» за 3 месяца.
6. Он научился говорить по-итальянски за 5 месяцев.

В.
Sample answers
1. Лучшие студенты в группе выучили 25 новых слов за 10 минут.
2. Ваша подруга съела 50 сосисок за два часа.
3. Брат приготовил ужин за час.
4. Дедушка написал свою биографию за неделю.
5. Вы сделали это упражнение за 30 минут.
6. Ваш преподаватель прочитал роман "Доктор Живаго" за 2 дня.
7. Наш президент пробежал 5 миль за 20 минут.

Г.
1. Антон учил новые слова 2 часа.
2. Антон делал домашнее задание 3 часа.
3. Антон учился водить машину месяц.
4. Антон писал курсовую 2 месяца.
5. Антон читал "Войну и мир" 3 месяца.
6. Антон учился говорить по-итальянски 5 месяцев.

Д.
1. неделю
2. В пятницу
3. часов в шесть
4. вечер
5. час
6. за час
7. два часа
8. час (Об.)
9. В четверть одиннадцатого

Е.
1. пирожки с картошкой
2. вид спорта
3. магазин электроники
4. носитель языка
5. факультет музыки
6. день рождения

Ж.
1. носитель языка (Nom.)
2. факультете музыки (Prep.)
3. днём рождения (Instr.)
4. пирожки с картошкой (Acc.)
5. магазине электроники (Prep.)
6. видом спорта (Instr.)

З.
1. Шанне 21 год.
2. Брэндону 20 лет.
3. Дженнифер 23 года.
4. Эмили 19 лет.
5. Филу 24 года.
6. Ронде 25 лет.

И.
1. Попробуй
2. пытаемся
3. попробовали
4. пытались
5. пытался
6. попробовать

К.
— Твой отец электрик?
— Он был электриком, а (но) сейчас он профессор истории в маленьком университете в Висконсине.
— Интересно! Когда он стал профессором истории?
— Недавно. Он начал учиться, когда мы жили в Вашингтоне, где я родился (родилась). Он там учился 4 года. И я знаю, что он писал [свою] диссертацию десять лет и наконец написал (закончил) её два года назад. Мне [сейчас] двадцать лет, итак он стал профессором истории за восемьнадцать лет.

Л.
1. иностранцев
2. целый
3. русским
4. неделю
5. часов
6. Каждый
7. телепередачи
8. пытались
9. Нгуена
10. рассказал

М.
1. Я привёл (привела) мою сестру Брэнди и моего брата Гранта к Наташе.
2. Я пытался (пыталась) объяснить Джо домашнее задание.
3. Где находится стоянка такси?
4. Я могу съесть целую пиццу за 20 минут.
5. Вчера я три часа занимался (занималась) и потом (пошёл) пошла к Веронике.
6. Я пробовал (пробовала) солёные помидоры, но они мне не понравились.
7. Я смотрел (смотрела) телепередачи весь вечер.

Н.
Personalized responses.

О.
Personalized responses.

АА.
ЛЮДА: Какой иностранный язык твоя сестра учила в школе?
МАША: Немецкий.
ЛЮДА: А в университете?
МАША: Японский.
ЛЮДА: Значит она говорит свободно на двух языках?
МАША: К сожалению, она не говорит на этих языках, а только читает.

ББ.
Я изучала русский язык девять лет — пять лет в школе и четыре года в университете.

ВВ.
2. 6 months   3. 8 months   4. 1 year   5. 5 months   6. 2 years   7. 3 days

ГГ.
2. 14 years   3. 4 years   4. 2 years   5. 10 years   6. 16 years

ДД.
2. Go past ~~four~~ stops. *six*
3. The trolleybus stops on the corner of Lesnaya and ~~Tolstoy~~ Streets. *Pushkin.*
4. When you get off you'll see a building of ~~eighteen~~ stories. *twelve.*
5. It's building number ~~8~~. *5*
6. It's the ~~second~~ entryway. *first*
7. The apartment number is ~~19~~. *29*
8. It's on the ~~third~~ floor. *first*

ЕЕ.-ЗЗ.
Answers given on student audio program.

Часть четвёртая

А.
4—На рынке . . .
9—Они поехали . . .
1—Света пригласила . . .
8—Иностранные студенты . . .
6—Продавец написал . . .
3—Группа иностранных . . .
2—Когда Нгуен был . . .
5—Студенты решили . . .
7—Дежурная увидела . . .

Б.
1. побыстрее
2. побольше, поменьше
3. подальше

В.
Depending on which conversion formula you use, your answers may differ.
1. б. 5 feet 4 inches, 121 pounds   в. 5 feet 11 inches, 169 pounds   г. 5 feet 7 inches, 130 pounds
2. а. 170 cm., 73 kg.   б. 163 cm., 50 kg.   в. 190 cm., 91 kg.
3. а. 3100 (3125) miles   б. 1243 (1250) miles   в. 434 (438) miles   г. 31 miles
4. а. 4032 (4000) km   б. 1370 (1360) km   в. 323 (320) km.   г. 113 (112) km.
5. а. 13 gallons.   б. 15 gallons   в. 19 gallons

Г.
1. лекция *or* семинар   3. уроков   5. семинар/лекцию
2. группе   4. занятий *or* лекции *or* семинара   6. уроке

Д.
1. в тысяча семьсот двадцать восьмом году
2. в тысяча восемьсот тридцать первом году
3. в тысяча восемьсот девяносто четвёртом году
4. в тысяча девятьсот двенадцатом году
5. в двухтысячном году
6. в две тысячи втором году

Е.

2. 1547, б	5. 1776, д	8. 1917, ж
3. 1620, г	6. 1789, и	9. 1918, з
4. 1703, а	7. 1821, е	10. 1929, к

Ж.

1. умер	3. умерла	5. привыкла
2. привык	4. села	

З.
— Ты вчера был (была) на рынке?
— Да. Мне надо было купить цветы нашему преподавателю (нашей преподавательнице *or* нашему учителю *or* нашей учительнице). Там было много цветов. Я купил (купила) самые красивые — красные и розовые розы. Там ещё были венки.
— Хорошо, что ты не купил (купила) венок! В России покупают такие венки только на похороны.

И.

1. попал	3. группа	5. венке	7. дежурная	9. узнали
2. приезда	4. рынок	6. Дорогой	8. умер	10. похороны

К.
1. Стоянка такси подальше.
2. Мой преподаватель истории мне не интересно как учитель. Мне всегда хочется (Я всегда хочу) спать на его лекциях.
3. Мне хотелось (Я хотел (хотела)) смеяться, когда Айлин рассказала о случае на рынке.
4. Ты привыкла к американским традициям?
5. Джордж Вашингтон умер в тысяча семьсот девяносто девятом году.
6. Когда умерла Анна Ахматова?
7. У меня сегодня нет занятий.
8. Мне нужна футболка побольше.

Л.
Personalized responses.

М.
Personalized responses.

H.

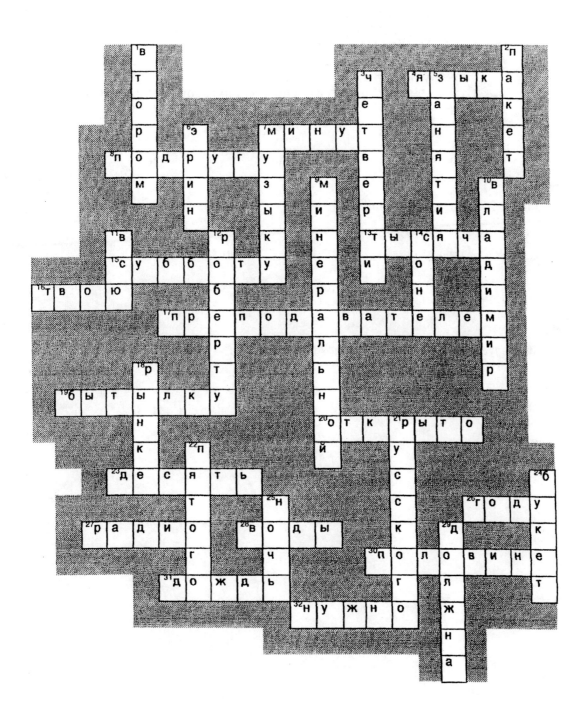

AA.
1. watch Russian movies and TV shows
2. listen to the radio
3. talk to her friends only in Russian

ББ.

ЛЕОНИД НИКИТИЧ:	Где вы работаете в Токио?
ДЖОРДЖ:	В телекомпании CNN.
ЛЕОНИД НИКИТИЧ:	Вы здесь с семьёй?
ДЖОРДЖ:	Да, моя жена работает в японско-американской фирме, а дети учатся в японской школе.
ЛЕОНИД НИКИТИЧ:	Ваши дети будут очень хорошо говорить по-японски.
ДЖОРДЖ:	Почему «будут»? Они уже прекрасно говорят.

ВВ.
1. б   2. б   3. а   4. а   5. в   6. а

ГГ.
1. tall   2. medium   3. tall   4. short   5. tall

ДД.
1. short   2. tall   3. tall   4. medium   5. short

ЕЕ.
1. г   2. д   3. а   4. Об.   5. б   6. в

ЖЖ.-ИИ.
Answers given on student audio program.

УРОК 12 ДОМАШНИЙ ДОКТОР

Часть первая

А.
1. Александру Николаевну.
2. [кое-какие] продукты.
3. домашними средствами.
4. беспокоить.
5. полчаса.
6. всё, что нужно.
7. своему коллеге, Шуре (на факультет, на работу).
8. в 4 часа.
9. отменить семинар.

Б.
1. болит
2. а. болею *or* заболела *or* простудилась   б. лечит   в. вылечит (полечит)
3. а. чувствую   б. болею *or* заболела
4. а. болеешь (заболел *or* простудился)   б. полечить
5. простудился (заболел *or* болеешь)

В.
1. аспирином
2. автобусом
3. домашними средствами
4. а. ножом   б. вилкой   в. руками
5. красным карандашом
6. ключом

Г.
1. Когда у меня насморк, мама лечит меня ___ чаем _с_ мёдом.
2. Завтра утром мы с Катей поедем ___ поездом в Финляндию.
3. Света, _с_ кем ты была на лекции? _С_ Олегом?
4. Ты ешь торт ___ ложкой? Как странно!
5. Вот у нас пирожки _с_ грибами и с картошкой. Их можно есть ___ руками.
6. ___ Ручкой или ___ карандашом?

Д.
1. болят
2. болеешь
3. болеют
4. болит
5. болеет

Е.
— Вера Николаевна, вы кашляете и чихаете. Вы заболели?
— Я [сильно] простудилась. У меня болит голова, и я чувствую себя ужасно.
— Вы ходили к врачу?
— Нет, моя соседка будет меня лечить. Она всегда лечит меня домашними средствами.

Ж.
1. чихает
2. чувствует
3. простудился
4. немедленно
5. предлагает
6. полечит
7. средствами
8. просит

З.
1. У меня болит голова и спина. *or* У меня болят голова и спина.
2. Я чувствую себя плохо. *or* Я плохо себя чувствую.
3. Как ты себя чувствуешь сегодня?
4. Когда я болею (болен *or* больна), я лечусь аспирином.
5. Я не хочу, чтобы Людмила Валентиновна меня лечила домашними средствами; врач меня вылечит.
6. Я писал (писала) сочинение карандашом, а [я] должен был (должна была) писать его ручкой.
7. В Америке обычно едят пиццу руками.

И.
Personalized responses.

К.
Personalized responses.

АА.
1. Ты мерил температуру?   2. Надо измерить температуру ещё раз.

ББ.
1. Я простудилась.   2. чай с мёдом (*tea with honey*)   3. Я пила чай с лимоном.

ВВ.
1. в (Об.)   2. а   3. б   4. а   5. б   6. в

ГГ.
1. б   2. а   3. а   4. б   5. а   6. б

ДД.
1. а (Об.)   2. д   3. в   4. е   5. г   6. з   7. NA   8. ж   9. NA
10. б

ЕЕ-ЗЗ.
Answers given on student audio program.

Часть вторая

А.
1. На лестнице Александра Николаевна встречает Вову и Петю.
2. Александра Николаевна думает, что они опаздывают в школу.
3. Все школы в районе закрыты, потому что в городе эпидемия гриппа.
4. Александра Николаевна ещё не знает, что все школы в их районе закрыты.
5. Вова и Петя бегут в кино, а потом на каток.
6. Кажется, простудился не только профессор, но и Сергей Петрович тоже.
7. Мальчики вызывают врача Сергею Петровичу.
8. Они несут в поликлинику записку. Тут фамилия, имя и отчество, год рождения и адрес Силина.
9. Дома только папа и Белка.
10. Петя говорит, что сеанс в кинотеатре начинается в 10.30.

Б.
1. Я спешу в университет на лекцию.
2. Я ходил на стадион на тренировку.
3. Они пошли в театр на балет.
4. Он уехал в Финляндию на конференцию.
5. Я еду во Францию в командировку.
6. Он ходил в институт на семинар.

В.
1. автомеханику.	3. директору школы.	5. подруге (Кате).
2. в поликлинику.	4. в офис.	6. брокеру.

Г.
1. не любит спортивных телепередач.
2. не видела русского балета.
3. не любит громкой музыки.
4. не пишет [мне] писем.
5. не читает ни журналов, ни газет.
6. не пробовал таких (жёлтых) помидоров

Д.
Samples responses.
1. А я не видел (видела) ни большой красной машины, ни маленького белого грузовика.
2. Я не слышал (слышала) никакой музыки.
3. Я не видел (видела) ни высокого молодого человека, ни девушки в чёрных джинсах.
4. Я не видел (видела) никакого пакета.
5. Я не слышал (слышала) никаких песен.
6. Я не помню никакого номера машины.

Е.
1. Acc. (Об.)   2. Gen.   3. Gen.   4. Gen.   5. Gen.   6. Acc.   7. Gen.
8. Gen.   9. Gen.   10. Acc.

Ж.
Sample answers
1. колбасу	4. сока	7. кислую капусту
2. молока	5. чаю (чая)	8. салата
3. молока	6. паштета	9. колбасы

З.
1. Иван старше Филиппа.
2. Старый район хуже нового.
3. Первое упражнение было труднее второго.
4. Катя знает математику лучше других студентов.
5. Наша новая квартира больше старой.
6. Тема у Лизы легче (проще) темы у вас.
7. Его сумка легче моего портфеля.

И.
1. а. Мерседес дороже , чем форд. *or* Форд дешевле, чем мерседес.
   б. Мерседес дороже форда. *or* Форд дешевле мерседеса.
2. а. Никита Антонович старше, чем Михаил Дмитриевич. *or* Михаил Дмитриевич моложе, чем Никита Антонович.
   б. Никита Антонович старше Михаила Дмитриевича. *or* Михаил Дмитриевич моложе Никиты Антоновича.
3. а. Рюкзак легче, чем чемодан. *or* Чемодан тяжелее, чем рюкзак.
   б. Рюкзак легче чемодана. *or* Чемодан тяжелее рюкзака.
4. а. Соня богаче, чем Лида. *or* Лида беднее, чем Соня.
   б. Соня богаче Лиды. *or* Лида беднее Сони.
5. а. Комната Гриши чище, чем комната Стёпы. *or* Комната Стёпы грязнее, чем комната Гриши.
   б. Комната Гриши чище комнаты Стёпы. *or* Комната Стёпы грязнее комнаты Гриши.

К.
1. Семинар начинается в четыре пятьнадцать, а кончается в пять часов.
2. Телепередача о Германии начинается в шесть часов, а кончается в семь часов.
3. Экскурсия в Кремль начинается в десять часов, а кончается в двенадцать часов.
4. Урок по гимнастике начинается в два тридцать, а кончается в три тридцать.
5. Футбольный матч начинается в три тридцать, а кончается в шесть тридцать.
6. Аэробика начинается в час сорок пять, а кончается в два сорок пять.

Л.
— Вы позвонили (ты позвонил *or* ты позвонила) в ресторан?
— Да. Всё в порядке. Мы уедем [на метро] в шесть часов.
— Хорошо. Мне нравится этот ресторан. Он дороже ресторана (чем ресторан) в центре, но меню там лучше.
— У них вкусный винегрет.
— Я винегрета не ем, но мне там нравится икра.

М.
1. закрыты
2. уроков
3. спешат
4. заболел
5. университет
6. семинар
7. поликлинику
8. занят
9. каникулы
10. начинается

Н.
1. Я не ем мяса (мясо) и не пью водки (водку).
2. Я хочу (Мне хочется) чай (чая *or* чаю) с лимоном. *or* Налейте мне, пожалуйста, чай (чая *or* чаю) с лимоном.
3. Положите мне, пожалуйста, мяса (мясо) и картошки (картошку).
4. Налей мне минеральной воды (минеральную воду).
5. Передайте, пожалуйста, мясо и картошку.
6. Лори моложе меня (чем я), но старше Сэма (чем Сэм).
7. Я иду в университет на лекцию.
8. Вчера вечером я звонил (звонила) в Канаду.

О.
Personalized responses.

П.
Personalized responses.

AA.

ЗИНА: Маша, пора вставать, на занятия (в университет) опоздаешь.
МАША: Зина, сегодня занятий не будет!
ЗИНА: Это почему?
МАША: Потому что в городе эпидемия гриппа и университет закрыт!

ББ.

1. Because Nikolai Ivanovich is thirsty all the time and keeps asking for tea with lemon.
2. Николаю Ивановичу всё время хочется есть, он всё время просит: «Дай мне сыру (сыра)!»

ВВ.

1. е   2. д   3. г   4. а (Об.)   5. в   6. б

ГГ.

1. ж (Об.)   2. г   3. б   4. з   5. в   6. а   7. е   8. д

ДД.

а. 3, 2, 1
б. 2, 1, 3
в. 2, 1, 3
г. 1 (*youngest*), 3, 2
д. 2, 3, 1 (*easiest*)

ЕЕ-ИИ.

Answers given on student audio program.

Часть третья

А.

а. 11   б. 10   в. 3   г. 5   д. 8   е. 4   ж. 9   з. 2   и. 1   к. 6   л. 7

Б.

Imperatives:
дыши
налей
поставь
сядь
сними

1. Налей   3. Сядь   5. Сними
2. Поставь   4. Сними   6. Дыши

Imperatives:
вызови
мерь
выпей
открывай
позвони

7. Позвони   9. Выпей   11. мерь
8. Вызови   10. открывай

В.
1. приходи в гости
2. а. входите   б. Садитесь.
3. бери

Г.
1. Пишите   3. Говорите   5. Смотрите
2. Принимайте   4. Ходите

Д.
1. Нет, не говори преподавателю, что ты болен.
2. Нет, не пиши письмо директору школы.
3. Нет, не спрашивай Антона, как делать это упражнение.
4. Нет, не проси Сергея помочь тебе.
5. Нет, не покупай этот журнал.
6. Нет, не смотри этот фильм.
7. Нет, не продавай свой компьютер.

Е.
1. Эта лекция всегда кончается в три часа.
2. Урок обычно начинается с вопросов.
3. Аспиранты учатся писать статьи по-русски.
4. Письмо вернулось, потому что на конверте не было марки.
5. Наш магазин откырвается в 9 утра.
6. Папа лечится новым методом.
7. Фрукты продаются у входа в метро.

Ж.
Sample answers.
Пылесос включается.
Бутылка открывается.
Письмо пишется.
Телевизор выключается.
Окна закрываются.
Вода наливается.

З.
1. gynecology, ophthamology, cardiology, pediatrics, dermatology, psychiatry, orthopedics, physical therapy
2. Switzerland, Germany, France
3. plastic surgery
4. а. парадонтология, periodontics   б. ортодонтия, orthodontics
   в. парадонтология (*periodontics*), ортодонтия (*thodontics*), имплантология (*implantology*), зуботехнические зубы

И.
— Борис Михайлович, вот ваше лекарство — горячая картошка.
— А что с ней делать?
— Снимите крышку, опустите голову и дышите.
— Я не могу! Очень горячо!
— Хорошо, что горячо. Я обещаю, что ваш кашель пройдёт.

К.

1. лекарства   3. домашняя   5. снимает   7. горчичники   9. кашляет
2. продаются   4. лечить   6. горячую   8. картошкой   10. полечила

Л.

1. Рынок открывается в семь [часов] утра, а закрывается в три [часа] дня.
2. Эта песня поётся так.
3. Измерь (мерь) температуру.
4. Входите (Заходите *or* Проходите), пожалуйста. Садитесь.
5. Не звоните (Не вызывайте врача), пожалуйста, врачу.
6. Я уже два дня кашляю и чихаю.
7. У меня был насморк, но он прошёл за [один] день.

М.

Personalized responses.

Н.

Personalized responses.

АА.

1. give Mom chicken broth and tea with lemon and have her stay in bed for a day or two.
2. Принимай аспирин три раза в день и пей чай с мёдом.

ББ.

1. Это хорошее средство от простуды.
2. Это лекарство от всех болезней.
3. Это хорошее средство от насморка.
4. Это самое лучшее средство от гриппа.

ВВ.

1. б (Об.)   2. а   3. б   4. в   5. в   6. а

ГГ.

1. в   2. г   3. е   4. д   5. а   6. б   7. Об.

ДД.

1. н (Об.)   2. в   3. н   4. в   5. н   6. н   7. в   8. в

ЕЕ-ЗЗ.

Answers given on student audio program.

Часть четвёртая

А.

1. з   2. л   3. б   4. ж   5. в   6. е   7. к   8. г   9. д   10. и
11. а

Б.

1. Пусть Люда купит [их].
2. Пусть папа зайдёт [за ними].
3. Пусть Саша погуляет [с ней].
4. Пусть бабушка приготовит [его].
5. Пусть родители встретят [его].
6. Пусть Саша с Людой отнесут [её].
7. Пусть Саша закроет [его].
8. Пусть другие учат [слова].

В.

Sample answers.

Пусть дядя Лёня зайдёт за бокалами.
Пусть Слава приготовит пирожки.
Пусть Дима сделает салаты.
Пусть тётя Нина купит шампанское.
Пусть дядя Ваня приготовит пиццу.
Пусть Лара встретить бабушку на вокзале.

Г.

1. с концерта.
2. от своего преподавателя.
3. из центра города..
4. из Томска.
5. от дочери.
6. со стадиона.
7. из Англии.

Д.

1. будет
2. приедем
3. приготовим
4. придут *or* приедут
5. принесёт
6. будут

Е.

Answers will vary.

Ж.

1. У нас не хватает чая.
2. У нас не хватает сыра.
3. У нас не хватает ножей.
4. У нас не хватает ложек.
5. У нас не хватает грибов.
6. У нас не хватает стульев.
7. У нас не хватает яблок.
8. У нас не хватает мороженого.

З.

1. не хватило (хватало) денег
2. хватает ресторанов
3. хватит книг
4. не хватает чувства юмора

И.

— Вы вызвали (ты вызвал *or* ты вызвала)врача?
— Да, он придёт (идёт) из поликлиники. Наш дедушка заболел.
— Что с вашим дедушкой?
— Он говорит, что у него всё болит.
— Он давно болеет?
— Да, уже десять лет.
— Что? Сколько лет вашему дедушке?
— Девяносто восемь. Он будет чувствовать себя лучше, когда придёт врач, но (а) потом он снова (опять) заболеет.

К.
1. Врачей
2. ним
3. кашляет
4. насморк
5. сомнений
6. антибиотик
7. рецепт
8. мёдом
9. ненавидит
10. больничный

Л.
1. У меня не хватает времени.
2. У меня не хватило (хватало) денег.
3. Пусть Сэлли приготовит обед (ужин).
4. Пусть Джон пойдёт на рынок и купит фрукты.
5. Если я летом буду жить в России, я буду говорить только по-русски.
6. Когда я вернусь из России, я сначала поеду к [своим] родителям в Мичиган.
7. В час ночи я пришёл (пришла *or* приехал *or* приехала) от Веры.

М.
Personalized responses.

Н.
Personalized responses.

O.

AA.
1. Что у вас болит?
2. Когда вы заболели?

ББ.
1. 3 раза в день (*3 times a day*)
2. молоко с содой и мёдом (*milk with soda and honey*) , чай с лимоном (*tea with lemon*)
3. Принимайте по четыре таблетки два раза в день.

ВВ.
1. г   2. б   3. в   4. а   5. д   6. Об.

ГГ.
2.   . . .and he ~~will be~~ allowed to return to work. *will not be*
3.   The doctor will excuse him from work for ~~four~~ days. *three*
4.   After the excused days, ~~the doctor will come see him again~~. *the man will go to the clinic*
5.   If he feels well, ~~he can go directly back to work~~. *the doctor will permit him to go back to work.*
6.   The man ~~doesn't~~ think he will feel better on the fourth day. *does*

ДД.
1. а   2. б   3. б   4. в   5. б   6. а   7. а   8. в

ЕЕ-33.
Answers given on student audio program.

УРОК 13 8 МАРТА

Часть первая

А.
1. д   2. в   3. и   4. е   5. г   6. а   7. з   8. к   9. б   10. ж

Б.
1. Эрмитаж — один из моих любимых музеев.
2. "Кармен" — одна из моих любимых опер.
3. Бах — один из моих любимых композиторов.
4. Чехов — один из моих любимых писателей.
5. Гитара — один из моих любимых музыкальных инструментов.
6. Теннис — один их моих любимых видов спорта.

В.
1. Один из наших соседей
2. Одна из наших студенток *or* Один из наших студентов
3. Один из ваших профессоров
4. Один из [итальянских] журналистов
5. Один из футболистов
6. Один из моих братьев

Г.
Four of the five following formats:

1. 18 октбяря 1912	18.10.12	18/10/12	18/X-12	18 окт. 1912 г.
2. 4 апреля 1935	4.4.35	4/4/35	4/IV-35	4 апр. 1935 г.
3. 24 августа 1956	24.8.56	24/8/56	24/VIII-56	24 авг. 1956 г.
4. 23 февраля 1979	23.2.79	23/2/79	23/II-79	23 фев. 1979 г.
5. 25 ноября 1984	25.11.84	25/11/84	25/XI-84	25 ноя. 1984 г.
6. 14 мая 1999	14.5.99	14/5/99	14/V-99	14 мая 1999 г.
7. 25 декабря 2000	25.12.00	25/12/00	25/XII-00	25 дек. 2000 г.
8. 1 января 2003	1.1.03	1/1/03	1/I/-03	1 янв. 2003 г.

Д.
1. в тысяча девятьсот восемьдесят четвёртом году
2. в январе тысяча девятьсот восемьдесят шестого года
3. восьмого сентября тысяча девятьсот восемьдесят седьмого года
4. в субботу, восемнадцатого августа тысяча девятьсот восемьдесят девятого года

Е.
1. четырнадцатого мая тысяча девятьсот семьдесят первого года
2. завтра в восемь часов утра
3. Двадцать четвёртого февраля
4. В среду
5. На прошлой неделе
6. двенадцатого июня
7. в июле
8. в две тысячи первом году
9. в октябре тысяча девятьсот пятьдесят второго года
10. ночью

Ж.
1. весной
2. а. зимние   б. летние
3. зима
4. весны
5. летом
6. осенняя
7. Зимой
8. лето

З.
1. была
2. был
3. были
4. было
5. была
6. был

И.
— Ты уже купил подарки
— Подарки? Какие подарки?
— Разве ты не знаешь? Восьмого марта мужчины дарят подарки или цветы знакомым женщинам (женщинам, которых они знают). Это большой праздник — Международный женский день.
— Боже мой! Я об этом совсем забыл. Спасибо, что ты мне сказал. Сегодня уже третье марта.

К.
1. весеннем
2. Марта
3. был
4. популярных
5. красивыми
6. внимательными
7. которую
8. комплименты
9. седьмого
10. празднуют

Л.
1. Один из моих одноклассников родился двадцать пятого ноября тысяча девятьсот восемьдесят четвёртого года.
2. В среду мой брат заболел и ему надо (нужно) было пойти в поликлинику.
3. В мае тысяча девятьсот девяносто девятого года я ездил (ездила) в Россию.
4. Тебе нравится зимняя погода?
5. Летом я вставал (вставала) каждое утро в одиннадцать часов.
6. На следующей неделе один из моих преподавателей едет (поедет) в Иркутск на конференцию.
7. Одна из открыток — от моего преподавателя русского языка.

М.
Personalized responses.

Н.
Personalized responses.

АА.
1. Mother's Day
2. Because this holiday is observed in ways similar to how Russians observe March 8th.

ББ.
1. *Ageless Woman, Woman without Age*
2. Because the woman has been saying that for several years she is 36 years old.

ВВ.
1. International Women's Day
2. Because men pay women compliments, and receiving compliments is always pleasant.
3. The director gives the women flowers.

ГГ.
1. и (Об.)   2. е   3. ж   4. д   5. г   6. з   7. в   8. б   9. а

ДД.
1. и (Об.)   2. е   3. в   4. к   5. з   6. г   7. б   8. а   9. д   10. ж

ЕЕ-ЗЗ.
Answers given on student audio program.

Часть вторая

А.
1. Н. Саша и <u>дедушка</u> ждут бабушку.
2. Н. В магазине "Посуда" продавали <u>кофейные наборы</u>.
3. В.
4. Н. <u>Саша</u> не понимает, зачем бабушке нужен кофейный набор.
5. Н. Бабушка и дедушка любят пить <u>чай</u>.
6. Н. В кофейном наборе было <u>две чашки</u> с блюдцами.
7. Н. Саша хочет <u>подарить кому-то кофейный набор</u>.
8. В.

Б.
1. Почему *or* Зачем   3. Почему   5. Зачем *or* Почему
2. Зачем   4. Почему

В.
1. знакомый   5. гостиной
2. шампанского   6. самое главное
3. контрольную   7. а. булочной   б. пирожные
4. русских

Г.
1. Маяковского, Петрушевскую   5. Высоцкий
2. Стравинского   6. Толстой
3. Достоевского, Толстого   7. Мусоргского
4. Кандинского

Д.
1. по Европе   4. по улицам Москвы
2. по магазинам   5. по Эрмитажу
3. по музеям   6. по Вашингтону, Орегону, Калифорнии

Е.
1. Ей (4)   8. Вите (1)   15. вам или вашим
2. ей (1)   9. магазинам (3)   знакомым (5)
3. дороге (3)   10. нам (5)   16. дяде Игорю (1)
4. бабушке (1)   11. человеку (3)   17. Ивану Антоновичу (1)
5. Мне (5)   12. родным и знакомым (1)   18. нашей соседке (1)
6. Анне Степановне (5)   13. тёте Лиде (1)   19. ему (2)
7. старым людям (5)   14. маме (1)   20. Нам (2)
21. ей (1)

Ж.
1. a happy summer
2. подсолнух
3. from July to September
4. а. солнечный цветок, sun flower
   б. невеста солнца, bride of the sun
   в. солнечный глаз, sun eye
   г. солнечная шляпа, sun hat
5. red (reddish)
6. about two weeks
7. South America
8. Incas
9. 4 meters, 50 cm.

З.
— Серёжа, где ты был? Я звонил (звонила) несколько раз, но тебя не было дома.
— Я весь день ходил по магазинам. В каждом магазине нужно было стоять в длинной очереди.
— Что ты купил?
— Я купил подарки к Восьмому марта. Я купил Наде серьги (для Нади), маме французские духи (для мамы), бабушке зонтик (для бабушки), Анне Сергеевне, нашей преподавательнице английского языка книгу (для Анны Сергеевны, нашей преподавательницы).
— Почему ты ей купил подарок?
— Она моя любимая преподавательница.

И.
1. волнуются
2. увидела
3. очередь
4. одни
5. Восьмому
6. стала
7. бабушку
8. ему
9. магазинам

К.
1. Почему ты звонишь брату?
2. Максим, сын профессора Петровского, сидит в гостиной.
3. Я два часа ездил (ездила) по городу.
4. Мне очень трудно понимать русских, когда они говорят по-русски.
5. Я вчера вечером звонила (позвонила) своим родителям.
6. Во вторник мы с Василием ходили к дедушке.
7. Света хотела купить билеты на рок-концерт и стояла в очереди три часа.
8. Я волнуюсь об экзамене по истории.

Л.
Personalized responses.

М.
Personalized responses.

АА.
1. He can't decide what to buy Katya for International Women's Day (March 8th).
2. Because Katya is apparently important to him.

ББ.
МАША: Интересно, где Лара, Она должна была вернуться два часа назад.
ВАЛЯ: Зачем она тебе нужна?

ВВ.
1. For her sister-in-law, Sasha.
2. So that her husband can give the gift to his sister for International Women's Day.
3. For their son, Sasha.
4. No. It turns out that her husband had already purchased a gift for his sister.

ГГ.
1. д   2. ж   3. г   4. е   5. а (Об.)   6. в   7. б

ДД.
1. г (Об.)   2. д   3. а   4. е   5. в   6. б

ЕЕ-ЗЗ.
Answers given on student audio program.

Часть третья

А.
1. в школу
2. цветы—тюльпаны и фиалки
3. 14
4. на рынке
5. розы
6. и красные (красного), и жёлтые (жёлтого), и даже фиолетовые (фиолетого)
7. розы
8. Джиму; он весь день ходит по магазинам, но никак не может решить, что купить.
9. Виктор
10. *Answers will vary.*

Б.
1. Если бы Митя научился водить машину, мы бы летом поехали в Киев.
2. Если бы вы купили сыр, я бы приготовил (приготовила) пиццу.
3. Если бы Билл хорошо говорил по-русски, ему было бы легче найти интересную работу.
4. Если бы у нас было время, мы бы пошли в музей.
5. Если бы у Толи были деньги, он бы купил новый компьютер.
6. Если бы они говорили правду, то у них не было бы никаких проблем.

В.
Sample answers; student responses may vary.
1. Если бы Коля играл в финальном матче, его команда бы выиграла (не проиграла бы.)
2. Если бы я не опоздал (опоздала), я бы посмотрел (посмотрела) этот интересный фильм.
3. Если бы я знал (знала), что у хозяйки день рождения, я бы принёс (принесла) подарок.
4. Если бы я знал (знала), что у меня аллегрия на кошек, я бы купил (купила) собаку.

Г.
Personalized completions.

Д.
Sample answers.
1. а. Может быть, тебе купить девушке шоколад?
1. б. Тебе надо купить ей французские духи.
2. а. Может быть, тебе приготовить пирожки?
2. б. Тебе надо приготовить пиццу.
3. а. Может быть тебе принести цветы?
3. б. Тебе надо принести пиво.
4. а. Может быть, тебе подарить ей книгу?
4. б. Тебе надо подарить ей кофейный набор.
5. а. Может быть, тебе лучше сказать правду?
5. б. Тебе надо сказать, что ты занят.

Е.
1. пользуются, косметикой
2. пользуюсь автобусом
3. пользуемся зонтиком
4. пользуется лифтом
5. пользуется, микроволновой печью (микроволновкой)

Ж.
— Где ты купил такие красивые цветы?
— На рынке.
— Разве? Я не знал, что цветы можно купить на рынке. Мне нужен подарок для Наташи. Я весь день ходил по магазинам, но ничего не мог найти. Если бы я знал, я бы тоже пошёл на рынок.
— Ты можешь пойти туда завтра . Рынок начинает работать рано.
— Хорошая идея. Лучше подарить (я подарю) ей цветы, чем косметику.

З.
1. на
2. рынка
3. девчонок
4. классе
5. девушки
6. никак
7. ему
8. рынке
9. метро
10. сестры

И.
1. Я бы больше занимался (занималась), если бы у меня было время (больше времени).
2. Моя тётя пользуется только французскими духами и косметикой.
3. Я иду к Зине на день рождения. *or* Я иду на день рождения Зины. Что мне купить? *or* Что [мне] ей купить? *or* Что мне купить для неё?
4. Если бы моя тётя мне подарила фиолетовый зонтик, я бы им не пользовался (пользовалась).
5. Я хочу поздравить Наталью Викторовну с Восьмым марта. Что [мне] ей купить?
6. Если бы сегодня не было занятий (уроков), я бы пошёл (пошла) на рынок.

К.
Personalized responses.

Л.
Personalized responses.

AA.
1. the market
2. near the metro stations

ББ.
1. She would have made a cake.
2. He invites her to see an Italian film.
3. Next Saturday.

ВВ.
1. He is sad.
2. He hasn't been able to find a present for his sister for International Women's Day.
3. That the man give his sister a subscription to a women's magazine.
4. He thinks it's a great idea.

ГГ.
1. г   2. д   3. б   4. е   5. Об.   6. в   7. а

ДД.
1. в   2. д   3. б   4. е   5. Об.   6. г   7. а

ЕЕ-ЗЗ.
Answers given on student audio program.

Часть четвёртая

А.
1. ж   2. д   3. а   4. з   5. в   6. б   7. е   8. г

Б.
1. поставлю	4. поставлю	7. повешу
2. поставлю	5. положу	8. повешу
3. поставлю	6. поставлю	

В.
1. кладёт	4. вешает	6. кладёт
2. ставит	5. ставит	7. кладёт
3. ставит		

Г.
1. Поставь	5. положу	9. клади
2. положи	6. Положи *or* Поставь	10. Положи
3. поставь	7. поставь	11. поставим
4. поставь	8. поставить	12. Положи

Д.
1. такую же	4. такие же	6. такими же
2. такой же	5. такой же	7. такая же
3. такой же		

Е.
1. Когда кончилась лекция профессора Пескова?
2. Кто тебе (вам) посоветовал прочитать эту книгу?
3. Кого вы пригласили на ужин?
4. Где можно купить мясо?
5. Кому ты купил (вы купили) эти тюльпаны?
6. Что ты купил (вы купили) Наташе?

Ж.

Russian Root Word(s)	English Meaning of Root Word	English Meaning of Phrase
1. рынок	market	market economy
2. косметика	cosmetics	beauty salon
3. подарок	gift	gift set
4. между, город	inter- between, city	long distance phone
5. успех	success	successful businessman
6. яблоко	apple	apple pirozhok
7. группа	group	group lessons

З.
Answers will vary.

И.
— Джон, посмотри. Я купил (купила) эту книгу Тому на [его] день рождения. «Русская кухня.» Он любит готовить.
— Не может быть У меня для него такая же книга. Его сестра посоветовала мне её купить.
— Какое совпадение! Неужели (разве) они одинаковые?
— К сожалению, да.
— Ничего. [Давай] Пойдём в Дом книги. Я там видел другую книгу. «Кавказская кухня.»
— Хорошая идея. Тому особенно нравятся грузинские блюда. Пошли.

К.
1. праздновать
2. дарит
3. конфеты
4. удивляются
5. через
6. кофейный набор
7. совпадение
8. такой
9. таким

Л.
1. Я поставлю цветы в вазу.
2. Куда [мне] положить салфетки?
3. Я повесила картину Москвы на стену в гостиной.
4. Вчера я купил (купила) теннисную ракетку, и Вадим купил такую же [ракетку].
5. Мои друзья посоветовали мне подарить Ларисе Петровне на день рождения цветы.
6. Давай я накрою на стол.

М.
Personalized responses.

Н.
Personalized responses

O.

AA.
1. Svetlana is Ivan Petrovich's secretary.
2. One is for her birthday and one for International Women's Day.

ББ.
1. Я видел в Доме книги красивую книгу с картинами старого Петербурга! Это замечательный подарок, особенно для учителей.

BB.
1. To extend greetings for the 8th of March to the children's mother
2. In the kitchen.
3. Because they were supposed to prepare all the food so that their mom could relax.
4. They did prepare some food (salad and pâté), but it didn't taste very good.

ГГ.
а. 3   б. 7   в. 1   г. 4   д. 6   е. 2   ж. Об.   з. 5

ДД.
1. Чайный сервиз получила Елена Борисовна.
2. Маше я подарил красивый платок.
3. Чайник надо поставить на стол.
4. Слишком много косметикой пользуется Вика.
5. Я послал бандероль Саше.
6. На рынок я пойду завтра днём.

EE-ЗЗ.
Answers given on student audio program.

УРОК 14 МЫ ИДЁМ В БОЛЬШОЙ ТЕАТР

Часть первая

А.
1. Виктор
2. Лена
3. Лена
4. Виктор
5. Виктор
6. Лена
7. Сергей Петрович
8. Сергей Петрович
9. а. Вова, б. Сергеем Петровичем

Б.
1. «Спартаком» и «Авангадром».
2. «Анюту».
3. «Пиковую даму».
4. «Вишнёвый сад».
5. «Неву» и «Новый мир».
6. «Ивана Чонкина».
7. «Автомобилиста».
8. «Мастера и Маргариту».

В.
1. все
2. всю
3. всего
4. всех
5. всех
6. весь
7. всех
8. всего

Г.
Sample answers.
1. — Вы интересуетесь политикой?
   — Да, политика меня интересует.
2. — Ваши дети интересуются шахматами?
   — Нет, шахматы их не интересуют.
3. — Твой друг интересуется французской историей?
   — Нет, моего друга не интересует французская история.
4. — Ваши родители интересуются балетом?
   — Да, их интересует балет.
5. — Твои знакомые интересуются американской литературой?
   — Нет, американская литература их не интересует.

Д.
1. успели заехать за лекарством.
2. успеет послать её брату.
3. успел (успела) её прочитать.
4. успеет ни купить продукты, ни приготовить ужин.
5. успею поздравить его.
6. ничего не успеет.

Е.

— Ваня, у меня два билета в театр на пятницу. [Ты] Хочешь пойти со мной?
— С удовольствием! Что идёт?
— «Три сестры» Чехова. Мой друг дал мне билеты час назад, когда он уезжал в аэропорт.
— В какой театр мы идём?
— В(о) МХАТ.
— Отлично (Замечательно)! Давай встретимся в половине восьмого (полвосьмого) у входа в театр.
— Договорились.

Ж.

1. «Евгения Онегина»
2. спектакль
3. взять
4. ни
5. знаменитым
6. статей
7. достать
8. «Спартаком»
9. боится
10. успеет

З.

1. Ты интересуешься хоккеем? Баскетболом? Гимнастикой? Футболом? (Тебя интересует хоккей? Гимнастика? Баскетбол? Футбол?)
2. В субботу и воскресенье я ничего не успею сделать, потому что мои родители приезжают из (с) _____.
3. Ты когда-нибудь читала «Моби Дика»?
4. Весной я читал (читала) (прочитал *or* прочитала) роман «Лолита» и надеюсь, что летом я успею (у меня будет время) посмотреть фильм.
5. Я достал (достала) три билета в Большой театр на «Гамлета».
6. Я хочу взять интервью у русских хоккейстов, которые во вторник приехали из Иркутска.

И.

Personalized responses

К.

Personalized responses.

АА.

ТОЛЯ: У меня есть билеты на футбол на [это] воскресенье. Хочешь пойти?
ВИТЯ: Спасибо, но я не очень люблю футбол.
ТОЛЯ: А какие виды спорта ты любишь?
ВИТЯ: Плавание и аэробику.
ТОЛЯ: Но ведь смотреть футбол интереснее, чем смотреть плавание.
ВИТЯ: О вкусах не спорят.

ББ.

Because Katya is interested in everything that Mitya is interested in.

ВВ.

1. opera and ballet
2. opera
3. ballet
4. to go to see *Carmen* at the Bolshoi.

ГГ.

1. б   2. а   3. б   4. в   5. в   6. а

ДД.

	ROW	SEAT
1.	10	37
2.	15	28
3.	20	35
4.	24	19
5.	15	30
6.	29	9
7.	15	29
8.	7	12

Таня, Мэри и Дорис are the three students who will sit together.

ЕЕ-33.
Answers given on student audio program.

Часть вторая

А.
1. в   2. б   3. в   4. б   5. а   6. в

Б.
1. в   2. б   3. а   4. г   5. в   6. г

В.
1. Ирочка   4. Верочка   6. Ниночка
2. Светочка   5. Славочка   7. Людочка
3. Стёпочка

Г.
1. Добрый день. Я хотел бы заказать столик.
2. На субботу.
3. На четверых. *or* На четыре человека.
4. На семь [часов] вечера.
5   *Answers will vary.*

Д.
The order of answers may vary.
1. достала три билета на оперу «Евгений Онегин».
2. заказал столик на половину шестого
3. заказала столик на двоих
4. заказала такси на четыре часа
5. достал два билета на футбол

Е.
Answers will vary.

Ж.

Sample answers.

Наталья зашла на почту за марками.

Наталья заехала в магазин за картошкой.

Наталья зашла в спортивную школу́ за костюмом.

Наталья заехала к дяде Жене за видеокассетой фильма «Окно в Париж».

Борис заехал в аптеку за лекарствами.

Борис зашёл в банк за деньгами.

Борис зашёл в химчистку за костюмом.

Борис зашёл к коллеге за компакт-диском.

Борис заехал в библиотеку за журналом «Огонёк».

З.

Answers will vary.

И.

— Лара, куда ты идёшь?

— В библиотеку. Мне надо (Мне нужно *or* Я должна) заниматься.

— Ты там долго будешь?

— [Я] не знаю. Два или три (два-три) часа. Библиотека закрывается в пять часов. Потом мне надо (мне нужно *or* я должна) зайти в магазин за хлебом.

— Не забудь. Я заказал (заказала) такси на половину седьмого (полседьмого) и столик в «Праге» на семь [часов]. Ты успеешь всё сделать? (Ты всё успеешь? *or* У тебя хватит времени? *or* У тебя будет достаточно времени?)

— Конечно. Увидимся в половине седьмого.

К.

1. «Прага»
2. на
3. заказал
4. первый раз
5. оркестров
6. приглашает
7. всю
8. «Праге»
9. столик

Л.

1. Ты зашла (заходила) в аптеку за аспирином?
2. Я заеду за тобой в половине четвёртого (полчетвёртого).
3. Я заказал (заказала) такси на завтра на семь часов [утра].
4. Я заказал (заказала) столик на четверых в китайском ресторане.
5. Ты достал билеты на финальный матч по футболу?
6. Ты когда-нибудь была в ресторане, в котором (где) играет оркестр? *or* Ты когда-нибудь ходила в ресторан, в котором играет оркестр?
7. Я не знаю, что выбрать (взять *or* брать). Что ты рекомендуешь (порекомендуешь)?

М.

Personalized responses.

Н.

Personalized responses.

АА.

1. It has more than twenty varieties of salad.
2. Cucumbers.

ББ.
1. That she rarely eats dessert and has a right to eat it once a year.
2. If they walk home from the restaurant.
3. About ten kilometers.

ВВ.
закуски: салат «Весна», икра красная
вторые горячие блюда: бифштекс по-польски, котлеты по-киевски
напитки: вода минеральная, вино «Зинфандель» красное

ГГ.

1.	е (Об.)	дд (Об.)
2.	б	зз
3.	в	аа
4.	ж	вв
5.	а	жж
6.	з	ее
7.	г	бб
8.	д	гг

ДД.
Answers will vary but should be from the following categories:
1. *Soups (first course)*   3. *Entrees (second course)*   5. *Cold drinks*
2. *Dessert*   4. *Appetizers*   6. *Hot drinks*

ЕЕ-ЗЗ.
Answers given on student audio program.

Часть третья

А.
1. г   2. д   3. а   4. е   5. в   6. б   7. л   8. з   9. м   10. и
11. ж   12. к

Б.
2. славист   7. феминист   12. (9а.) реалист
3. террорист   8. оппортунист   (10а.) пессимист
4. социалист   9. идеалист   (11а.) экстремист
5. фаталист   10. оптимист   13. *Answers will vary.*
6. атеист   11. минималист

В.
Order of answers will vary.
1. Молли ходила в Кремль.
2. Она ходила на Стадион «Лужники».
3. Она ходила в Третьяковскую галерею.
4. Она ездила в Дом-музей Толстого.
5. Она ездила в Парк культуры.
6. Она ездила на Ленинградский вокзал.

Г.

Order of answers will vary.

1. шла в Кремль   Алекса
2. шла на Стадион «Лужники»   Бобби
3. шла в Третьяковскую галерею   Джессику
4. ехала в Дом-музей Толстого   Натали
5. ехала в Парк культуры   Спенсера
6. ехала на Ленинградский вокзал   Эрику

Д.

1. иду	3. ездили	5. ездим	7. хожу
2. едем	4. ездили	6. ходил	8. ходит

Е.

1.   а. ездил
     б. ходила
     в. ездишь
2.   а. пошёл
     б. ходил

Ж.

— Где ты купил (купила) такие красивые цветы? В магазине?

— Нет, на рынке.

— Они очень красивые. Мне нужен подарок для Иры. Я весь день хожу по магазинам но ничего не могу найти. Я не знал, что цветы можно купить на рынке.

— Ты можешь пойти туда завтра. Рынок открывается рано.

— Прекрасно (Замечательно). Завтра я пойду туда рано утром и куплю ей розы. *or* Я пойду туда завтра рано утром и куплю ей розы.

З.

1. входа	5. антракте	8. очереди
2. «Евгения Онегина»	6. сдают	9. программку
3. который	7. гардероб	10. платить
4. беспокоится		

И.

1. Куда ты ходил (пошёл) вчера после фильма?
2. Куда ты шёл, когда я увидел (видел) тебя вчера днём?
3. Летом мы с другом (с подругой) ездили в Турцию.
4. Я оптимист и уверен (уверена), что смогу поехать в Россию в следующем (будущем) году.
5. Каждый год мы с родителями ездили в горы.
6. Когда я был маленьким (была маленькой), я почти каждый день ходил (ходила) в магазин и покупал (покупала) мороженое.
7. Я ехал (ехала) на работу, когда я вспомнил (вспомнила), что я должен был (должна была) позвонить [своей] бабушке сегодня утром.
8. Ты хочешь пойти в буфет в антракте?

К.

Personalized responses.

Л.

Personalized responses.

AA.

Сейчас я иду на почту. Потом я вернусь домой, пообедаю и поеду во Владимир.

ББ.
1. Hamlet (Гамлет)
2. His sister works in the theater and gave him the tickets.
3. By the main entrance of the theater.

ВВ.
1. To the Bolshoi Theater.
2. During the intermission.
3. In the rear orchestra.
4. Row 19, 10th and 11th seats.

ГГ.
а. 2   б. 8   в. 7   г. 4   д. 3   е. 1 (Об.)   ж. 6   з. 5

ДД.

	HAS BEEN THERE AND RETURNED	HAS LEFT FOR THERE, BUT PROBABLY HAS NOT RETURNED
1.		X
2.	X	
3.	X	
4.		X
5.	X	
6.	X	

ЕЕ-ЗЗ.
Answers given on student audio program.

Часть четвёртая

А.
1. она стоит перед театром.
2. он опаздывает на спектакль.
3. а. «Спартак» чемпион России по хоккею.   б. Они с Вовой получили автограф Манина.
4. он в джинсах и футболке.
5. переодеться.
6. в антракте в фойе первого этажа.

Б.
1. осталась [одна] неделя.
2. осталось 20 минут.
3. осталось 4 доллара.
4. остался 1 месяц.
5. остался 1 день.
6. остались студенты и аспиранты.

В.
1. Фомину
2. Кирилловой
3. Покровским
4. Афанасьева
5. Богданову
6. Васина
7. Зотовых
8. Васиным

Г.
1. в, одной
2. а, один
3. б, одна

4. г, одной
5. д, одни

6. б, один
7. в, одного

Д.
1. (S) а. танцевали   б. играли
2. (I) а. танцевали   б. ушла
3. (S) а. шёл   б. писал (писала)   в. читала, г. смотрел
4. (I) а. готовила   б. пришли
5. (S) а. готовил   б. писала

Е.
— [Ты] Хочешь пойти на концерт сегодня вечером?
— С удовольствием. У тебя есть билеты?
— Ещё нет, но я уверен (уверена), что мы сможем их купить до начала [концерта].
— В котором часу (во сколько) он начинается ?
— В половине восьмого (полвосьмого). Тебе нужно переодеться или поесть? У нас осталось всего (только) два часа.

Ж.
6. б, один
7. в, одного

6. б, один
7. в, одного
4. осталось

5. очереди
6. автограф
7. пустят

8. переоделся
9. действию
10. первого

З.
1. До конца семестра остался [только] один месяц.
2. Сколько у тебя осталось денег?
3. Я потерял (потеряла) кольцо, когда я вчера ходил (ходила) по магазинам.
4. Я достал (достала) три билета на финальный матч по футболу.
5. Я ждал (ждала) Алёшу перед домом (у дома), когда ко мне подошла женщина и спросила, где я купил (купила) [моё] пальто.
6. Мы с _____ были в одном самолёте.
7. В этом магазине продают только овощи.

И.
Personalized responses

К.
Personalized responses.

Л.

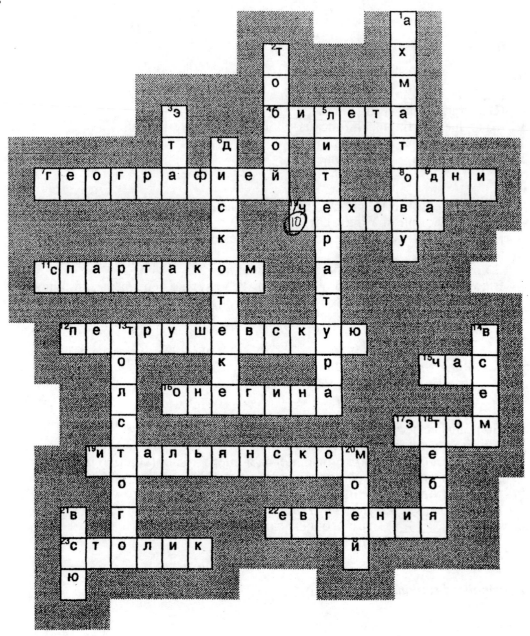

АА.

Seryozha was late to work yesterday, too.

ББ.

1. one
2. in the balcony, first row
3. 300 rubles

ВВ.
1. his friend, Misha
2. at the entrance to the theater
3. a performance in a theater
4. because Sasha doesn't have the tickets; Misha does
5. because Misha is the most punctual person in the world

ГГ.
1. г (Об.)   2. з   3. а   4. ж   5. д   6. в   7. е   8. б

ДД.

	SIMULTANEOUS ACTIONS	SEQUENTIAL ACTIONS	SINGLE ACTION OCCURS WHILE ANOTHER IS ONGOING OR IN PROGRESS
1.	x		
2.		x	
3.			x
4.		x	
5.	x		

ЕЕ-33.
Answers given on student audio program.

EPILOGUE
ДО СВИДАНИЯ, МОСКВА, ДО СВИДАНИЯ!

Scene A

А.
1. Илья Ильич уезжает в <u>Архангельск</u>.
2. Он уезжает <u>со студентами</u>.
3. Он уезжает через <u>неделю</u>.
4. У него в группе освободилось <u>одно место</u>.
5. Он предложил место <u>Тане</u>.
6. Джим уезжает в Америку через <u>десять</u> дней.
7. У Джима и Тани <u>одна неделя</u> впереди.

Б.
Personalized responses.

В.
Personalized responses.

АА.
1. Sandra's grandmother
2. Sandra's aunt
3. Sandra's relatives pay for the trips.

ББ.

	EVENT	AMOUNT OF TIME
1.	trip to Petersburg	three weeks
2.	New Years	twelve days
3.	semester begins	two months
4.	trip to the south	one week
5.	trip to New York	six days

Scene B

А.
1. е 2. д 3. а 4. б 5. г 6. в

Б.
1. Могу я (Можно) заказать такси?
2. В аэропорт Шереметьево.
3. На три часа ночи.
4-6. *Answers will vary.*

В.
Answers will vary.

АА.
To the Kursk train station at 8:00 tomorrow morning.

ББ.
1. tomorrow, 6:00 AM
2. Where are you going?
3. an airport
4. ул. Моховая, дом 25, первый подъезд
5. 31-92

Scene C

А.
1. Она будет писать статью о костромских бизнесменах.
2. На Ленинградский вокзал.
3. Потому что такси опаздывает.
4. На Ярославский [вокзал].
5. Илья Ильич и Лена.
6. В телекомпании CNN.
7. Она очень рада.

Б.
1. Арине Петровне нужно ехать на Ярославский вокзал в половине пятого (4.30) утра
2. Виталию Сергеевичу нужно ехать в [аэропорт] Шереметьево в четыре (4) часа дня.
3. Виктории Ефимовне нужно ехать в [аэропорт] Домодедово в пять (5) часов утра.
4. Студенткам Инне и Маше нужно ехать на Курский вокзал в половине шестого (полшестого) (5.30) вечера.
5. Ольге нужно ехать на Киевский вокзал в половине двенадцатого (полдвенадцатого) (11.30) утра.
6. Марии Ивановне нужно ехать на Киевский вокзал в половине пятого (полпятого) (4.30) дня.
7. Американскому аспиранту Майклу нужно ехать на Казанский вокзал в половине четвёртого (полчетвёртого) (4.30) дня.
8. Алексею Михайловичу нужно ехать в аэропорт Внуково в четыре часа (4) утра.

В.
Answers will vary.

АА.
1. 8:00 AM
2. ten minutes ago
3. with the veterinarian
4. The man who ordered the taxi said something about his dog when the dispatcher mentioned that the phone had been busy. The dispatcher thought the man was saying that his dog had been on the phone. He also thought the man wanted to take his dog with him in the taxi.

ББ.

1. поезд: 52	куда: Санкт-Петербург	через: 15 минут	путь: 7
2. поезд: 9	куда: Архангельск	через: 10 минут	путь: 10
3. поезд: 10	куда: Киев	через: 5 минут	путь: 6
4. поезд: 20	куда: Харьков	через: 3 минуты	путь: 8
5. поезд: 12	куда: Новосибирск	через: 15 минут	путь: 3
6. поезд:19	куда: Минск	через: 10 минут	путь: 12

Transparency Masters

to accompany

Nachalo

Transparencies
from Book 2 of
NACHALO

Transparency Number	Lesson Number	Part Number	Title
1a	8	1	Куда идти?
1b	8	1	Лена идёт на свидание.
2a	8	2	Кого что интересует
2b	8	2	Getting married
3	8	2	Что идёт в театр?
4a	8	3	В офисе
4b	8	3	Профессор покупает компьютер
5	8	4	Городской транспорт
6	9	1	В метро
7	9	2	Morning routine
8	9	2	На улице
9a	9	3	Работа и обучение
9b	9	3	Кем вы хотите стать?
10a	9	3	Вы любите спорт?
10b	9	3	Спорт товары
11a	9	4	Знаки зодиака
11b	9	4	Чёрная кошка
12a	10	1	Дед Мороз и Снегурочка
12b	10	1	Вам не холодно?
13a	10	2	Русская кухня
13b	10	2	Приятного аппетита!
14a	10	4	С друзьями
14b	10	Supp Rdg	Гостиница «Националь»
15a	11	1	Который час?
15b	11	1	День Лены
16	11	2	Как к вам ехать?
17a	11	3	В аудитории
17b	11	4	На рынке
18a	11	4	Венок для нашей преподавательницы
18b	12	1	Parts of the body
19a	12	2	Что идёт в кино?
19b	12	3	Being sick
20a & b	12	3 & 4	Кто лучше лечит?
20c	12	4	Going to visit Grandma
21a	13	1	8 (восьмое) Марта
21b	13	2	Что подарить?

Transparencies

Transparency Number	Lesson Number	Part Number	Title
22a	13	3	Подарки
22b & c	13	3	Джим покупает подарки
23a	13	4	Лена накрыла на стол
23b & c	13	4	С праздником!
24a	14	1	А что мы будем делать?
24b	–	–	–
25a	14	2	Вечер в хорошем ресторане
25b	14	3	У Большого театра
26a	14	3	В гардеробе
26b	14	3	Вот ваши места
27a	14	4	Наконец приехал!
27b	Epilogue A		Лена поедет в Архангельск
28a	Epilogue B		Таня, вы готовы?
28b	Epilogue C		Где такси?

2b   Lesson 8, Part 2   Getting married

ТЕАТР ИМ. МАЯКОВСКОГО.
Ул. Большая Никитская, 19, тел. 290-46-58.

В помещении гастроли Театра Антона Чехова.

ТЕАТР ИМ. ВАХТАНГОВА.
Ул. Арбат, 26, тел. 241-07-28.

Начало вечерних спектаклей: 18.00
1 (чт), 6 (вт), 23 (пт) К. Гоцци «Принцесса Турандот»
2 (пт), 7 (ср), 4 (вс) П. Шено «Будьте здоровы!»
3 (сб), 16 (пт) «Принцесса Турандот» «Будьте здоровы!»
8 (чт) М. Горький «Варвары», 19.00.
9 (пт), 11 (вс), 13 (вт), 17 (сб), 22 (чт), 28 (ср) Ж. Мольер «Проделки Скапена»
10 (сб), 18 (вс) М. Цветаева «Три возраста Казановы» «Наша любовь», 14.00, (малый зал)
14 (ср), 21 (ср) М. Булгаков «Зойкина квартира», 19.00.
15 (чт). 20 (вт) А. Островский «Женитьба Бальзаминова», 19.00.
22 (чт) А. Островский «Без вины виноватые», 14.00.
24 (сб), 25 (вс) Т. Реттиган «Дама без камелий»

Начало вечерних спектаклей: 19.00
1 (чт) «Сверчок на печи»
6 (вт) «Влияние гамма-лучей на бледно-желтые ноготки»
7 (ср), 14 (ср) «Свадьба. Юбилей»
8 (чт) «Зачем пойдешь, то и найдешь»
13 (вт), 28 (ср) «Клоуны»
15 (чт) «Калигула»
Закрытие сезона

ТЕАТР «САТИРИКОН».
Шереметьевская улица, 8, тел. 289-78-44

Начало вечерних спектаклей: 19.00
1 (чт), 8 (чт), 27 (вт) «Мнимый больной»
2 (пт), 5 (пн), 18 (вс), 23 (пт), 25 (вс), 28 (ср) «Такие свободные бабочки»
3 (сб), 10 (сб), 19 (пн), 21 (ср), 29 (чт) «Хозяйка гостиницы»
3 (сб), 4 (вс), 10 (сб), 12 (пн) (19.30), 23 (пт) «Превращение», 15.00 (малая сцена).
4 (вс), 6 (вт), 11 (вс), 15 (чт), 20 (вт), 24 (сб), 26 (пн) «Сатирикон-шоу»
7 (ср), 14 (ср), 22 (чт), 30 (пт) «Багдадский вор»
9 (пт), 13 (вт), 16 (пт), 17 (сб) «Сирано де Бержерак»
18 (вс), 25 (вс), 28 (ср) «Великий рогоносец», 15.00 (малая сцена)
20 (вт), 29 (чт) «Совсем недавно», 19.30 (малая сцена).

ТЕАТР ИМ. ПУШКИНА.
Тверской бульвар, 23, тел. 203-85-82, 203-85-14

Начало вечерних спектаклей: 19.00
3 (сб) А. Мерлин, А. Белинский «Красотки кабаре»
4 (вс) А. Аверченко «Комната смеха»
5 (вс) Манье «Блэз»
6 (пн), 7 (вт), 10 (сб) А. Платонов «Семья Иванова»
8 (ср) 9 (чт) А. Гарин «Красные сны»
15 июня закрытие сезона.

ЦЕНТРАЛЬНЫЙ ТЕАТР РОССИЙСКОЙ АРМИИ.
Суворовская площадь, 2, тел. 281-51-20

Начало вечерних спектаклей: 19.00
1 (чт) «Боже, храни короля!» (малый зал)
2 (пт), 4 (вс) (18.00), 9 (пт), 24 (сб) (18.00) «Ваша сестра и пленница» (премьера), (малый зал)
7 (ср), 21 (ср), 25 (вс) (18.00) «Загнанная лошадь» (премьера), (малый зал)
3 (сб) (18.00), 16 (пт), 22 (чт) «Цветные сны о черно-белом».
6 (вт), 15 (пт), 23 (пт) «Идиот» (малый зал)
8 (чт), 17 (сб) (18.00) «Шарады Бродвея» (малый зал)

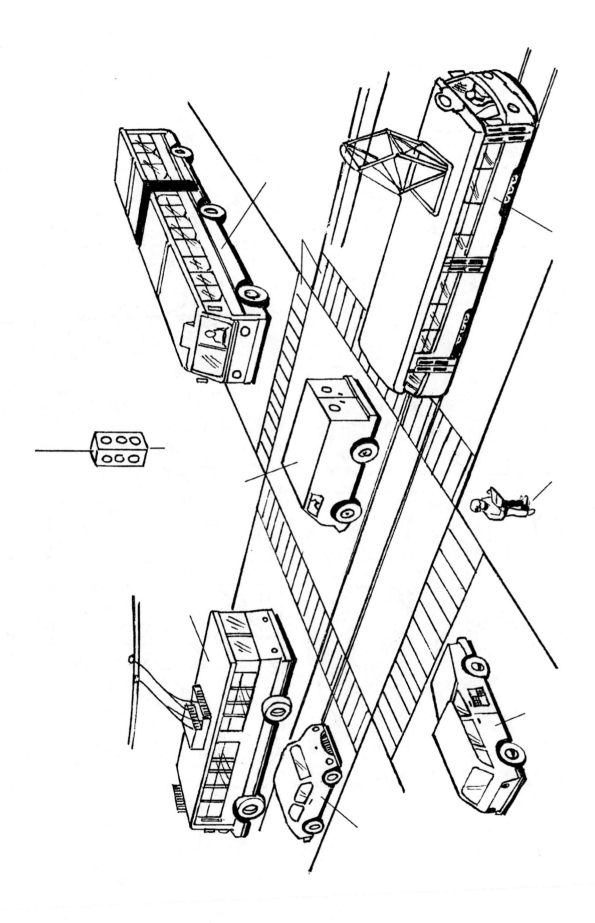

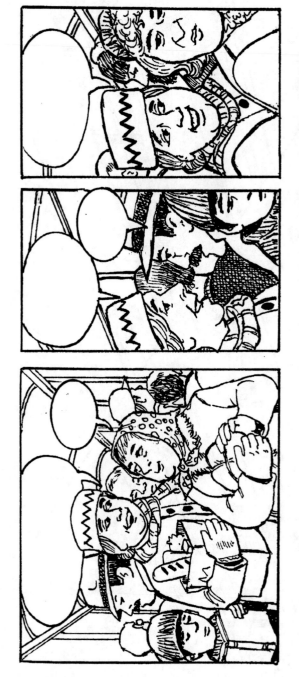

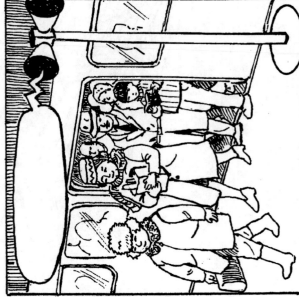

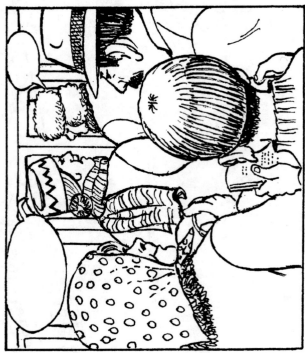

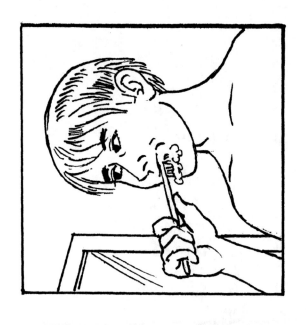 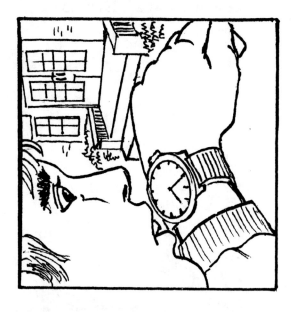

 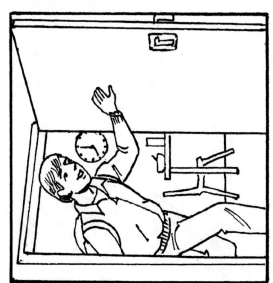

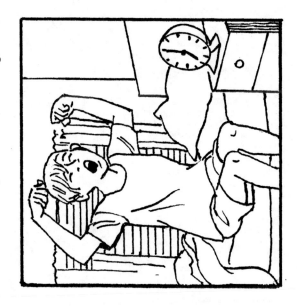 

Lesson 9, Part 2   Morning routine

7

РАБОТА
И ОБУЧЕНИЕ

- ◆ Автошкола. 233-40-65
- ◆ Автошкола. 279-94-39
- ◆ Курсы англ. яз. 236-21-38 с 16-20
- ◆ Р-та 1480$. 314-23-10, 315-48-25
- ◆ Помощь шк. в учебе. Подг. в ВУЗ. Курсы ин. яз. 498-95-07
- ◆ Фирме требуются коммерчес-кие агенты для торгово-заку-почной деятельности. 233-11-49

- ◆ Еженедельник "Вести для Вас" приглашает рекламных агентов с опытом работы. Собеседова-ние по будням (кр. пон., вт.) в 15.00 по адресу редакции.
- ◆ Еженедельник "Вести для Вас" приглашает курьеров для рас-пространения газеты по офисам коммерческих организаций. 499-89-10, 362-89-68
- ◆ Еженедельнику "Вести для Вас" требуются энергичные люди для работы в качестве бригадиров. 499-89-10, 362-89-68

Рак

 Козеро́г

 Близнецы́

 Стреле́ц

 Теле́ц

 Скорпио́н

 Ове́н

 Весы́

 Ры́бы

 Де́ва

 Водоле́й

 Лев

1. **ма́сло**
2. **чёрный хлеб**
3. **сыр**
4. бутербро́д
5. карто́фельный сала́т
6. **винегре́т**
7. смета́на
8. **блины́**
9. сала́т из огурцо́в и помидо́ров
10. **соси́ски**
11. гусь

12. **пельме́ни**
13. **баклажа́нная икра́**
14. пирожки́ с капу́стой
15. пирожки́ с карто́шкой
16. пирожки́ с мя́сом
17. **ки́слая капу́ста**
18. **солёные огурцы́**
19. кра́сная икра́, чёрная икра́
20. **паште́т**
21. **солёные грибы́**
22. **солёные помидо́ры**

15a   Lesson 11, Part 1   Который час?

а   б   в   г

д   е   ж   з

15b   Lesson 11, Part 1   День Лены

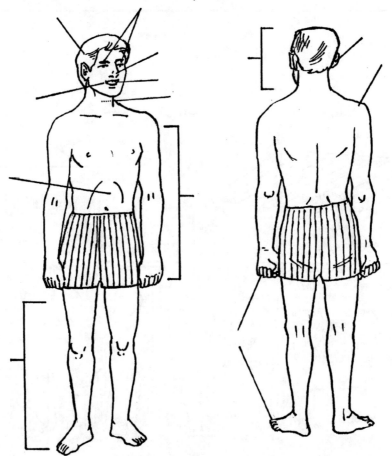

ИЛЛЮЗИОН

Котельническая наб., 1/5
тел. 915-4339, 915-4353
ст. м. Таганская, Китай-город
Цена билета 5—10 руб.

1 ИНДИЙСКАЯ ГРОБНИЦА (*Германия*)
в 13, 16 час.
2 ПЕСНЬ ПУСТЫНИ (*Германия*)
в 13.30, 15 час.
ЛА ВЬЯЧЧА (*Италия*) в 17, 19 час.
4 ГРАФ МОНТЕ-КРИСТО (*США*)
в 13, 15, 18 час.
5 ТАРЗАН (*США*) в 13 час.
О, СЧАСТЛИВЧИК! (*Англия*) в 15, 18 час.
6 ТРИ МУШКЕТЕРА (*Франция,*
1939 и 1961) в 13 и 18 час.
7 КАПИТАН БЛАД (*США*) в 13 час.
ФАННИ И АЛЕКСАНДР (*Швеция*)
в 15, 18 час.
8 ДНИ ЛЮБВИ (*Италия*) в 13, 15 час.
ГЕНЕЗИС (*Индия*) в 17 час.
9 ТИГР АКБАР (*Германия*) в 13.15, 15 час.
ПОСЛЕДНИЙ РОМАНС (*Испания*)
в 16.45, 19 час.
10 ЧЕЛОВЕК В ЖЕЛЕЗНОЙ МАСКЕ
(*США, 1939 и Англия, 1977*) в 15 и 19 час.
11 МИСТЕР СМИТ ЕДЕТ В ВАШИНГТОН
(*США*) в 13, 15 час.
ПОДЛИННАЯ ИСТОРИЯ ДАМЫ
С КАМЕЛИЯМИ (*Франция—Италия*)
в 17, 19 час.

12 КАПИТАН БЛАД (*США*) в 13, 15 час.
13 ТРИ МУШКЕТЕРА (*США*) в 13.30
ЖЕЛЕЗНАЯ МАСКА (*Франция*)
в 13, 15 час.
14 ПОЛУНОЧНЫЙ ПОЦЕЛУЙ (*США*)
в 13, 15 час.
ОСЕННЯЯ СОНАТА (*Швеция*) в 17, 19 час.
ПОД НЕБОМ СИЦИЛИИ (*Италия*) в 13 час.
БАШНЯ СМЕРТИ (*США*) в 15, 17 час.
16 СВИНАРКА И ПАСТУХ (*СССР*)
в 15, 17 час.
ВЕРНИСЬ В СОРРЕНТО (*Италия*)
в 13.15, 15 час.
ПАНА (*Франция*) в 17, 19 час.
17 СЕДЬМОЕ НЕБО (*США*) в 13 час.
ЧЕТЫРЕ МУШКЕТЕРА (*Франция*)
в 15, 18 час.
18 СТУПЕНИ СУПРУЖЕСКОЙ ЖИЗНИ
(*Франция*) в 13, 15 час.
Киновечер М. ЛАДЫНИНОЙ в 18 час.
19 ВОЛШЕБНИК ИЗ СТРАНЫ ОЗ (*США*)
в 13, 15 час., а также 27 в 13 час.
ЭММАНУЭЛЬ-5 (*Франция*) в 17, 19 час.
20 День немецкого кино
21 ДЕТИ РАЙКА (*Франция*) в 13.30
ЛЮБОВНИК ЛЕДИ ЧАТТЕРЛЕЙ
(*Франция—Англия*) в 17, 19 час.
22 СЕКРЕТАРЬ РАЙКОМА
(*СССР*) в 13 час.
РИМ В 11 ЧАСОВ (*Италия*) в 15, 17 час.

23 КУБАНСКИЕ КАЗАКИ (*СССР*) в 11.30
Льготный сеанс
ТЫ МОЕ СЧАСТЬЕ (*Германия*)
в 13.30, 15.15
ЧЕТВЕРО ПРОТИВ КАРДИНАЛА
(*Франция*) в 17, 19 час., 28 в 13 час.
24 РОЖДЕННЫЕ ТАНЦЕВАТЬ (*США*)
в 13, 15 час.
ЖУРНАЛИСТ ИЗ РИМА (*Италия*)
в 17, 19.15
25 УТРАЧЕННЫЕ ГРЕЗЫ (*Италия*)
в 13, 15 час.
ЧЕРНЫЙ ТАЛИСМАН (*Франция*)
в 17, 19 час.
26 АВЕ МАРИЯ (*Германия*) в 13, 15 час.
ФРОЙЛЯЙН ЭЛЬЗА (*Франция—Италия*)
в 17, 19 час.
27 ЧЕТЫРЕ МУШКЕТЕРА (*Франция*)
в 16, 18.30
28 ИСТОРИЯ О, ЧАСТЬ II (*Франция*)
в 15, 17, 19 час.
29 СКАЗАНИЕ О ЗЕМЛЕ СИБИРСКОЙ
(*СССР*) в 13 час.
ПРИГОВОР (*Франция*) в 15, 17 час.
30 ИСПЫТАНИЕ ВЕРНОСТИ (*СССР*)
в 11.30
Льготный сеанс
МОЛОДОЙ КАРУЗО (*Италия*)
в 13.30, 15.15
ДВОЕ В ГОРОДЕ (*Франция*) в 17, 19 час.

19b   Lesson 12, Part 3   Being sick

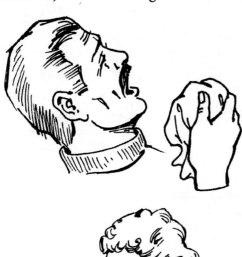

Lesson 12, Parts 3 & 4   Кто лучше лечит?

20a

20b

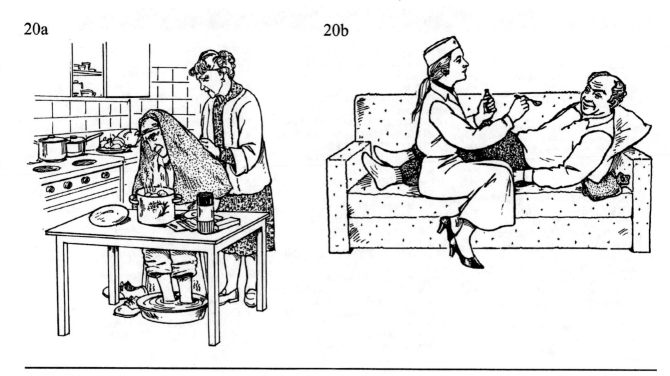

20c   Lesson 12, Part 4   Going to visit Grandma

ро́зы

фиа́лки

маргари́тки

гвозди́ка

Цветы

тюльпа́ны

и́рис†

мимо́за†

хризанте́мы†

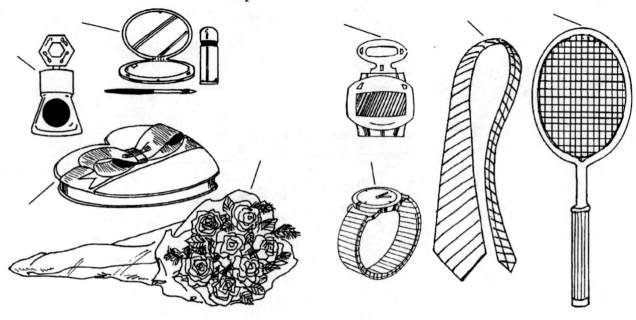

Lesson 13, Part 3   Джим покупает подарки

22b

22c

Lesson 13, Part 4   С праздником!

23b   23c

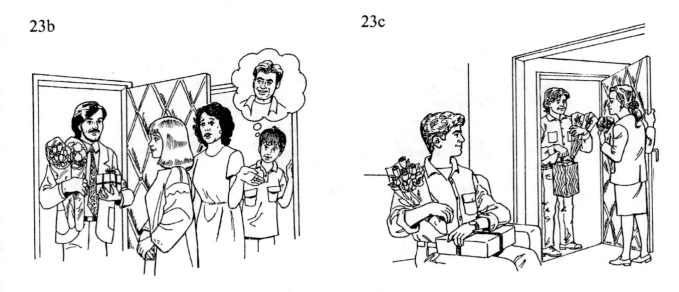

24a

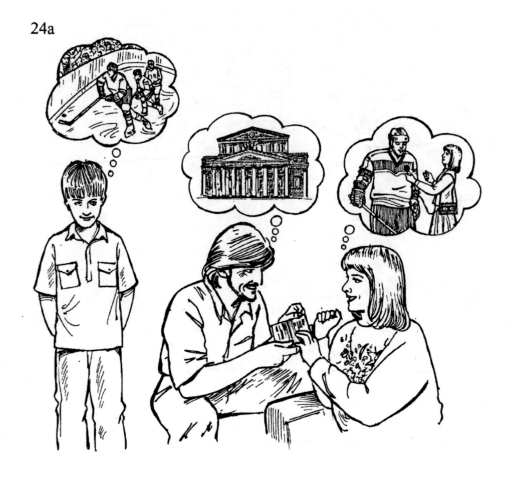

24b

27b   Epilogue A   Лена поедет в Архангельск

28a   Epilogue B   Таня, вы готовы?

28b   Epilogue C   Где такси?